DER MONGOLENSTURM

UNGARNS GESCHICHTSSCHREIBER

Herausgegeben von

THOMAS VON BOGYAY

BAND 3

DER
MONGOLENSTURM

BERICHTE VON AUGENZEUGEN
UND ZEITGENOSSEN
1235–1250

Übersetzt, eingeleitet und erläutert

von

HANSGERD GÖCKENJAN
und
JAMES R. SWEENEY

VERLAG STYRIA GRAZ WIEN KÖLN

CIP-Kurztitelaufnahme der Deutschen Bibliothek

Der Mongolensturm : Berichte von Augenzeugen
u. Zeitgenossen 1235–1250 / übers., eingel. u. erl.
von Hansgerd Göckenjan u. James R. Sweeney. –
Graz; Wien; Köln : Verlag Styria, 1985.
(Ungarns Geschichtsschreiber; Bd. 3)
ISBN 3-222-10902-8
NE: Göckenjan, Hansgerd [Bearb.]; GT

© 1985   Verlag Styria   Graz Wien Köln
Alle Rechte vorbehalten
Printed in Austria
Umschlaggestaltung: Christoph Albrecht
Gesamtherstellung: Druck- und Verlagshaus Styria, Graz
ISBN 3-222-10902-8

INHALT

VORWORT DES HERAUSGEBERS

Zum Jahre 1241 schrieb Hermann von Niederaltaich in seinen Annalen: „In diesem Jahre wurde das Königreich Ungarn nach 350jährigem Bestand von den Tataren vernichtet." Der bayerische Mönch hat sich geirrt. Seine lapidare Notiz zeugt aber von dem lähmenden Entsetzen, das der Einfall der Mongolen vor mehr als 700 Jahren im Abendland verbreitete. Im Osten Europas erschien plötzlich ein Feind, dem keine der damals bekannten christlichen und moslemischen Mächte gewachsen zu sein schien. In der Tat, der Großraumstrategie, der Taktik und der Kriegstüchtigkeit der Mongolen zollen auch die modernen Militärexperten uneingeschränkt Respekt. Die Berichte über ihre „psychologische Kriegführung", ihre Überlistungs- und Einschüchterungsmethoden liest man heute noch mit Schaudern.

Der Angriff der Mongolen auf Europa wird oft als die letzte Welle der großen Ost-West-Bewegung der Reitervölker gedeutet. Doch ist der Sturm, der im 13. Jahrhundert über den eurasischen Steppengürtel bis Mitteleuropa und die Adriaküste hinwegfegte, keine wirkliche Völkerwanderung mehr gewesen. Kein Klimasturz, der Weideland in Wüste verwandelt, noch der Druck übermächtiger Feinde oder sonstige Not hat die mongolischen Reiterscharen gezwungen, gegen China, Choresm, Iran und Europa zu stürmen. Ihre Triebkraft war vielmehr eine Idee, die manch heutiger, „aufgeklärter" Mensch als ein Hirngespinst von Barbaren abtun möchte: der Anspruch auf Weltherrschaft. Es ist eine unheimliche und beklemmende Erkenntnis, daß Dschingis Khan und seine Nachfolger, die Männer, die diese schreckliche Kriegsmaschinerie immer wieder in Bewegung setzten, sich vom Himmel berufen fühlten, sich alle Länder der Welt zu unterwerfen.

Der Ansturm der Mongolen war allerdings in Europa bald erlahmt. Die Greuelnachricht Hermanns von Niederaltaich erwies sich als falsch. Der beste Kenner der historischen Demographie des mittelalterlichen Ungarn, György Györffy, mußte dennoch feststellen, daß die Ungarn sich von dem fürchterlichen Aderlaß des Mongolensturmes nie mehr völlig erholen konnten. Die Expansion der Volksmassen magyarischer Zunge, die dem heterogenen Stammesverband der Landnahmezeit ihr Gepräge gegeben und beträchtliche Teile der alteingesessenen Bevölkerung des Karpatenraumes in dreieinhalb Jahrhunderten assimiliert hatten, wurde gestoppt.

Es war eine Schicksalswende, wovon selbst die ausführlichsten Quellen, das „Klagelied" des Magisters Rogerius und die „Historia" des Archidiakons Thomas von Spalato, kein vollständiges Bild vermitteln. Erst weitere Zeugnisse, wie die Berichte der ungarischen Dominikaner aus den 1230er Jahren und einige Briefe des Ungarnkönigs Béla IV., machen deutlich, wie der Sturm heraufkam und welch tiefe Spuren er hinterließ – auch in den Seelen.

Die Ereignisse, worüber Augenzeugen und Zeitgenossen nachstehend berichten, lassen sich in Raum und Zeit ziemlich genau festlegen. Dennoch stößt der kritische Geschichtsforscher auf etliche Unklarheiten und Irrtümer. Die Bearbeiter, Hansgerd Göckenjan (Justus-Liebig-Universität Gießen) und James R. Sweeney (The Pennsylvania State University), hielten es daher für angebracht, die Vorbemerkungen und Kommentare ausführlicher zu dokumentieren, als es in den Bänden dieser Schriftenreihe bis jetzt üblich war. Der Leser möge dem Verantwortungsgefühl der Historiker Verständnis entgegenbringen.

München 1985   *Thomas von Bogyay*

HINWEISE ZUR TRANSKRIPTION,
AUSSPRACHE UND ZITIERWEISE

Zur Aussprache des Ungarischen:

Vom Deutschen wesentlich abweichende Lautbezeichnungen:

a	kurz und offen, fast wie o
á	wie ah in „Jahr"
é	wie eh in „nehmen"
cs	wie tsch in „Peitsche"
gy	mouilliertes d (d und j zu einem Laut verschmolzen)
ly	mouilliertes l (l und j zu einem Laut verschmolzen), meist wie j gesprochen
ny	mouilliertes n (n und j zu einem Laut verschmolzen)
s	wie sch in „schön"
sz	wie ß in „naß"
z	wie s in „Nase"
zs	wie französisches j in „journal"

Zwischen ö und ő bzw. ü und ű wird aus drucktechnischen Gründen nicht unterschieden.

Betont wird immer die erste Silbe.

Personen- und Ortsnamen, für die seit Jahrhunderten im Deutschen eigene Wortformen und Schreibweisen allgemein gebräuchlich sind, werden in den Übersetzungen, Vorbemerkungen und Kommentaren in dieser überlieferten Weise wiedergegeben. In Klammern wurden bei der ersten Erwähnung des Ortes auch die anderssprachigen historischen Namen hinzugefügt, z. B. Gran (Esztergom), Stuhlweißenburg (Székesfehérvár), Großwardein (Nagyvárad, Oradea), Spalato (Split) usw.

Die Wiedergabe slavischer (vor allem russischer, ukrainischer und serbokroatischer) Namen erfolgte nach den „Instruktionen für die alphabetischen Kataloge der preußischen Bibliotheken" von 1908.

Arabische, persische und türkische Wörter wurden nach dem System der Deutschen Morgenländischen Gesellschaft transkribiert. Für mongolische Namen und Fachausdrücke, soweit sie nicht arabischen oder persischen Quellen entnommen wurden, hielten sich die Verfasser an die Regeln von A. Mostaert: Dictionnaire Ordos III. Index des mots du mongol écrit et du mongol ancien. Peiping 1944.

Abweichend von den oben genannten Regeln wurde nur in Ausnahmefällen verfahren, so z. B. beim Namen der Tataren: In den Übersetzungen blieb entsprechend der Schreibweise der mittelalterlichen Autoren die Form *Tartar(en)* (von Tartarus). In den Kommentaren wurde indes die moderne wissenschaftliche Transkription *Tatar(en)* übernommen.

Für den Gebrauch von Bibelzitaten galten die „Loccumer Richtlinien".

Bei den Übersetzungen sind alle ergänzenden und erläuternden Hinweise in eckige Klammern gesetzt.

Alle Hervorhebungen im Text stammen von den Autoren des vorliegenden Bandes.

LITERATUR

In der Einleitung, den Vorbemerkungen und den Anmerkungen wird an entsprechenden Stellen auf Quellen und Literatur hingewiesen. Häufig zitierte Titel werden wie folgt abgekürzt:

Alinge: Mongolische Gesetze = *Alinge,* Curt: Mongolische Gesetze. Darstellung des geschriebenen mongolischen Rechts (Privatrecht, Strafrecht und Prozeß). Leipzig 1934 (Leipziger rechtswissenschaftliche Studien. Hrsg. v. d. Leipziger Juristen-Fakultät. Heft 87).

Al' 'Umarī. Das Mongolische Weltreich = *Al'-'Umarī* (arabischer Text und deutsche Übersetzung). Das Mongolische Weltreich. Al'-'Umarī's Darstellung der mongolischen Reiche in seinem Werk Masālik al-absār fī mamālik al-amsār. Mit Paraphrase und Kommentar hrsg. v. Klaus Lech. Wiesbaden 1968 (Asiatische Forschungen. Bd. 22).

Annales de Waverleia = *Annales monasterii de Waverleia.* Annales monastici 2. RS 36/2. London 1865.

Barthold: Zwölf Vorlesungen = *Barthold, W.:* Zwölf Vorlesungen über die Geschichte der Türken Mittelasiens. Berlin 1935.

Bezzola: Mongolen = *Bezzola, Gian Andri:* Die Mongolen in abendländischer Sicht (1220–1270). Ein Beitrag zur Frage der Völkerbegegnungen. Bern, München 1974.

Bogyay: Östliche Ungarn = *Bogyay, Thomas von:* Das Schicksal der östlichen Ungarn des Julianus im Lichte moderner Forschung. In: Ural-Altaische Jahrbücher 50 (1978), S. 25–30.

Bretschneider: Mediaeval Researches = *Bretschneider, E.:* Mediaeval Researches from Eastern Asiatic Sources. Fragments towards the Knowledge of the Geography and History of Central and Western Asia from the 13th to the 17th Century. London 1910.

C. de Bridia: Hystoria Tartarorum = *C. de Bridia:* Hystoria Tartarorum, ed. A. Önnerfors. Berlin 1967 (Kleine Texte für Vorlesungen und Übungen 186).

11

Décsy: Einführung = *Décsy, Gyula:* Einführung in die finnisch-ugrische Sprachwissenschaft. Wiesbaden 1965.

Doerfer: Elemente = *Doerfer, Gerhard:* Türkische und mongolische Elemente im Neupersischen. Unter besonderer Berücksichtigung älterer neupersischer Geschichtsquellen vor allem der Mongolen- und Timuridenzeit. I–IV. Wiesbaden 1963–1975.

Dörrie: Drei Texte = *Dörrie, Heinrich:* Drei Texte zur Geschichte der Ungarn und Mongolen: Die Missionsreisen des fr. Julianus O. P. ins Uralgebiet (1234/35) und nach Rußland (1237) und der Bericht des Erzbischofs Peter über die Tartaren. Göttingen 1956 (Nachrichten der Akademie der Wissenschaften in Göttingen. I. Phil.-hist. Klasse, Jg. 1956, Nr. 6).

DRHC = *Documents* relatifs à l'histoire des croisades, publiés par l'Académie des Inscriptions et Belles Lettres, Paris.

Fejér CD = *Codex diplomaticus* Hungariae ecclesiasticus et civilis. Studio et opere *Georgii Fejér.* I–XI. Budae 1829–1844.

Geheime Geschichte, ed. E. Haenisch = *Haenisch, Erich:* Die Geheime Geschichte der Mongolen. Aus einer mongolischen Niederschrift des Jahres 1240 von der Insel Kode'e im Keluren Fluß erstmalig übersetzt und erläutert. Leipzig 1948.

Göckenjan: Hilfsvölker = *Göckenjan, Hansgerd:* Hilfsvölker und Grenzwächter im mittelalterl. Ungarn. Wiesbaden 1972 (Quellen und Studien zur Geschichte des östlichen Europa. Hrsg. v. Manfred Hellmann. Bd. V).

Göckenjan: Bild der Völker = *Göckenjan, Hansgerd:* Das Bild der Völker Osteuropas in den Reiseberichten ungarischer Dominikaner des 13. Jahrhunderts. In: Östliches Europa. Spiegel der Geschichte. Festschrift für Manfred Hellmann zum 65. Geburtstag. Hrsg. v. C. Goehrke, E. Oberländer, D. Wojtecki. Wiesbaden 1977 (Quellen und Studien zur Geschichte des östlichen Europa. Bd. IX).

Gombos: Catalogus = *Gombos, Albinus Franciscus:* Catalogus fontium historiae Hungaricae aevo ducum et regum ex stirpe Arpad descendentium ab anno Christi DCCC usque ad annum MCCCI ab Academia litterarum de Sancto Stephano nominata editus. I–IV. Budapest 1937–1943.

Grousset: Steppenvölker = *Grousset, René:* Die Steppenvölker. Attila – Dschingis-Khan – Tamerlan. Essen 1975.

Györffy: A kunok feudalizálódása = *Györffy, György:* A kunok feudalizálódása (Die Feudalisierung der Kumanen). In: Tanulmányok a parasztság történetéhez Magyarországon a 14. században (Studien zur Geschichte des Bauerntums in Ungarn im 14. Jh.). Hrsg. v. Székely, Gy. Budapest 1953.

Györffy: Tanulmányok = *Györffy, György:* Tanulmányok a magyar állam eredetéről (Studien über die Entstehung des ungarischen Staates). Budapest 1959.

Györffy: Einwohnerzahl = *Györffy, György:* Einwohnerzahl und Bevölkerungsdichte in Ungarn bis zum Anfang des XIV. Jahrhunderts. Budapest 1960 (Studia Historica Acad. Scient. Hung. 42).

Györffy: Geographia historica = *Györffy, György:* Geographia Historica Hungariae tempore stirpis Arpadianae – Az Árpád-kori Magyarország történeti földrajza. Bd. I. Budapest 1963.

Györffy: Ungarn = *Györffy, György:* Ungarn von 895 bis 1400. In: Handbuch der europäischen Wirtschafts- und Sozialgeschichte. Hrsg. v. Hermann Kellenbenz. Bd. 2, Stuttgart 1980, S. 625–655.

Hazai okmánytár = *Hazai okmánytár* – Codex diplomaticus patrius. Ed. I. Nagy, I. Paur, K. Ráth, D. Véghely. Bd. I–V. Győr 1865–1873; A. Ipolyi, I. Nagy, D. Véghely. Bd. VI–VIII. Budapest 1876–1891.

Hóman: Geschichte = *Hóman, Bálint:* Geschichte des ungarischen Mittelalters. II. Berlin 1943.

Hormayr II = Joseph Freiherr von Hormayr-Hortenberg: Die Goldene Chronik von Hohenschwangau, der Burg der Welfen, der Hohenstaufen und der Scheyren. München 1842.

Plano Carpini: Geschichte, ed. F. Risch = *Johannes de Plano Carpini:* Ystoria Mongalorum (Deutsche Übersetzung): Johann de Plano Carpini: Geschichte der Mongolen und Reiseberichte 1245–1247. Ed. F. Risch. Leipzig 1930 (Veröffentlichungen des Forschungsinstitutes für vergleichende Religionsgeschichte an der Universität Leipzig II, 11).

Juhász: Stifte = *Juhász, Koloman:* Die Stifte der Tschanader Diözese im Mittelalter. Ein Beitrag zur Frühge-

13

schichte und Kulturgeschichte des Banats. Münster i. W. 1927 (Deutschtum und Ausland 8–9).

Juvaini: History = *John Andrew Boyle:* The history of the world conqueror by 'Ala-ad-Din 'Ala-Malik *Juvaini* I–II. Manchester 1958.

Karácsonyi: Magyar nemzetségek = *Karácsonyi, János:* A magyar nemzetségek a XIV. század közepéig (Die ungarischen Adelsgeschlechter bis zur Mitte des 14. Jahrhunderts). I–III. Budapest 1900–1901.

KKKK = *Középkori kútfőink* kritikus kérdései (Kritische Fragen zu unseren mittelalterlichen Quellen). Hrsg. v. J. Horváth u. Gy. Székely. Budapest 1974.

Knauz: Mon. Eccl. Strigon. = Monumenta ecclesiae Strigoniensis. Ordine chron. disposuit, dissertationibus et notis illustravit *Ferdinandus Knauz.* Tom. I–III. Strigonii 1874, 1882, 1924.

Ligeti: Titkos történet = *Ligeti, Lajos:* A mongolok titkos története (Die Geheime Geschichte der Mongolen). Budapest 1962.

Marco Polo: Description = *Marco Polo:* The Description of the World. Ed. A. G. Moule and Paul Pelliot. I–II. London 1938.

Marczali: Enchiridion = *Marczali, Henrik* (Hrsg.): Enchiridion fontium historiae Hungarorum – A magyar történet kútfőinek kézikönyve. Budapest 1902.

Marquart: Volkstum = *Marquart, J.:* Über das Volkstum der Kumanen. In: Abhandlungen der kgl. Gesellschaft der Wissenschaften zu Göttingen. Phil.-hist. Klasse N. F. XIII, 1. Berlin 1914, S. 25–238.

Martin: Mongol Army = *Martin, H. D.:* The Mongol Army. In: Journal of the Royal Asiatic Society, London 1943, S. 46–85.

Matth. Paris.: CM = *Matthaeus Parisiensis:* Chronica Maiora. RS 57, Bd. I–VII. London 1872–1883.

MGH SS = Monumenta Germaniae Historica Scriptores.

MIÖG = Mitteilungen des Instituts für Österreichische Geschichtsforschung.

Nitsche: Der Aufstieg Moskaus = Der Aufstieg Moskaus. Auszüge aus einer russischen Chronik („Codex von 1479"). 1. Teil: Bis zum Beginn des 15. Jahrhunderts. Übersetzt, eingeleitet und erklärt von *Peter Nitsche.* Graz, Wien, Köln 1966 (Slavische Geschichtsschreiber Bd. 4).

d'Ohsson: Histoire = *Ohsson, A. C. N. d':* Histoire des Mongols depuis Tchinguiz-Khan jusqu'à Timour Bey ou Tamerlan. I–IV. La Haye, Amsterdam 1834–1835.

Pauler: Sajómezei csata = *Pauler, Gyula:* A sajómezei csata 1241 április 11 (Die Schlacht am Sajó am 11. April 1241). In: Hadtörténelmi Közlemények VI (1893), S. 1–11.

Pauler: A magyar nemzet története = *Pauler, Gyula:* A magyar nemzet története az árpádházi királyok alatt (Die Geschichte der ungarischen Nation unter den Königen aus dem Hause der Arpaden). Bd. II. Budapest 1899².

Pelliot: À propos des Comans = *Pelliot, Paul:* À propos des Comans. In: Journal Asiatique. Série 11. XIX (1920), S. 125–185.

Pelliot: Notes = *Pelliot, Paul:* Notes sur l'histoire de la Horde d'Or. Quelques noms turcs d'hommes et de peuples finissant en „ar". Paris 1949.

Pelliot: Notes on Marco Polo = *Pelliot, Paul:* Notes on Marco Polo I. Paris 1959.

Pelliot – Hambis: Histoire = *Pelliot, Paul – Hambis, Louis:* Histoire des Campagnes de Gengis Khan. Cheng-wou Ts'in-tcheng Lou. I. Leiden 1951.

Pfeiffer: Dominikaner = *Pfeiffer, Nikolaus:* Die ungarische Dominikanerordensprovinz von ihrer Gründung 1221 bis zur Tatarenverwüstung 1241–1242. Zürich 1913.

Poucha: Geheime Geschichte = *Poucha, Pavel:* Die Geheime Geschichte der Mongolen als Geschichtsquelle und Literaturdenkmal. Ein Beitrag zu ihrer Erklärung. Supplementa 4. Prag 1956.

PSRL = *Polnoe sobranie russkich letopisej.* I. Lavrent'evskaja letopis' i Suzdal'skaja letopis' po Akademičeskomu spisku. 1–3. Leningrad 1926–1928 (Neudruck 1962). – II. Ipat'evskaja letopis'. St. Petersburg 1908 (Neudruck 1962). – III. Novgorodskija letopisi. St. Petersburg 1841 (Neudruck 1971). – XX. L'vovskaja letopis'. St. Petersburg 1910 (Neudruck 1971).

PVL = *Povest' vremennych let.* Bd. I–II. Ed. D. S. Lichačev. I: Tekst i perevod. II: Priloženija. Moskva, Leningrad 1950.

Rašīd ad-Dīn: The Successors = *Rašīd ad-Dīn* (Englische Übersetzung): The Successors of Genghis Khan. Translated from the Persian of Rashīd al-Dīn by John Andrew Boyle. New York 1971.

Rásonyi: Les Turcs non-islamisés = *Rásonyi, László:* Les Turcs non-islamisés en Occident (Péčénègues, Ouzes et Qiptchaqs, et leurs rapports avec les Hongrois). In: Philologiae Turcicae Fundamenta III, I. Wiesbaden 1970. S. 1–20.

RHC Arm. = *Receuil* des historiens des croisades publié par les soins de l'Académie des Inscriptions et Belles-Lettres. Documents arméniens. Bd. I–II. Paris 1869–1906.

RS = *Rolls series.* Rerum Britannicarum Medii Aevi scriptores, publ. under the direction of the Master of the Rolls. 251 Bde. London 1858–1896.

SF = *Sinica Franciscana.* Itinera et relationes Fratrum Minorum saeculi XIII et XIV collegit, ad fidem codicum redegit et adnotavit P. Anastasius van den Wyngaert O. F. M. Bd. I–II. Quaracchi – Firenze 1929.

Sinor: John of Plano Carpini's Return = *Sinor, Denis:* John of Plano Carpini's Return from the Mongols. In: Journal of the Royal Asiatic Society, London 1957, S. 193–206.

Smičiklas: CD = *Smičiklas, T.* (Ed.): Codex diplomaticus regni Croatiae, Dalmatiae et Slavoniae. III. Zagrabiae 1905.

Soranzo: Il papato = *Soranzo, Giovanni:* Il papato, l'Europa cristiana e i Tartari. Un secolo di penetrazione occidentale in Asia. Milano 1930 (Pubblicazioni della Università cattolica del Sacro Cuore, serie quinta: scienze storiche. 12).

Spuler: Die Mordvinen = *Spuler, Bertold:* Die Mordvinen. Vom Lebenslauf eines volga-finnischen Volkes. In: Zeitschrift der Deutschen Morgenländischen Gesellschaft 100 (1950), S. 90–111.

Spuler: Goldene Horde = *Spuler, Bertold:* Die Goldene Horde. Die Mongolen in Rußland 1223–1502. Wiesbaden 1965[2].

Spuler: Mongolen in Iran. = *Spuler, Bertold:* Die Mongolen in Iran. Politik, Verwaltung und Kultur der Ilchanzeit 1220 bis 1350. Berlin (Ost) 1968[3].

SRH = *Scriptores rerum Hungaricarum* tempore ducum regumque stirpis Arpadianae gestarum, hrsg. v. E. Szentpétery. Bd. I–II. Budapest 1937, 1938.

Strakosch-Grassmann: Einfall = *Strakosch-Grassmann, Gustav:* Der Einfall der Mongolen in Mitteleuropa in den Jahren 1241 und 1242. Innsbruck 1893.

Szentpétery: Regesta = *Regesta* regum stirpis Arpadianae critico-diplomatica. Az Árpád-házi királyok okleveleinek kritikai jegyzéke. I–II/1. Hrsg. v. I. Szentpétery. Budapest 1923–1943; II/2–3. Hrsg. v. I. Borsa. Budapest 1961.

Theiner = Vetera monumenta historica Hungariam illustrantia maximam partem nondum edita ex tabulariis Vaticanis deprompta, collecta ac serie chronologica disposita ab *Augustino Theiner.* I–II. Romae, Zagrabiae 1863–1875.

Thomas archidiaconus: Historia pontificum = *Thomas archidiaconus Spalatensis:* Historia Salonitanorum pontificum atque Spalatensium a. S. Domnio usque ad Rogerium (1266). Ed. Fr. Rački. Zagrabiae 1894 (Monumenta spectantia historiam Slavorum Meridionalium. Vol. XXVI. Scriptores, Vol. III).

Thomsen· Alttürkische Inschriften — *Thomsen, Vilhelm:* Altturkische Inschriften aus der Mongolei in Übersetzung und mit Einleitung. In: Zeitschrift der Deutschen Morgenländischen Gesellschaft. N. F. Bd. 3 (Bd. 78) 1924, S. 121–175.

A. Z. V. Togan: Ibn Fadlān's Reisebericht = *A. Zeki Validi Togan:* Ibn Fadlān's Reisebericht. Leipzig 1939 (Abhandlungen für die Kunde des Morgenlandes. Hrsg. Deutsche Morgenländische Gesellschaft, XXIV, 3).

Vernadsky: Mongols and Russia = *Vernadsky, George:* The Mongols and Russia (A History of Russia. Vol. III.). New Haven, London 1953.

Vladimirtsov: Régime social = *Vladimirtsov, B.:* Le régime social des Mongols. Le féodalisme nomade. Paris 1948.

Wenzel ÁUO = *Wenzel, Gusztáv:* Árpádkori új okmánytár. Codex diplomaticus Arpadianus continuatus. Bd. I–XII. Pest, Budapest 1860–1874.

Einige allgemein informierende Werke

(in den Erläuterungen nur teilweise einzeln zitiert)

A tatárjárás emlékezete (Zum Gedenken an den Tartaren-sturm). Auswahl und Redaktion von *Tamás Katona*, Einleitung von *György* Györffy, fachlich durchgesehen von *György Györffy und Jenő* Szűcs. Budapest 1981 (Bibliotheca Historica).

Bogyay, Thomas von: Grundzüge der Geschichte Ungarns. Darmstadt 1977³ (Grundzüge Bd. 10).

Boyle, John Andrew: The Mongol World Empire 1206–1370. London 1977.

Dawson, Christopher: The Mission to Asia. Narratives and Letters of the Franciscan Missionaries in Mongolia and China in the Thirteenth and Fourteenth Centuries. London 1980.

Dienes, Mary: Eastern Missions of the Hungarian Dominicans in the First Half of the Thirteenth Century. In: Isis XXVII (1937), S. 225–241.

Ferdinandy, Michael de: Tschingis Khan. Der Einbruch des Steppenmenschen. Hamburg 1958 (rowolts deutsche enzyklopädie Bd. 64).

Göckenjan, Hansgerd: Zur Stammesstruktur und Heeres-organisation altaischer Völker. Das Dezimalsystem. In: Europa Slavica – Europa Orientalis. Festschrift für Herbert Ludat zum 70. Geburtstag, hrsg. v. K.-D. Grothusen u. K. Zernack. Berlin 1980, S. 51–86 (Giessener Abhandlungen zur Agrar- und Wirtschaftsforschung des europäischen Ostens. Bd. 100).

Györffy, György: Krónikáink és a magyar őstörténet (Unsere Chroniken und die ungarische Frühgeschichte). Budapest 1948.

Howorth, H. H.: History of the Mongols from the 9th to the 19th Century. I–V. London 1876–1927.

Kwanten, Luc: Imperial Nomads. A History of Central Asia, 500–1500. Philadelphia 1979.

Richard, Jean: Les causes des victoires mongoles d'après les historiens occidentaix du XIIIe siècle. In: Central Asiatic Journal XXIII (1977), S. 104–117.

Sagaster, Klaus: Herrschaftsideologie und Friedensgedanke bei den Mongolen. In: Central Asiatic Journal XVII (1973), S. 223–242.

Spuler, Bertold: Geschichte der Mongolen nach östlichen und europäischen Zeugnissen des 13. und 14. Jahrhunderts. Zürich, Stuttgart 1968.

Spuler, Bertold: Les Mongols dans l'histoire. Paris 1981².

Stadtmüller, Georg: Die ungarische Großmacht des Mittelalters. In: Historisches Jahrbuch LXX (1951), S. 65–105.

Turchányi, A.: Rogerius mester Siralmas Éneke a tatárjárásról (Das Klagelied des Magisters Rogerius über den Tatareneinfall). In: Századok 37 (1903), S. 412–430, 493–514.

Zichy, Ladomér: A tatárjárás Magyarországon (Der Tatareneinfall in Ungarn). Pécs 1934 (Neudruck Buenos Aires 1977).

EINLEITUNG

Für mehr als zwei Jahrtausende waren die Hochkulturen Asiens und Europas, China, Persien, das Römische Reich und Byzanz den Angriffen reiternomadischer Völker ausgesetzt, die aus der Tiefe des unermeßlichen Steppenraumes zwischen Pazifik und Volga in immer neuen Wellen nach Westen und Süden vorstießen. Den Anfang machten iranische Völker: die Kimmerer (12.–8. Jhdt.), Skythen (8.–3. Jhdt.) und Sarmaten. Ihnen folgten türkische Verbände, deren bekanntester, die Hunnen, seit dem 3. Jahrhundert v. Chr. die chinesischen Reichsgrenzen bedrängten und durch ihr Vordringen nach Westen 600 Jahre später die Völkerwanderung auslösten. Den Hunnen schlossen sich Bulgaren, Türken, Sabiren, Awaren und Chazaren an. Magyaren, Pečenegen, Uzen und Kumanen sollten folgen. Die letzte Angriffswelle, die der Mongolen, sollte in der damals bekannten Welt Eurasiens zugleich den nachhaltigsten Eindruck hinterlassen und die gewaltigste Erschütterung hervorrufen.

Die Ursachen für die Wanderungen und die Expansion der Nomaden sind vielfältiger Natur und konnten von der Forschung bislang nicht eindeutig bestimmt werden. Sicher ist nur, daß Klimaveränderungen oft ausschlaggebend waren. Längere Dürreperioden konnten sich auf die extensive Viehwirtschaft, die große Weideflächen benötigte, ebenso nachteilig auswirken wie plötzliche Frosteinbrüche im Frühjahr, denen oft Hunderttausende von Stücken Vieh zum Opfer fielen. Für den Steppennomaden, den seine Tiere (Pferde, Kamele, Schafe, Rinder, Yaks, Ziegen u. a.) mit Nahrung, Kleidung, Filz für die Jurten, Brennmaterial und Transportmitteln versorgten, hatte der Verlust der Viehherden katastrophale Folgen. Wollte er dem Hungertod entgehen, so blieb ihm nur die Möglichkeit, sich durch Raubzüge und Überfälle bei benachbarten Stammesverbänden gewaltsam neue Herden zu verschaffen. Begünstigten andererseits die klimatischen Bedingungen die Vermehrung des Viehbestandes, so wurden bald Weidegründe und Wasserstellen knapp und erneut zum Ziel heftiger Auseinandersetzungen zwischen den einzelnen Stämmen und Clans. Jede Gruppe, die eine Weidefläche durch Raub verloren hatte, suchte sich eine neue zu erkämpfen, die nicht selten weniger fruchtbar oder abgelegener war als die bisherige.

Auf der Suche nach besseren Weideplätzen machten die Steppennomaden auch vor dem bebauten und bewässerten Land seßhafter Bauern nicht halt. Hatten Reiternomaden die Landereien der Seßhaften in ihre Gewalt gebracht, so zwangen sie die überlebenden Bauern und Städter gewöhnlich nur zu Tributzahlungen. Nicht selten aber, zumal dann, wenn sie sich mit den Steuerleistungen der unterworfenen Bevölkerung nicht zufrieden zeigten, zögerten die Nomaden nicht, die Äcker in Weideland zu verwandeln und die ansässige Bevölkerung abzuschlachten. So kann Činggis Khan nur mit Mühe abgehalten werden (Grousset: Steppenvölker, S. 22, 350), nach der Eroberung Pekings die Hirsefelder der Chinesen zu Weideland für seine Reiterei zu machen, und die mongolischen Herrscher plündern noch im 14. Jahrhundert die eigenen Städte und zerstören die Bewässerungskanäle, wenn die Bauern nicht rechtzeitig ihre Abgaben leisten (ebda. S. 22).

Freilich ist der Nomade auch in hohem Maße wirtschaftlich von der seßhaften Bevölkerung abhängig. Fast alle Steppenvölker betrieben neben der traditionellen Weidewirtschaft auch etwas Landbau, um sich besonders im Winter vitaminhaltige Zusatznahrung zu beschaffen (W. Eberhard: China und seine westlichen Nachbarn. Darmstadt 1978, S. 269). In Frie-

denszeiten deckte man den Bedarf an Verbrauchs-
und Luxusgütern auch durch Handel mit seßhaften
Nachbarn.

Lieferten die Nomaden Pferde, Rinder, Felle, Filz,
Wolle, Haar, Sklaven, Pelze, Jagdadler und Jagd-
falken, so bezogen sie im Warentausch dafür Getreide, Waffen, Seidenstoffe, Pferdegeschirre, Tee,
Edelmetalle und Juwelen. Der Tauschhandel nahm
bisweilen gewaltige Dimensionen an – so tauschten
allein die türkischen Uiguren bei den Chinesen jährlich 100.000 Pferde gegen eine Million Rollen Seide
ein (Liu Mau-Tsai: Die chinesischen Nachrichten zur
Geschichte der Ost-Türken [T'u-Küe], I, Wiesbaden
1958, S. 456) – und reizte die Begehrlichkeit der
Nomaden oft ebenso wie die umfangreichen Tribut-
leistungen, mit denen sich die chinesischen oder
byzantinischen Herrscher die Steppenreiter in unregel-
mäßigen Abständen vom Hals zu halten suchten.

Blieben die Zahlungen aus, so unternahmen die
Nomaden Raubzüge, um sich die begehrten Güter
gewaltsam anzueignen. Aussicht auf Erfolg hatten
solche Unternehmungen aber nur, wenn sie nicht von
einzelnen nomadisierenden Gruppen getragen wurden, sondern von Stammesföderationen, deren Anführer entschlossen waren, dauerhaft Herrschaft
über die Kulturreiche zu erringen (Eberhard: China,
S. 270).

Für die Bildung der Stammesligen oder „Steppen-
imperien" aber bot die nomadische Gesellschaft
denkbar günstige Voraussetzungen. Die kleinste
Zelle eines Nomadenverbandes bildete die Familie im
engeren Sinne. Sie bestand in der Regel aus der
Wohngemeinschaft einer Jurte, verfügte über gemeinsamen Viehbestand und schloß sich mit ärmeren
Familien, entfernten Verwandten und Einzelperso-
nen aus der Nachbarschaft zu einem Aul, d. h. einem
Nomadenlager zusammen. Während der Sommer-
weiden wanderten die Aule getrennt. Nur im Winter,
wenn der Schutz der mitunter beträchtlichen Vieh-

herden vermehrte Anstrengungen erforderte, vereinigten sich mehrere Aule zu einem größeren Verband. An dessen Spitze trat häufig eine Persönlichkeit, die sich durch Abstammung von früher angesehenen Geschlechtern, Reichtum oder eine starke Familienklientel auszeichnete und bei den häufigen Streitigkeiten um Weide- und Wasserrechte richterliche Befugnisse ausübte. Je höher das Ansehen des Häuptlings war, desto mehr Aule gab es, die sich in den Schutzbereich der neugebildeten Liga begaben. Nicht immer ging das Oberhaupt eines solchen Stammesverbandes aus einer reichen und dank ihrer Herkunft angesehenen Familie hervor.

Häufig trennte sich ein Mann von seinem Aul und Stammesverband, scharte eine Gefolgschaft um sich und unternahm auf eigene Faust Raubzüge und Eroberungen. War er erfolgreich, so erlangte er bald mit der Unterstützung der ihm treu ergebenen Gefolgsleute die Kontrolle über seinen Stamm, den er mit anderen Stämmen zu einer Föderation, einer „Horde" (= Palastzelt, Heerlager, Reich), zusammenschloß. Den Aufstieg eines solchen Prätendenten, den Türken und Mongolen seit dem 15. Jahrhundert als qazaq („freier Mensch, Abenteurer") bezeichnen, beschreibt die Felseninschrift eines osttürkischen Herrschers aus dem 7. Jahrhundert n. Chr.: „Mein Vater, der Kagan, zog aus mit siebzehn Mann; als sie das Gerücht hörten, daß er draußen vorwärts ziehe, zogen die in den Städten Befindlichen hinauf in die Berge, und die auf den Bergen Befindlichen stiegen herab, und als sie sich sammelten, wurden es siebzig Mann. Da der Himmel ihnen Stärke gab, war meines Vaters des Kagans Heer gleich Wölfen und waren seine Feinde gleich Schafen. Indem er nach Osten und nach Westen zog, sammelte er Leute und schloß sie zusammen, und es wurden im ganzen siebenhundert Mann. Nachdem es siebenhundert Mann geworden waren, ordnete er in Übereinstimmung mit den Einrichtungen meiner Ahnen das Volk . . ." (Thomsen: Alttürkische Inschriften, S. 146 f.). Fast alle großen Nomadenherrscher begannen ihre Laufbahn in ähnlicher Weise als geächtete und abenteuernde Räuber.

Auch Činggis Khan bildete hier keine Ausnahme. Der junge Temüjin stammte zwar aus vornehmem Geschlecht – bereits sein Großvater Kabul Khan hatte einige kleinere mongolische Stämme unter seiner Herrschaft vereinigt –, doch war nach dem frühen Tod des Vaters die Machtstellung der Familie ins Wanken geraten. Sie wiederaufzurichten und die versprengten Gefolgsleute um sich zu sammeln hatte sich Temüjin schon früh zur Aufgabe gemacht. Die Kunde von seinen verwegenen Kriegstaten und die Aussicht, unter seiner Führung reiche Beute zu gewinnen, verschafften ihm bald Zulauf. Geschickt nutzte er die Streitigkeiten zwischen den untereinander verfeindeten mongolischen Stämmen der Kereit, Naiman, Merkit und Tatar für eigene Absichten. Mit chinesischer Hilfe beseitigte er die Vorherrschaft der mächtigen Tatar und zerschlug wenig später eine Koalition der übrigen mongolischen Stämme. Im Jahre 1205 hat er sein Ziel erreicht, alle „Völker, die in Filzzelten wohnen", unter seiner Herrschaft vereinigt zu sehen. Ein 1206 einberufener quriltai, eine Versammlung aller Mongolen, wählt Temüjin zu ihrem Khan, zum „Kaiser".

Noch ist der neugewählte Khan nicht mehr als Herr über eine wenn auch machtvolle Liga von Steppenvölkern. Man hat zu Recht vermutet, daß der Glaube an seine göttliche Sendung und der Anspruch auf Weltherrschaft bei ihm erst allmählich Gestalt angenommen habe (Geheime Geschichte, ed. E. Haenisch, S. XI).

Seit der Reichsversammlung von 1206 kommt in Titulatur und Herrschaftssymbolik des neuen Khans jedoch ein gesteigertes Macht- und Sendungsbewußtsein zum Ausdruck. Sichtbares Zeichen des himmlischen Auftrags ist nun das weiße Banner (tuq) mit den neun Yakschwänzen, das als Symbol des Schutzgeistes (sülde) des kaiserlichen Khans neben dem Zelt des Khans aufgepflanzt wird. Temüjin, der jetzt den Titel Činggis Khan („ozeangleicher Khan"?) auch offiziell führt, beruft sich fortan auf die himmlische Weihe. Er wie seine Nachfolger sind, folgt man dem Text der kaiserlichen Sendschreiben, Herrscher „durch die Kraft des ewigen Himmels" (vgl. unten S. 122 f.).

Zugleich schuf Činggis Khan auf dem Reichstag von 1206 die organisatorischen Voraussetzungen für künftige siegreiche Feldzüge. Die dazu erforderlichen Maßnahmen, die der Großkhan bald nach seiner Thronerhebung in Angriff nahm, weisen ihn gleichermaßen als hochbegabten militärischen Führer wie weitblickenden Gesetzgeber aus. Zunächst galt es, ein schlagkräftiges und befehlsgewohntes Heer zu schaffen, von dem Ǧuwaini, der persische Biograph Činggis Khans, später rühmen sollte: „Welche Armee in der ganzen Welt kommt der mongolischen gleich?" (Juvaini: History, I. 30).

Als Grundlage für die Neuordnung des Heeres diente das Dezimalsystem, das sich bereits bei Hunnen und Türken bewährt hatte. Die Einteilung des Heeres in Zehner-, Hundert-, Tausend- und Zehntausendschaften ersetzte die alten Stammesaufgebote. Sie beschleunigte die vom Herrscher angestrebte Auflösung der alten Gentilverbände und befähigte die Mongolen, „die überlegene Beweglichkeit und Schlagkraft ihrer Heere mit einer disziplinierten Manövrierfähigkeit zu verbinden, die sie zu einer einzigartigen furchtbaren Waffe machte" (K. A. Wittfogel – Fêng Chia-Shêng: History of Chinese Society, Liao (907–1125). Philadelphia 1949, S. 24). Činggis Khans Anordnungen, die ihren Niederschlag in der teilweise erhaltenen Gesetzessammlung der Yāsa fanden, veränderten nicht nur grundlegend das mongolische Heerwesen, sondern griffen tief in die Gesellschaftsordnung der Steppenvölker ein. Die alte

„Stammesaristokratie" war, soweit sie sich nicht rechtzeitig dem neuen Herrscher angeschlossen hatte, in den Kämpfen umgekommen oder verjagt worden.

Ihren Platz nahm eine Oberschicht ein, die sich aus Gefolgsleuten Činggis Khans zusammensetzte. Sie war hierarchisch gegliedert, gleichwohl sozial durchlässig. Denn nicht mehr die Abstammung eines Gefolgsmannes war ausschlaggebend für dessen Rangstellung, sondern unbedingter Gehorsam und unwandelbare Treue, die ihn an den Herrscher banden. So befahl Činggis Khan ausdrücklich, auch Söhne einfacher Leute zu Tausendschaftsführern zu ernennen, „die geeignet sind, bei uns Dienst zu tun" (Geheime Geschichte, ed. E. Haenisch, S. 104). Freilich, wer seine Pflichten gegenüber dem Herrscher verletzte, dem drohten Entmachtung und Verbannung, nicht selten der Tod. „Wenn die Mannschaften, die von uns als Leibwachen eingestellt werden sollen, ausweichen und nicht wollen oder ihren Dienst bei uns nicht mehr versehen können, wollen wir andere einstellen, jenen Mann aber bestrafen und hinter unsere Augen in ein fernes Land verbannen!" (Geheime Geschichte, ed. E. Haenisch, S. 105).

Gestützt auf diese autokratisch regierte und militärisch festgefügte Gesellschaft konnte Činggis Khan seine Eroberungszüge über den Herrschaftsbereich der Steppenvölker hinaustragen. Bereits 1206 hatte sich das den Mongolen kulturell überlegene türkische Volk der Uiguren angeschlossen, das dem Großreich später Berater und Waffentechniken, vor allem aber Schrift und Kanzleiwesen überlassen sollte. Es folgte ein Feldzug gegen die südsibirischen Waldvölker, die sich bis zu den Kirgizen am oberen Jenissej der mongolischen Herrschaft beugten.

Der Sieg über die Waldvölker machte den Mongolen den Rücken frei für die Eroberung Chinas. Den Angreifern kam zustatten, daß China zu dieser Zeit nicht mehr ein einheitliches machtvolles Reich bil-

dete, sondern in zwei untereinander verfeindete Teil-
staaten der Chin im Norden und der Sung im Süden
zerfiel. Wenn dennoch die Eroberung des Landes erst
nach dem Tode Činggis Khans zum Abschluß gebracht werden konnte, so lag dies nicht nur an dem
verzweifelten Widerstand der Chinesen, sondern auch
am Unvermögen der mongolischen Reiterscharen,
die von chinesischen Ingenieuren verteidigten Städte
und festen Plätze einzunehmen.
Unterdessen hatte sich fern im Westen neuer Kon-
fliktstoff angehäuft. Auf dem Gebiet des heutigen
Iran, Afghanistan und Turkestan war um 1210 ein
mächtiges islamisches Großreich Chorezm unter dem
Türken ʿAlā ad-Dīn Muhammād II. entstanden, der
sich hochtönend als Sultan des Islam und „zweiten
Alexander" bezeichnete. Činggis Khan unternahm
zunächst alles, um mit dem Chorezm Šāh gutnach-
barliche Beziehungen zu unterhalten und schlug dem
Chorezmier ein Bündnis vor. Muhammād empfing
zwar die Gesandten des Großkhans, gleichzeitig aber
ließ der Statthalter Muhammāds die Mitglieder einer
mongolischen Handelskarawane ausplündern und
ermorden. Da der Šāh sich weigerte, Genugtuung zu
leisten, war für Činggis Khan der Anlaß zum Krieg
gegeben.
1219 brachen die Mongolen mit einem über 150.000
Mann starken Heer in das Reich Muhammāds ein
und übten blutige Vergeltung. Hier wie zuvor in
China wütete planmäßiger Terror. Die Einwohner
ganzer Städte wurden hingeschlachtet, die Bewäs-
serungsanlagen zerstört, Äcker in Steppe verwandelt.
Ganze Landstriche verödeten. Sie sollten sich nie
mehr von den Verwüstungen erholen. Verzweiflung
und Panik breiteten sich unter der überlebenden
Bevölkerung aus. Der glücklose Sultan wurde von
den mongolischen Generälen Jebe und Sübödäi von
Stadt zu Stadt gehetzt, bis er auf einer Insel im
Kaspischen Meer elend verkam. Im Verlauf des
Feldzuges drangen die beiden Heerführer noch weiter

nach Westen vor, durchquerten Āẕarbāiǧān, vernichteten ein georgisches Heer bei Tiflis und zogen durch den Kaukasus über Derbent nach Norden. Nachdem sie im Kaukasusvorland eine Koalition von Čerkessen, Kumanen und Alanen zerschlagen hatten, besiegten sie am 31. Mai 1222 ein gemeinsames Aufgebot russischer und kumanischer Fürsten an der Kalka. Die mongolischen Truppen nutzten ihren Sieg freilich nicht voll aus. Sie plünderten lediglich den genuesischen Handelsposten Sudak und kehrten nach einem Streifzug gegen die Volgabulgaren in die turanischen Steppen zurück, wo sie sich mit dem Hauptheer Činggis Khans wieder vereinigten. Noch blieben die Länder Europas von einem weiteren Großangriff der Mongolen verschont. Er sollte erst anderthalb Jahrzehnte später erfolgen.

Das Echo, das die Westfeldzüge Činggis Khans, die Eroberung des Chorezmierreiches und die Schlacht an der Kalka in der abendländischen Christenheit fanden, war daher nur gering. Zur gleichen Zeit, als die Heere Činggis Khans das Reich des Chorezm Šāh angriffen, hatten fränkische Kreuzfahrer im Kampf mit dem Aiyūbiden-Sultan Al-Kamil die Festung Damiette erobert. Die Aiyūbiden rüsteten zum Gegenstoß. Da verbreitete sich im Lager der bedrängten Kreuzritter neben anderen Weissagungen die im 7. Brief des Jakob von Vitry überlieferte Nachricht, ein König David habe im Osten das Reich der Perser erobert, den König Chavarsmisan geschlagen und stehe fünf Tagesmärsche vor Baġdād, der Residenz des Kalifen, in der Absicht, den Christen gegen die muslimischen Mächte zu Hilfe zu eilen und Jerusalem zu befreien. Die Nachrichten, die unverkennbar auf den Westfeldzug Činggis Khans anspielten, wenn auch, wie sich später herausstellen sollte, vergebliche Hoffnungen auf dessen Eingreifen im Hl. Land weckten, fanden durch die Briefe der Kreuzfahrer und durch päpstliche Rundschreiben rasch Verbreitung in der abendländischen Christenheit.

Aus dem Kaukasus trafen bald darauf neue, wenn auch wenig hoffnungsvolle Meldungen über die Mongolen ein. In einem Schreiben vom 12. Mai 1224 teilt Königin Rusudan von Georgien (1222–1245) Papst Honorius III. mit, sie habe den Kreuzfahrern bei Damiette nicht zu Hilfe eilen können, weil ihr eigenes Land von den Tataren überfallen worden sei.

Über die Schlacht an der Kalka berichten die altrussischen Chroniken zwar ausführlich, über Herkunft und Absichten der Mongolen aber vermögen sie nichts mitzuteilen. So heißt es beim Novgoroder Chronisten: „Wegen unserer Sünden kamen im Jahre 6732 unbekannte Völker, von denen niemand genau weiß, zu welchem Stamm sie gehören und welchen Glaubens sie sind . . ." (Die Erste Novgoroder Chronik nach ihrer ältesten Redaktion. Synodalhandschrift 1016–1333/1352. Ed. J. Dietze, Leipzig 1971, fol. 95 v., S. 94). Entsprechend lückenhaft sind daher die Nachrichten, die über die russischen Fürstentümer in den Westen gelangen.

So gleicht der Bericht, den Caesarius von Heisterbach 1223 vom ersten Auftreten der Mongolen gibt, auffällig der Schilderung der Novgoroder Chronik. Im Vorjahr sei, so Caesarius, ein gewisses Volk in das Reich der Russen eingefallen und habe das gesamte Volk dort vernichtet. Man wisse aber nicht, wer es sei und was es im Schilde führe (Dialogus miraculorum, ed. J. Strange. Köln II, 1851, S. 250 f.). Dieselbe Verwirrung und Ratlosigkeit!

Mehr war da schon in jenen Ländern in Erfahrung zu bringen, die in enger Verbindung zu den russischen Fürstentümern standen. So gibt Heinrich von Lettland eine zuverlässige Darstellung der Schlacht an der Kalka. Er kennt Einzelheiten, weiß vom Bündnis zwischen Kumanen und Russen zu berichten und von Friedensverhandlungen, die nach der Schlacht geführt wurden (Heinrici Chronicon Livoniae – Heinrich von Lettland: Livländische Chronik. Hrsg. v. L. Arbusow u. A. Bauer. Ausgewählte Quellen zur deutschen Geschichte des Mittelalters. Freiherr vom Stein-Gedächtnisausgabe. Bd. XXIV. Darmstadt 1975, S. 278–281). Offenbar bezog er seine Informationen von russischen Fürsten, denen er begegnet war.

Als unentbehrliche und schier unerschöpfliche Nachrichtenquelle für die Ereignisse im Osten erwies sich das Königreich Ungarn. Hier waren die Verbindungen zu den Fürstentümern der Kiever Rus und zu den pontischen Steppen, aus denen die Vorfahren der Ungarn dreieinhalb Jahrhunderte zuvor aufgebrochen waren, bevor sie sich im Karpatenbecken niederließen, niemals völlig unterbrochen worden. Die Könige aus dem Haus der Árpáden hatten Heiratsbeziehungen zu den Rurikiden unterhalten, zeitweilig sogar (1188–1190, 1216–1234) das russische Fürstentum Galič als Sekundogenitur für ihre nachgeborenen Söhne in Anspruch genommen. In der Nähe von Stuhlweißenburg, der alten ungarischen Königsresidenz, kreuzten sich die großen europäischen Fernhandelswege, die seit 1018 eröffnete Jerusalemer Pilgerstraße (Regensburg–Wien–Belgrad–Konstantinopel) und die nordsüdliche Handelsroute (Venedig–Zagreb–Buda–Ungvár–Kiev). In Stuhlweißenburg, später auch in Buda, liefen daher die Nachrichten zusammen, die russische, volgabulgarische, arabische, jüdische und chorezmische Kaufleute aus dem Osten mitbrachten. Andere Orientalen ließen sich im Lande nieder. Sie traten in die Dienste des königlichen Hofes als Zöllner, Münzer, Geldwechsler und Goldschmiede. Angehörige türkischer Reiternomadenvölker, wie der Pečenegen, Uzen und Kumanen, die vom 11.–13. Jahrhundert die ungarischen Grenzgebiete bedrohten, fanden einzeln oder in Gruppen Aufnahme als Kriegsgefangene und Flüchtlinge. Sie wurden häufig als Grenzwächter angesiedelt oder als berittene Bogenschützen in den königlichen Heerbann eingegliedert. Auch ein Teil der Kumanen, die den Mongolen entronnen waren, flüchtete nach

Westen und ließ sich in unmittelbarer Nachbarschaft Ungarns, auf dem Territorium der späteren Fürstentümer Moldau und Walachei, nieder. Vermutlich hat König Andreas II. (1205–1235) durch ihre Abgesandten von der Niederlage an der Kalka erfahren.

Die Nachricht gelangte über Ungarn bald in den Westen. So meldet Richard von San Germano zum Jahre 1223, der Papst sei durch den ungarischen König vom Tatareneinfall in die Kiever Ruś unterrichtet worden (Ryccardus de Sancto Germano: Chronica. In: Rerum Italicarum Scriptores VII/2 [1936–1938], S. 209 f.). Auch Alberich von Trois Fontaines gibt zu erkennen, daß er seine ersten Nachrichten über die Mongolen von Ungarn und Kumanen bezog (MGH SS XXIII, S. 912).

An der päpstlichen Kurie fanden die Berichte aus dem Osten lebhafte Anteilnahme. Hier hatte man schon vor 1223 Pläne in Erwägung gezogen, die Bekehrung der noch heidnischen Kumanen in Angriff zu nehmen. Das Missionswerk wurde vor allem dem neugegründeten Dominikanerorden übertragen, der seine Aufgabe bald nach der Gründung der ungarischen Ordensprovinz im Jahre 1221 zu verwirklichen suchte. Welche Bedeutung die Predigermönche ihrem Unternehmen beimaßen, zeigen Berichte, nach denen Dominicus noch kurz vor seinem Tode mehrfach die Absicht geäußert habe, sich selbst an der Christianisierung der Kumanen zu beteiligen (Pfeiffer: Dominikaner, S. 79). Nach anfänglichen Fehlschlägen — mehrere Mönche wurden von den Kumanen getötet oder verschleppt, andere mußten unverrichteter Dinge zurückkehren — konnten die Missionare erste Erfolge verzeichnen. Von kumanischen Gesandten, in deren Begleitung sich auch Dominikaner befanden, gerufen, reiste Erzbischof Robert von Gran 1227 als päpstlicher Legat nach Kumanien und taufte den kumanischen Fürsten Bejbars (Borc) und 15.000 Kumanen. Schon im darauffolgenden Jahr weihte Robert auf Weisung Papst Gregors IX. den Provinzial der ungarischen Dominikaner, Theodor, „zum ersten Bischof der Kumanen".

Das Missionswerk der Dominikaner wurde besonders nachhaltig vom ungarischen Kronprinzen Béla unterstützt, der nach der Vertreibung des Deutschen Ordens aus dem Burzenland 1226 die Regierung in Siebenbürgen übernommen und den ungarischen Herrschaftsbereich im Osten bis zum Sereth vorgeschoben hatte (H. Weczerka: Das mittelalterliche und frühneuzeitliche Deutschtum im Fürstentum Moldau [Buchreihe der Südostdeutschen Historischen Kommission Bd. 4]. München 1960, S. 98). Béla übernahm bei der Taufe des Kumanenfürsten Barc die Patenschaft und führte seit 1233 den Titel eines „Königs von Kumanien". Unter den Truppen, die er 1229 gegen das Fürstentum Galič ins Feld führte, befand sich bereits ein kumanisches Aufgebot unter dem Befehl des Fürsten Borc (Hodinka: Orosz évkönyvek, S. 368/69).

Hier in Galič begegnete Béla russischen Bojaren, die an den Kämpfen gegen die Mongolen teilgenommen hatten. Ihre Berichte wie die der Kumanen mußten den Prinzen in seiner Absicht bestärken, die Dominikaner in ihrer Missionsarbeit auch weiterhin zu unterstützen und zugleich mit ihrer Hilfe Nachrichten über die weiteren Pläne der Mongolen zu erlangen. Hinzu kam, daß in den Chroniken des mittelalterlichen Ungarn die Erinnerung an eine östliche Urheimat fortlebte. Sie aufzufinden und die dort zurückgebliebenen Stammverwandten zum Christentum zu bekehren, hielt Béla im Einvernehmen mit der päpstlichen Kurie und den Oberen des Dominikanerordens für ein weiteres wesentliches Ziel künftiger Unternehmungen.

Die Erfahrungen, die die Mönche unterdessen auf ihren Missionsreisen gesammelt hatten, kamen den Plänen des Königs entgegen. Schon bald nach der Niederlassung des Ordens in Ungarn im Jahre 1221 waren wagemutige Predigermönche durch die Kumanensteppe bis zum Dnepr vorgestoßen. 1232 rüstete der Orden ein neues Unternehmen aus, über dessen Verlauf wir allerdings nur mangelhaft unterrichtet sind. Vier Mönche wurden entsandt, die sich auf der Suche nach den östlichen Ungarn offensichtlich an die Angaben der ältesten ungarischen Chronik, der sog. Urgesta, hielten. Danach habe die alte Heimat der Ungarn an den Ufern der Maeotis (des Azovschen Meeres) gelegen. Später aber sei ein Bruder der ungarischen Stammväter Hunor und Magyar, Zuárd, mit seinen Gefolgsleuten nach Persien gegangen. Die Dominikaner durchzogen demnach die südrussischen Steppen bis zum Azovschen Meer, um sich dann nach Süden zu wenden, in Richtung Kaukasus. Nach dreijähriger Irrfahrt kehrte nur ein Überlebender, Bruder Otto, als Kaufmann verkleidet nach Ungarn zurück. Er starb bald an den Folgen der Reisestrapazen, konnte aber vor seinem Tode den Mitbrüdern noch eröffnen, er habe Leute getroffen, die Ungarisch sprachen, sei aber nicht mehr in deren Land gelangt. Allem Anschein nach war der Frater Otto mit Angehörigen des Volksstammes der Savard-Ungarn zusammengetroffen, die im Süden des Kaukasus-Gebirges siedelten.

Im Frühjahr 1235 brach daraufhin erneut eine Gruppe von Mönchen auf, die nach den Anweisungen ihres Mitbruders versuchen wollten, das Land der östlichen Ungarn zu erreichen. Die vier Brüder reisten zunächst unter dem Geleitschutz Bélas nach Konstantinopel und von dort über das Schwarze Meer nach Matrica, dem heutigen Taman. Sie durchquerten das Land der Čerkessen und Alanen und erreichten den Kaukasus, ohne indes auf Spuren der ungarischen Savarden zu stoßen. Da ein weiteres Vordringen nach Süden kaum Erfolg haben konnte, kehrten zwei der Brüder zurück, wohl um in Ungarn über den bisherigen Verlauf der Reise zu berichten. Die beiden anderen Mönche aber schlossen sich einer nordwärts ziehenden Karawane an und erreichten schließlich die Volga unter unsäglichen Strapazen, denen bald darauf einer von ihnen erlag. Wir wissen nicht mehr, was die Brüder veranlaßt haben mag, den Weg zur Volga einzuschlagen. Vermutet werden darf jedoch, daß sie die Wendung vornahmen, im Vertrauen auf eine alte ungarische Überlieferung, nach der die östlichen Ungarn unter dem Namen Dentümogyer ursprünglich im Land zwischen dem Fürstentum Suzdal' und der oberen Volga ansässig gewesen seien. Der überlebende Bruder Julianus gelangte in den Diensten eines muslimischen Geistlichen zu den Volgabulgaren, die am Zusammenfluß von Kama und Volga siedelten.

Hier, in einer der großen Siedlungen der Volgabulgaren, begegnete Julian einer Frau aus „Groß-Ungarn" (Magna Hungaria), die ihm den Weg in ihre Heimat wies. Tatsächlich erreichte Julian nach zweitägiger Reise die Niederlassungen der östlichen Ungarn „am großen Fluß Ethyl" (= Volga). Bis heute blieb unter Fachgelehrten umstritten, wo diese Siedlungen zur Zeit der Reisen Julians lagen, ob auf dem rechten oder linken Ufer der Volga.

Demgegenüber ist zu Recht darauf verwiesen worden, daß die mittlere Volga im Früh- und Hochmittelalter keine Völker und Kulturen scheidende Grenze war (Bogyay: Östliche Ungarn, S. 29). Julian hat wahrscheinlich nur die Volgabulgaren besucht, die auf dem linken Ufer des Stromes siedelten. Die größeren Niederlassungen der Bulgaren auf der rechten Seite der Volga (z. B. die Stadt Ošel) waren in kriegerischen Auseinandersetzungen mit den benachbarten russischen Fürstentümern bereits um 1220 zerstört worden. Julian war nach eigenen Angaben von der namentlich nicht genannten Stadt der Bulgaren zwei Tage bis zu den Siedlungen der östlichen Ungarn gereist. Da die Ungarn im Süden der Bulgaren siedelten, muß er etwa 60–100 km südlich der bulgarischen Städte (Bolgar, Suvar, Biliar) das Territorium der Ungarn erreicht haben. Die Ungarn nahmen

Julian gastfreundlich auf und zeigten ihm ihre Siedlungen. Offensichtlich bestand noch eine enge Verwandtschaft zwischen ihrem Idiom und der Sprache der Donau-Ungarn, denn „sie verstanden ihn (Julian) und er sie".

Bei den Ungarn kann Julian auch Erkundigungen über die Mongolen einholen, deren Vorposten er bereits in den Steppen zwischen Kaukasus und Volga ausweichen mußte. Er erfährt nun, daß die Mongolen sich in unmittelbarer Nachbarschaft aufhalten. Sie seien zunächst von den Ungarn in einer Schlacht besiegt worden. Diese Nachricht wird durch den arabischen Historiker, Al-Atīr, bestätigt, der für das Jahr 1223 eine schwere Niederlage der Mongolen im Lande der Volgabulgaren bezeugt. Offenbar kämpften Volgabulgaren und östliche Ungarn gemeinsam gegen die Mongolen. Später aber seien, so Julian weiter, die Ungarn von den Mongolen gezwungen worden, mit ihnen ein Bündnis abzuschließen und Hilfstruppen zu stellen.

Julian sollte bald nach seiner Ankunft in Groß-Ungarn sogar einem Gesandten des Großkhans begegnen, der ihm eröffnete, die Mongolen erwarteten nur noch ein Heer, das sie gegen die Perser entsandt hätten, um dann vereint nach Westen vorzustoßen und Deutschland anzugreifen. Alarmiert durch diese Ankündigungen entschloß sich der Dominikaner zur unverzüglichen Rückreise, die er am 21. Juni 1236 antrat. Die Route, die Julian zur Heimkehr wählte, ist nur in Grundzügen bekannt. Wir sind daher überwiegend auf Vermutungen angewiesen. Nach dem Bericht des Riccardus, eines Ordensbruders, der die Reise Julians schildert, hat dieser zunächst ein Boot bestiegen und auf dem Wasserweg zwei Wochen lang das Land der Mordvinen durchquert. Wahrscheinlich bereiste er das Land der Mokša-Mordvinen, die im 13. Jahrhundert an der Oka und der Sura, rechtsseitigen Nebenflüssen der Volga, saßen. Vermutlich fuhr er zunächst in nordwestlicher Richtung den Mokša-Fluß bis zu dessen Einmündung in die Oka hinauf, erreichte dort das Gebiet des Großfürstentums Vladimir-Suzdal' und reiste dann zu Pferde und mit dem Boot durch die russische Lande und durch Polen weiter, um am 27. Dezember 1236 wieder ungarischen Boden zu betreten.

Julians Bericht fand bald nach seiner Rückkehr große Beachtung. War doch seine Reise in doppelter Hinsicht als erfolgreich zu werten:

1. Man wußte jetzt, daß die Mongolen einen Angriff auf die abendländische Welt vorbereiten.

2. Julian hatte Nachrichten von mehreren bislang weitgehend unbekannten Völkern, unter ihnen auch den östlichen Ungarn, mitgebracht, die ihre Bereitschaft bekundeten, sich taufen zu lassen.

Ein Ordensbruder Julians, Riccardus, hat noch im Frühjahr des Jahres 1237 dessen Reisebericht niedergeschrieben und an die römische Kurie weitergeleitet, wo man das Schriftstück in den „Liber Censuum", die wichtigste päpstliche Dokumentensammlung, aufnahm und Julianus zu persönlicher Berichterstattung aufforderte.

Julian weilte noch in Rom, als eine neue Gruppe von vier Mönchen entsandt wurde, mit dem Auftrag, das Missionswerk bei den östlichen Ungarn fortzusetzen. Sie nahmen die nördliche Route, die Julian bei seiner Heimkehr benutzt und ihnen wahrscheinlich empfohlen hatte. Doch sollten sie ihr Reiseziel nicht mehr erreichen. Als die Mönche in die östlichen Grenzgebiete des Fürstentums Suzdal' gelangten, trafen sie mit Ungarn zusammen, die vor den Tataren geflüchtet waren. Denn die Mongolen hatten 1237 das Gebiet der östlichen Ungarn und das Land der Volgabulgaren überrannt.

Vom Fürst von Suzdal' des Landes verwiesen, der die Missionsarbeit der römischen Kirche unter den Volgavölkern nicht dulden wollte, versuchten die Dominikaner noch einmal nach Groß-Ungarn vorzudringen. Zwei der vier Mönche wollten von Rjazań aus das Land der Mordvinen im September 1237 durchqueren. Sie blieben seitdem verschollen. Ein Dolmetscher, den man ihnen nachsandte, um etwas über ihr Schicksal zu erfahren, wurde von den Mordvinen erschlagen. Die beiden überlebenden Brüder aber kehrten eilends nach Ungarn zurück, um dort vom Scheitern ihres Unternehmens zu berichten.

Julian, der im Frühjahr 1237 von seiner Reise nach Rom zurückgekommen war, ließ sich durch die Hiobsbotschaften indessen nicht entmutigen. Noch einmal brach er gemeinsam mit drei Ordensbrüdern auf. Dazu teilt uns Alberich von Trois Fontaines im Frühjahr 1237 mit: „Es gab das Gerücht, daß dies Volk der Tataren nach Kumanien und Ungarn kommen wolle. Um dies zu klären, wurden vier Predigerbrüder aus Ungarn entsandt, die hundert Tage lang bis zum alten Ungarn reisten" (MGH SS XXIII, S. 942). Julian erhielt also nicht mehr den Auftrag, Mission zu treiben, sondern sollte lediglich die Absichten der Mongolen erkunden.

In Suzdal' angelangt, hörte er von geflüchteten Ungarn und Volgabulgaren, daß deren Länder von den Tataren völlig verwüstet worden seien. Die Mongolen warteten nur noch auf das Zufrieren der Flüsse, um den russischen Fürstentümern ein ähnliches Schicksal zu bereiten. Julian erfuhr vom Suzdaler Fürsten, Jurij II. Vsevolodovič (1212–1238), daß sie Tag und Nacht berieten, wie sie das Königreich Ungarn überfallen könnten. Darüber hinaus wollten sie Rom und die abendländische Welt erobern. Wie zum Beweis seiner Warnungen übergab der russische Fürst Julian einen Brief des Großkhans an König Béla von Ungarn, den Jurij II. abgefangen hatte. Da das Schreiben in mongolischer Sprache und uigurischer Schrift abgefaßt war, konnte Julian es erst während der Rückreise in Kumanien übersetzen lassen (zum Inhalt vgl. unten S. 107).

Julian nahm, glücklich heimgekehrt, diesen Brief in seinen Bericht auf. Ihm mußte nach allem, was er während seiner Erkundungsreise gehört und erfahren hatte, daran gelegen sein, seinen König wie den päpstlichen Hof und die gesamte abendländische Christenheit vor dem unmittelbar bevorstehenden Angriff der Mongolen zu warnen (vgl. dazu unten die Vorbemerkung zum Bericht Julians, S. 98 f.).

Wie berechtigt die Warnungen des Predigermönches waren, sollte sich schon bald erweisen. Zu derselben Zeit, als Julian im Frühling des Jahres 1236 bei den östlichen Ungarn mit dem mongolischen Gesandten zusammentraf, beschloß die mongolische Reichsversammlung, erneut einen umfassenden Westfeldzug zu unternehmen. Erste Ziele des Feldzuges sollten das Kumanenland (Qibǧaq), Volgabulgarien, das östliche Ungarn und die russischen Fürstentümer sein. Man beabsichtigte, später Polen und Ungarn anzugreifen und schließlich ganz Europa zu unterwerfen (Spuler: Goldene Horde, S. 16). Mindestens neun Enkel und Urenkel Činggis Khans nahmen am Feldzug teil: die Söhne des ältesten Sohnes Ǧoči (Ǧuǧi) Bātū, Orda, Šiban, Tangqut; aus der Familie des regierenden Großkhans Ögödäi dessen Söhne Güjük (Großkhan 1242–1246) und Qadan; von den Söhnen Toluis der älteste Möngke und dessen Bruder Böjek (Büdžek), schließlich ein Sohn Bāidār und ein Enkel Büri von Čagatāi (Čaadaj). Den Oberbefehl übertrug man Batu. Ihm zur Seite stand einer der erfahrensten mongolischen Feldherren, Sübödäi, der sich bereits unter Činggis Khan bewährt hatte. Den Sommer des Jahres 1237 hatten die mongolischen Prinzen benutzt, um ihre Heere östlich der Volga zu sammeln.

Im Herbst desselben Jahres brach der Sturm los. Der Hauptstoß traf die Volgabulgaren. Bātū erstürmte ihre Hauptstadt Bolgary. Andere Abteilungen verheerten die Länder der östlichen Ungarn, der Mokša-Mordvinen und Burtassen. Unterdessen hatte ein weiter südlich operierendes Heer unter dem Befehl Möngkes die Kumanen geschlagen. Die siegreichen Armeen vereinigten sich sodann auf dem Gebiet der

Volgabulgaren zum gemeinsamen Vorgehen gegen die russischen Fürstentümer. Zuerst fiel Rjazań. Die Stadt wurde nach fünftägiger Belagerung am 21. Dezember 1237 erstürmt, der Fürst und seine Gemahlin hingerichtet. Am 7. Februar 1238 eroberten die Mongolen Vladimir. Nach der Einnahme der Stadt schlachteten sie alle überlebenden Einwohner ab, unter ihnen auch die Familie des Großfürsten. Der Großfürst Jurij II., mit dem die ungarischen Dominikaner während ihrer Reisen mehrfach in Berührung gekommen waren, erlag den Mongolen am 4. März in der Schlacht am Flusse Sit' (Sura). Nacheinander fielen die russischen Städte den mongolischen Angriffen zum Opfer. Einzig Novgorod blieb verschont, da der hartnäckige Widerstand der Stadt Torżok und einsetzendes Tauwetter den Vormarsch der Mongolen behinderten. Auch Kiev erlangte noch eine Schonfrist, weil ein Teil der mongolischen Heere, wohl um die südliche Flanke zu sichern, bis zum Kaukasus vorstieß und Čerkessen, Alanen und Kumanen niederwarf oder verjagte.

Was sich von den Kumanen vor dem Zugriff der Eroberer retten konnte, floh nach Westen. Ihr Fürst Kuthen bat noch im gleichen Jahr König Béla IV. um Schutz. Wieder traten Dominikaner als Vermittler in Erscheinung. Ihrem Rat Folge leistend gewährte Béla im Frühjahr 1239 den Flüchtlingen gastliche Aufnahme und teilte ihnen Land in der großen Tiefebene zu. Ein Jahr später floh Michael von Černigov, der Großfürst von Kiev, vor den heranrückenden Mongolen nach Ungarn. Die Stadt Kiev, die „Mutter der russischen Städte" und Sitz des Metropoliten, fällt am 6. Dezember 1240 in die Hände der fremden Eroberer. In einem Brief an den englischen König meldet Kaiser Friedrich II. im Jahre 1241 den Fall der Stadt: „Erobert wurde Kiev (Cleva), die größte der Städte des Königreiches, wie jenes ganze berühmte Reich, die Einwohner erschlagen, das Land in eine Einöde verwandelt" (Matth. Paris, CM IV, S. 113).

Nur wenig später werden Vladimir in Wolhynien und Galič erstürmt. Die Mongolen stehen vor den Toren Ungarns.

Rogerius von Torre Maggiore berichtet, die Tataren seien nach der Eroberung Rußlands vier oder fünf Tagereisen zurückgewichen, um bei ihrer Rückkehr Futter für ihre Pferde im Grenzgebiet vorzufinden und keine vorzeitigen Meldungen über ihre Angriffsabsichten nach Ungarn gelangen zu lassen. Die Nachricht zeigt, wie sorgfältig die mongolischen Heerführer den Angriff vorbereiteten und nichts dem Zufall überließen. Galt doch das Königreich Ungarn als besonders mächtiger und gefährlicher Gegner. Nach dem Bericht des persischen Historikers Ǧuwainī vertraten die Mongolen die Auffassung, die Ungarn seien anmaßend geworden „wegen der Größe ihrer Zahl, der Bedeutung ihrer Macht und der Stärke ihrer Waffen" (Juvaini: History, S. 270). Auf mongolischer Seite empfand man das Verhalten des ungarischen Königs als offene Herausforderung. So hatte der Großkhan Ögödäi durch ein Schreiben, das Julian überbrachte, Béla IV. vorgeworfen, seine (Ögödäis) Knechte, die Kumanen, widerrechtlich aufgenommen zu haben, und ihn aufgefordert, sie auszuliefern. Ögödäi äußerte damit eine Auffassung, die seit jeher im reiternomadischen Rechtsbewußtsein eine große Rolle spielte. Wie Ögödäi, so hatten vor ihm der Hunne Attila, der Aware Bajan und der Türke Dizabul von den benachbarten Kulturreichen die Auslieferung ihrer geflüchteten Untertanen verlangt. Béla IV. aber hatte den mongolischen Forderungen nicht nur nicht entsprochen, sondern weiterhin die Kumanen im Lande behalten und den Titel eines Königs von Kumanien für sich in Anspruch genommen. Hinzu kam, daß der mongolische Herrscher dem ungarischen König die mehrfache Verletzung des geheiligten Gesandtschaftsrechtes zum Vorwurf machte. Tatsächlich hatten, wie sowohl Ivo von Narbonne als auch Matthaeus Parisiensis bezeugen, die Ungarn mongolische Gesandte abgefangen und ihnen die Erlaubnis zur Rückkehr verweigert (vgl. Matth. Paris.: CM IV, S. 274; VI, S. 75). Ganz ähnliche Beschuldigungen waren schon vorher von den Mongolen gegen den Chorezm-Šāh oder die russischen Fürsten erhoben worden. Stets war den Anklagen, wenn sie von den Beschuldigten zurückgewiesen wurden, ein gnadenloser mongolischer Vernichtungsfeldzug gefolgt. Dasselbe Schicksal drohte jetzt Ungarn, da dessen König die mongolischen Aufforderungen zur Unterwerfung unbeantwortet ließ. Noch im Jahre 1245 rechtfertigte der Großkhan Güjük in einem Brief an Papst Innozenz IV. die Niedermetzlung so vieler Christen während der Feldzüge gegen Ungarn und Polen mit dem Vorwurf, die Christen hätten „dem Gebote Gottes und Činggis Khans nicht gehorcht und in ihrem verruchten Sinn und vorsatzlich unsere [der Mongolen] Gesandten getötet" (ed. F. Risch: Johann de Plano Carpini. Geschichte der Mongolen und Reiseberichte 1245–1247. Leipzig 1930, S. 46).

Vorbereitung und Durchführung des mongolischen Feldzuges gegen Ungarn und Polen verraten eine sorgfältig ausgearbeitete und weitsichtige strategische Planung, als deren Urheber man den Feldherrn Sübödäi ansah (vgl. Bretschneider: Mediaeval Researches II, S. 332). Man hatte, bevor der Angriff losbrach, durch wiederholt ausgesandte Kundschafter und Überläufer die Verhältnisse in den gegnerischen Reichen in Erfahrung zu bringen gesucht und war daher wohlunterrichtet über den Verlauf und Zustand der Landestore und Heerstraßen, die militärische Stärke und die Kampfmoral der feindlichen Heere. Auch dürfte den mongolischen Feldherren kaum entgangen sein, daß im Lager der Christen Uneinigkeit herrschte. Nach dem Bericht eines zeitgenössischen französischen Chronisten soll Bātū seinen Soldaten in der Schlacht bei Mohi sogar zugerufen haben „die durch den Geist der Zwietracht und der

Vermessenheit verwirrten Ungarn werden euch nicht besiegen" (Wilhelm von Nangis: Gesta Ludovici Francorum regis 1226–1270. In: Recueil des historiens des Gaules et de la France XX, S. 342).

Gleichwohl wollte man auf mongolischer Seite nichts dem Zufall überlassen. Um zu verhindern, daß sich polnische und ungarische Fürsten gegenseitig zu Hilfe kamen, entschloß man sich zum gleichzeitigen Angriff gegen Ungarn und Polen. Während das mongolische Hauptheer unter Bātū und Sübödäi sich gegen Ungarn wandte, rückte eine andere Abteilung, die von Bātūs älterem Bruder Orda befehligt wurde, in Richtung auf die polnischen Herzogtümer vor. Auch Qāidū, ein Enkel Ögödäis, und Bāidār, ein Sohn Čagatāis, beteiligten sich als Heerführer an dem Unternehmen (Strakosch-Grassmann: Einfall, S. 35, Anm. 4, 5). Nach den Angaben des C. de Bridia umfaßte der in Polen eindringende Heeresverband nur eine Zentausendschaft, also nicht einmal ein Fünftel aller Bātū unterstellten Truppen (Hystoria Tartarorum, S. 19). Offensichtlich betrachteten die Mongolen Polen als „Nebenkriegsschauplatz". Die dorthin entsandten Heeresabteilungen hatten lediglich die Aufgabe übernommen, dem Hauptheer während des Einfalls in Ungarn den Rücken freizuhalten. Ein Anlaß zum Angriff auf die polnischen Fürstentümer war schon nach der Einnahme Kievs gegeben. Hatten doch die russischen Fürsten Michael von Kiev und Daniil von Galič auf der Flucht vor den Tataren Aufnahme am Hofe Konrads von Masowien gefunden. Die inneren Verhältnisse Polens boten günstige Voraussetzungen für ein Gelingen des mongolischen Angriffs. Seit dem 12. Jahrhundert waren an die Stelle des einheitlichen Königreiches insgesamt neun Herzogtümer getreten, die zum Teil miteinander um die Vorherrschaft kämpften. Die mongolischen Heerführer verstanden es offenbar geschickt, die inneren Zwistigkeiten zu nutzen und die polnischen Herzogtümer einzeln anzugreifen.

Erstes Ziel war das Herzogtum von Kleinpolen und Sandomir. Der Angriff erfolgte so überraschend, daß Sandomir am 13. Februar eingenommen wurde, noch bevor die Palatine von Krakau und Sandomir ihnen mit ihren Aufgeboten entgegentreten konnten. Am 16. März erlitt das Entsatzheer der beiden Palatine eine vernichtende Niederlage bei Chmielnik. Die Mongolen steckten Krakau in Brand, überschritten bei Ratibor die Oder und fielen in Schlesien ein. Eine breite Spur des Todes und der Verwüstung kennzeichnete ihren Weg hier wie später in Ungarn. Am 2. April eroberten die mongolischen Reiter bereits Breslau, wo nur die Burg ihrem Ansturm standhielt. Daß andere mongolische Verbände gleichzeitig über Masowien und Kujawien nach Westen vordrangen und sich in Breslau mit dem Hauptheer vereinigten, wird zwar von Johannes Długosz behauptet, von zeitgenössischen Quellen aber nicht bestätigt.

Erst bei Liegnitz stießen die Angreifer wieder auf ernsthaften Widerstand. Herzog Heinrich II. der Fromme von Schlesien trat ihnen am 9. April mit einem polnisch-deutschen Aufgebot entgegen und unterlag nach heftigem Kampf. Der Herzog selbst und mit ihm viele großpolnische und schlesische Magnaten blieben auf dem Schlachtfeld. Die siegreichen Mongolen wandten sich gegen Mähren, das sie während ihres Durchzugs systematisch verwüsteten. Schließlich überschritten sie den Jablunka-Paß in den Kleinen Karpaten, um sich in Ungarn wieder mit dem Hauptheer zu vereinigen.

Unterdessen hatte Bātū, der durch Kuriere ständig mit den in Polen kämpfenden Truppen in Verbindung geblieben war, die Operationen gegen Ungarn aufgenommen. Der konzentrische Angriff, den die mongolischen Heere gegen das christliche Königreich führten, glich einer gewaltigen Treibjagd. Nach dem Vorbild der kaiserlichen Jagden, die gleichzeitig Manöver waren und daher – nach Al'-'Umarī – dazu dienten, die Truppen taktisch zu schulen und ihre Disziplin zu festigen (Al'-ʿUmarī: Das Mongolische Weltreich, S. 98 f.), hatten die Mongolen mit Erfolg bei ihren Feldzügen in Zentralasien und Rußland die Umzingelungsstrategie erprobt. So berichtet Rašīd ad-Dīn vom mongolischen Angriff auf das Fürstentum Vladimir: „Alle Städte Vladimirs umzingelten die mongolischen Truppen, wie ein Treiberkreis das Wild, Zehntausendschaft um Zehntausendschaft" (Rašīd ad-Dīn: The Successors, S. 60; zum Vorgehen in Mittelasien vgl. unten S. 203, Anm. 98).

Bātū brachte die erprobte Strategie, die offensichtlich dazu diente, den Gegner zu isolieren, von allen Seiten zu bedrängen und schließlich mit vereinten Kräften zu vernichten, gegenüber Ungarn erneut wirkungsvoll zur Anwendung. Insgesamt fünf Heere rückten aus verschiedenen Richtungen gegen Ungarn vor. Der von Bātū und Sübödäi befehligten Hauptmacht fiel die schwierigste Aufgabe zu. Sie hatte die stark bewachten Grenzverhaue am Verecke-Paß, dem sog. Russischen Landestor, zu durchbrechen, auf dem kürzesten Weg ins Landesinnere vorzustoßen und das zahlenmäßig weit überlegene Heer König Bélas zum Kampf zu stellen, noch bevor Béla weiteren Zuzug durch die Aufgebote seiner noch zögernden Magnaten erhielt. Weiter östlich erzwang sich Qadan, der Sohn Ögödäis, der von Čagatais Sohn Büri begleitet wurde, den Übergang über den Borgó-Paß, eroberte die reiche Bergbaustadt Radna und durchzog – große Verheerungen anrichtend – das Tal des Flusses Szamos in westlicher Richtung. Ein weiteres Heer, dessen Befehlshaber bei Rogerius als Bogutai (mongol.: baɣatur „Tapferer, Held") bezeichnet wird, aber schwerlich mit einem der oben genannten Prinzen identifiziert werden kann, rückte über den Ojtoz-Paß in Richtung auf Weißenburg (Gyulafehervár, Alba Julia) vor. Im äußersten Südosten hatte Böjek, der Sohn Toluis, mit seiner Abteilung die Kumanen der Walachei unterworfen, die Flußtäler von Olt und Maros durcheilt und sich bei Csanád mit Qadan und Bogutai vereinigt, um gemeinsam nach Norden vorzustoßen und in der Gegend von Pest zum Heere Bātūs zu stoßen. Hier fanden sich schließlich auch nach erfolgreich abgeschlossenem Feldzug durch Polen und Mähren die Truppen Ordas ein.

Die Nachricht vom Einfall der Mongolen löste in Ungarn ein unterschiedliches Echo aus. König Béla IV. hatte bereits gegen Ende des Jahres 1240, als sich im Lande Nachrichten über den Tatareneinfall in der Kiever Ruś verbreiteten, erste Maßnahmen ergriffen, um rechtzeitig einen möglichen Angriff der Mongolen abwehren zu können. Er hatte persönlich die Grenzgebiete aufgesucht, die Landestore befestigen und Grenzverhaue anlegen lassen sowie den Palatin mit einem Heer zur Bewachung des „Russischen Tores" am Verecke-Paß entsandt.

Die Aufrufe des Königs an die Großen des Landes, sich mit ihren Aufgeboten bereitzuhalten, wurden oft nur zögernd und widerstrebend befolgt. Rogerius und Thomas von Spalato, die wichtigsten zeitgenössischen Kronzeugen des Tatareneinfalls, geben deutlich genug zu erkennen, daß zwischen dem König und einem Teil der Magnaten tiefgreifende Unstimmigkeiten herrschten. Die Barone waren vor allem darüber empört, daß Béla zahlreiche von seinem Vater verschwenderisch an den Adel vergebene Donationen rückgängig machte und entfremdetes Königsgut wieder einzog. Zur Mißstimmung trug ferner bei, daß der König nach byzantinischem Vorbild den Adeligen immer häufiger den bisher üblichen freien Zugang zum Hof verwehrte und sie an die Hofkanzlei verweisen ließ. Schließlich warf man dem König vor, er habe die Kumanen gegen den Widerstand des Adels ins Land geholt und ziehe sie den Ungarn vor. Ja, es verbreitete sich das Gerücht, die Kumanen seien als Verbündete der Mongolen nach Ungarn gekommen, um das Land auszukundschaften und den Ungarn in den Rücken zu fallen. Ein rasch einberufener Kriegsrat, an dem die meisten Magnaten teilnahmen, konnte sich nicht auf gemeinsame Abwehrmaßnahmen einigen, sondern trug eher noch zur allgemeinen Verwirrung bei. Er tagte noch, als sich die Unglücksnachrichten bereits überstürzten.

Am 18. März 1241 meldete dem König ein Eilbote des Palatins, daß die Tataren das Landestor erreicht hätten und bereits die Grenzverhaue zerstörten. Noch zeigte sich der König unschlüssig, was zu unternehmen sei, als sich vier Tage später der Palatin selbst meldete, um zu berichten, daß er den eindringenden Mongolen im Kampf erlegen und nur mit wenigen Gefolgsleuten dem Blutbad entronnen sei. Der König hob die Beratungen auf und entließ die Teilnehmer mit der Mahnung, ihm ihre militärischen Aufgebote unverzüglich zuzuführen. Ähnliche Aufforderungen ergingen an Herzog Friedrich von Österreich und an die Kumanen.

Doch noch bevor das königliche Heer sich versammeln konnte, waren die Mongolen bereits tief ins Landesinnere vorgedrungen. Bātū hatte eine Vorausabteilung – nach Rašīd ad-Dīn eine Zehntausendschaft – unter seinem Bruder Šiban entsandt, die den Auftrag hatte, das Land zu erkunden und zu erproben, „ob die Ungarn Mut hätten, mit ihnen zu kämpfen" (Rogerius). Innerhalb von drei Tagen legten die Reiter Šibans, die bis unter die Mauern von Pest gelangten und unterwegs die Stadt Waitzen (Vác) verwüsteten, eine Strecke von etwa 300 km zurück. Der rasche Vorstoß kam für die Ungarn völlig unerwartet und zwang den König zu sofortigem Handeln. Daher hatten viele Große, wie die Bischöfe von Csanád, Fünfkirchen (Pécs) und Wardein (Várad) nicht mehr mit ihren Aufgeboten zum Hauptheer stoßen können, als Béla nach Norden aufbrach, um Bātū und das mongolische Hauptheer zum Kampf zu stellen.

Auch die Kumanen und ihr Fürst Kuthen nahmen am

Feldzug gegen die Mongolen nicht teil. König Béla hatte kurz zuvor unter dem Druck seiner Barone, die die Kumanen des Hochverrats bezichtigten, Kuthen und dessen Familie in Schutzhaft nehmen lassen. Als nach den ersten Scharmützeln mit den Mongolen unter den eingebrachten Gefangenen auch Kumanen entdeckt wurden, wandte sich der Volkszorn gegen Kuthen. Der aufgebrachte Mob drang in den Palast ein, in dem der Kumanenfürst gefangengehalten wurde, und metzelte nach kurzem Kampf ihn, seine Angehörigen und nächsten Gefolgsleute nieder. Auf die Nachricht vom gewaltsamen Ende ihres Khans ließen die Kumanen, die sich nun selbst Übergriffen von ungarischer Seite ausgesetzt sahen, ihrer Verbitterung freien Lauf. Sie nahmen blutige Rache für den Tod ihres Fürsten, brandschatzten zahlreiche Dörfer und verließen das Land unter Mitnahme reicher Beute, um nach Bulgarien abzuziehen.

Unterdessen war König Béla, der mit seinem Heer die sich nach Norden zurückziehenden Streifscharen Šibans verfolgt hatte, am Sajó auf die Vorhuten Bātūs und Sübödäis gestoßen. Die Mongolen hielten sich jenseits des Sajó in den dichten Wäldern verborgen. Noch zögerte Bātū offenbar, dem ungarischen König in offener Feldschlacht entgegenzutreten, zumal er erkannt haben mußte, daß die ungarischen Streitkräfte den seinigen an Zahl ebenbürtig, wenn nicht überlegen waren (Rašīd ad-Dīn, The Successors, S. 57; Thomas v. Spalato). Bātū und Sübödäi, die alle Bewegungen des ungarischen Heeres von einem Hügel aus beobachteten, haben den Mut und die Kampfkraft der ungarischen Ritter nach übereinstimmenden Berichten der Quellen eher überschätzt denn geringgeachtet.

Der Perser Ǧuwainī, der sicherlich die Ansicht der mongolischen Heerführer wiedergab, berichtet über die Ungarn: „Dieses Volk gilt als anmaßend wegen seiner Zahl, Macht und der Stärke seiner Waffen" (Juvaini: History, S. 270). Bātū selbst habe, so

Ġuwainī an anderer Stelle, vor der Schlacht von Mohi wie einst sein Großvater Činggis Khan einen Tag und eine Nacht lang von Gott den Sieg über die Ungarn erfleht und die Moslems in seinem Heer aufgefordert, sich zu versammeln und zu beten (ebda.). Übereinstimmend berichten Carpini und C. de Bridia, Bātū habe noch in der Schlacht am Sajó nur unter Drohungen und mit gezücktem Schwert seine Leute in den Kampf gegen die Ungarn treiben können (SF I, S. 72; C. de Bridia: Hystoria Tartarorum, S. 21; vgl. auch unten S. 210 f., Anm. 142). Carpini fügt dieser Beobachtung die Bemerkung hinzu, wenn die Ungarn nicht geflohen wären, sondern mannhaft Widerstand geleistet hätten, wären sie imstande gewesen, die Tataren aus ihrem Lande zu vertreiben (SF I, S. 72). Tatsächlich aber verhielten sie sich bis zu Beginn der Schlacht so, als hätten sie das ganze Ausmaß der Gefahr, die ihnen drohte, nicht erkannt. Man vernachlässigte leichtsinnig den Wachtdienst, viele glaubten im Vertrauen auf die eigene Stärke den Gegner unterschätzen zu können, andere weigerten sich verängstigt, in den Kampf zu ziehen, oder wünschten gar die Niederlage des ihnen verhaßten Königs herbei, um persönlich daraus Vorteile ziehen zu können.

Der König aber, der rechtzeitig und umsichtig auf die ersten Nachrichten von der Annäherung der Mongolen hin Vorkehrungen für die Verteidigung seines Reiches getroffen hatte und der später tatkräftig den Wiederaufbau des zerstörten Landes betreiben sollte, versagte auf dem Höhepunkt der Gefahr als militärischer Führer. Zwar war ihm persönlicher Mut nicht abzusprechen, doch verstand er es nicht, seine Befehlsgewalt durchzusetzen, die auseinanderstrebenden Parteien in seinem Lager zu einigen und zu gemeinsamem Vorgehen anzuspornen. Er versäumte es, die militärische Stärke und die Truppenbewegungen der Mongolen ausreichend zu erkunden, gab, obwohl an der Spitze eines starken Heeres, die Stadt

Waitzen und das flache Land schutzlos dem Morden und Brennen der mongolischen Streifscharen preis und lähmte, da es ihm an Entschlußkraft mangelte, den Kampfeswillen derer, die noch bereit waren, ihm zu folgen. Den größten Fehler aber beging Béla, als er aus übertriebener Vorsicht am Vorabend der Schlacht von Mohi seine Krieger in einer Wagenburg „wie in einem engen Stall" (Thomas von Spalato) zusammenpferchte und ihnen so die Möglichkeit nahm, bei Alarm ihre Reihen zu entfalten. Thomas von Spalato berichtet, Bātū habe sogleich die für das ungarische Heer verhängnisvollen Auswirkungen der Fehlentscheidung des Königs erkannt und seinen Gefolgsleuten mit den Worten mitgeteilt: „Wir müssen guten Mutes sein, Gefährten! Denn obwohl jenes Heer zahlenmäßig stark ist, können sie doch, weil sie unvorsichtig befehligt werden, nicht unserem Zugriff entkommen. Denn ich sah, daß sie wie eine Herde ohne Hirt in einem sehr engen Stall eingeschlossen waren" (vgl. unten S. 240).

Noch konnten der Bruder des Königs, Herzog Koloman, und Erzbischof Ugrin von Kalocsa in einem wagemutigen Unternehmen bei Nacht über den Sajó vorgedrungene Einheiten der Mongolen zurückwerfen. Als aber die Ungarn siegestrunken ihre Waffen ablegten und in ihrer Wachsamkeit nachließen, überquerten die Mongolen erneut an zwei Stellen den Fluß und griffen im Morgengrauen des 11. April von allen Seiten das ungarische Lager an. Selbst zwei Ausfälle, die der König, sein Bruder Koloman, Erzbischof Ugrin und die im ungarischen Heer ebenfalls vertretenen Templerritter todesmutig unternahmen, vermochten den Ring der mongolischen Reiter nicht mehr zu durchbrechen. Der Kreis schloß sich immer enger, und die Umzingelten sahen sich, wo immer sie vorzudringen oder zu entkommen suchten, einem Hagel von Pfeilen ausgesetzt. Schon konnte der König die Reihen nicht mehr ordnen. Verwirrung und Panik griffen um sich. Der Befehl Bélas, die Zelte des Lagers eng nebeneinander zu errichten, hatte jetzt die schrecklichsten Folgen, denn die Zelte und die miteinander verknüpften Zeltleinen behinderten die kämpfenden wie die fliehenden Ungarn. Ein allgemeines Gemetzel setzte ein. Wer dem Schlachten entrann, lief Gefahr, in den umliegenden Sümpfen zu versinken oder auf der Flucht erschlagen zu werden. Die Zahl derjenigen, die allein in der Schlacht ums Leben kamen, ging in die Zehntausende – die gut unterrichteten Annalen von St. Pantaleon in Köln sprechen sogar, wenn auch übertreibend, von 60.000 Gefallenen. Unter den Toten zählte man die beiden Erzbischöfe von Gran und Kalocsa, die Bischöfe von Raab, Neutra und Siebenbürgen und zahllose weltliche und geistliche Würdenträger.

Wie durch ein Wunder kommen König Béla und sein Bruder Koloman lebend davon. Der König flieht mit nur wenigen Begleitern, die ihn zum Teil unter Einsatz ihres Lebens gegen die Verfolger schützen, in die Berge Nordungarns. Die Mongolen jagen ihn, wie sie einst den Chorezm Šāh Muhammād gejagt hatten. Für Bātū ist Ungarn nicht erobert, solange sich der König in Freiheit befindet, der es wagte, sich den Befehlen des Großkhans zu widersetzen. Die wilde Flucht geht über Neutra und Preßburg nach Westen in Richtung auf die österreichische Grenze. Koloman hingegen flieht schwer verletzt auf Seitenwegen nach Süden. Erst in Pest kommt es zum ersten flüchtigen Halt. Die Stadt ist von Flüchtlingen überfüllt. Noch nimmt er sich Zeit, den Einwohnern zu eiliger Flucht zu raten. Als er jedoch kein Gehör findet, überquert er allein die Donau und eilt mit letzter Kraft nach Segesd im Komitat Somogy, wo er seinen in der Schlacht erlittenen Wunden erliegt.

Nach der Niederlage von Mohi und der Flucht des Königs waren die Landstriche Ungarns, die sich im Norden und Osten der Donau erstreckten, schutzlos dem Zugriff der Mongolen preisgegeben. So sorgfältig Bātū und Sübödäi die Entscheidungsschlacht gegen das ungarische Heer vorbereitet hatten, so planmäßig machten sie sich nun an die Besetzung des Landes. Um den hier und da noch aufflackernden Widerstand im Keim zu ersticken, entwickelten die mongolischen Heerführer eine wahre Meisterschaft in der Kunst, den Gegner zu überlisten und irrezuführen. So fanden die Sieger unter der Beute, die sie nach der Schlacht von Mohi sichteten, auch das königliche Siegel. Sogleich befahlen sie schriftkundigen ungarischen Geistlichen, die man am Leben gelassen hatte, im Namen des Königs Briefe an die ungarischen Magnaten zu richten, die darin aufgefordert wurden, nicht zu fliehen und in ihren Häusern zu bleiben. Tatsächlich konnte man so verhindern, wie Rogerius beklagt, daß die Adligen sich zu neuem Widerstand formierten oder gar zu ihrem König stießen, der bald jenseits der Donau neue Truppen sammelte.

Wenige versprengte Abteilungen von Rittern, die dem Fahnenruf des Königs nicht mehr rechtzeitig hatten Folge leisten können, oder von Flüchtlingen, die dem Gemetzel von Mohi glücklich entronnen waren und sich nun zu erneuter Abwehr zusammenfanden, vermochten der listenreichen Kleinkriegstaktik der Mongolen nicht lange standzuhalten. Mongolische Reiter lockten die oft schwerfälligen ritterlichen Aufgebote durch Scheinflucht in unwegsames Gelände, wo andere Abteilungen im Hinterhalt lagen, um die überraschten Verfolger einzukreisen und niederzumachen (zur verstellen Flucht vgl. S. 207, Anm. 116).

Nicht anders erging es den meisten Städten, Burgen und Klöstern. Viele Siedlungen erlagen den Mongolen beim ersten Ansturm, andere fielen nach kurzer Belagerung, wie Pest und Großwardein. Die rasche Erstürmung der ungarischen Städte durch die Mongolen bezeichnet ein deutscher zeitgenössischer Chronist als „nicht verwunderlich, weil das ganze Königreich Ungarn fast keine mit Mauern bewehrte Stadt und keine festen Burgen hat" (Annales S. Pantaleonis Coloniae. In: MGH SS XXII, S. 535). Nicht selten trieb man, wenn die Belagerung sich hinzog, kriegsgefangene Ungarn, Kumanen, Moslems und Russen unter Todesdrohungen gegen die Stadtmauern, um mit den Leichen der Erschlagenen die Gräben zu füllen oder die Verteidiger zur Aufgabe zu zwingen. Dieselbe Taktik hatten die Mongolen ja bereits mit Erfolg bei der Eroberung Chinas und Chorezms erprobt. Erwies sich der Widerstand der Verteidiger einer Stadt oder Burg, wie im Falle Großwardeins, als besonders hartnäckig, dann täuschten die Belagerer ihren Abzug vor. Sie zogen sich zurück, um sich in den Wäldern der Umgebung zu verbergen, ließen die Burg aber weiterhin beobachten. Sobald die Verteidiger aber im Vertrauen auf den vermeintlich endgültigen Rückzug der Mongolen den Wachtdienst vernachlässigten und die Burg verließen, kehrten die Angreifer unvermittelt zurück und überrumpelten die Besatzung.

Nach der Einnahme einer Stadt oder Burg übten die Mongolen sehr oft blutige Vergeltung an den überlebenden Einwohnern, besonders dann, wenn sie zuvor während der Belagerung selbst hohe Verluste hatten hinnehmen müssen und die Stadt somit in den Ruf einer „schlechten Stadt" (Mo Balyġ) geraten war. Wieder stimmen die Nachrichten des Rogerius und des Thomas von Spalato auffällig mit dem überein, was russische, armenische, persische und chinesische Autoren über die Gemetzel der Mongolen bei früheren Feldzügen berichten. Der Hergang war stets derselbe. Die Sieger trieben nach Einnahme einer „bösen Stadt" die überlebenden Einwohner aufs freie Feld, ließen sie dort nach Hundertschaften und Tausendschaften geordnet Aufstellung nehmen und schlachteten sie unterschiedslos ab. Man schonte weder Frauen noch Kinder und machte, wie Thomas entrüstet anmerkt, nicht einmal vor Leprakranken halt. Nur in Ausnahmefällen wurden Geistliche, Handwerker oder junge Mädchen verschont. Ähn-

liches spielte sich auf dem flachen Lande ab. Die
Bevölkerung ganzer Dörfer wurde massakriert, wenn
die Bauern eben noch die Ernte eingebracht und die
Tribute an die neuen Herren abgeführt hatten. Das
scheinbar planlose Morden war weniger auf den von
den Chronisten immer wieder hervorgehobenen Blut-
durst der Mongolen zurückzuführen, sondern ent-
puppte sich bald als vorbedachter und systematischer
Terror. Galt es doch, die überlebende Bevölkerung
niederzuhalten und ihr die Aussichtslosigkeit weiteren Widerstandes vor Augen zu führen.
Wohl rascher als erwartet erreichten die mongolischen Heerführer ihr Ziel. Mit Windeseile verbreiteten sich im ganzen Lande Nachrichten von un-
menschlichen Greueln und barbarischen Freveltaten.
Vage Gerüchte über sadistische Grausamkeiten un-
vorstellbaren Ausmaßes vermischten sich mit glaub-
würdigen Schreckensnachrichten. Todesangst überfiel die Menschen und lähmendes Entsetzen breitete
sich aus. Willenlos wie Lämmer zur Schlachtbank
ließen sich die Opfer von ihren Peinigern zu den
Hinrichtungsstätten schleppen. So berichtet der arabische Historiker Ibn al-Atīr, ein einziger mongolischer Reiter sei in ein dicht bevölkertes Dorf in
Chorezm eingedrungen und habe alle Einwohner,
einen nach dem anderen, getötet, ohne daß jemand
wagte, sich zur Wehr zu setzen (vgl. d'Ohsson:
Histoire, III, S. 70).
Rogerius aber beschreibt eindrucksvoll die Todesangst und das Grauen, das er selbst und seine Umgebung durchlitten, als man von den Schlächtereien
der Mongolen erfuhr: „Als ich das hörte, sträubten
sich mir die Haare, ich zitterte am ganzen Leibe, und
die Zunge versagte mir ihren Dienst, da ich erkannte,
daß mir ein unvermeidlicher und schrecklicher Tod
bevorstand. Ich stellte mir vor meinem inneren Auge
die Schlächter vor, und mein Körper wurde kalt
vom Todesschweiß. Ich sah Menschen, die den Tod
erwarteten und weder die Hände und Waffen ruhig

halten noch die Arme heben, zur Verteidigung schreiten und zu Boden blicken konnten... Ich erblickte Menschen, die vor panischer Furcht halbtot waren" (Rogerius, cap. 34; vgl. auch Thomas v. Spalato, unten S. 257).

Wer dem Verhängnis entrinnen konnte, suchte sich in den Wäldern oder in abgelegenen Bergschluchten zu verbergen, da nur wenige Burgen, so Trentschin (Trencsén), Preßburg, Neutra (Nitra) und Komorn (Komárom) in Oberungarn (der heutigen Slowakei) oder die Fluchtburg Magyar-Fráta in Siebenbürgen, sich behaupten und den Bewohnern der umliegenden Dörfer Zuflucht bieten konnten. Die Masse der bäuerlichen Bevölkerung aber verblieb im Machtbereich der Mongolen, die sich im Lande niederließen und offenbar beabsichtigten, Ungarn auf Dauer ihrem Weltreich einzuverleiben. Bātū und die am Ungarnfeldzug beteiligten Prinzen des kaiserlichen Hauses ließen eigene Münzen schlagen, setzten Richter und Tributeinnehmer ein und lockten einen Teil der flüchtigen Bauern mit dem Versprechen aus den Wäldern, sie könnten unbehelligt ihre frühere Lebensweise wiederaufnehmen. Ja, man erlaubte den Dörfern sogar, sich ihre eigenen Vorsteher zu wählen. Tatsächlich scheint vorübergehend Ruhe eingezogen zu sein, und selbst Rogerius sieht sich zu der Bemerkung veranlaßt: „Wir hatten Frieden und geregelte Verhältnisse, jedem wurde sein Recht zuteil" (Rogerius, cap. 35).

Freilich sollten sich die Verhältnisse schon bald wieder verschlechtern. Denn die Mongolen planten einen neuen Feldzug gegen den bislang noch unbesetzten Teil Ungarns im Westen und Süden der Donau: Ein ungewöhnlich strenger Winter begünstigte ihr Vorhaben. Im Januar 1242 fror die Donau zu. Die Mongolen, die sich Gewißheit verschaffen wollten, ob das Eis sich schon als ausreichend tragfähig erweisen könnte, um den Übergang ihres Heeres zu ermöglichen, trieben Pferde und Rinder an das

Ostufer des Stromes und zogen sich dann zurück. Als die Ungarn im Vertrauen darauf, daß die Gegner endgültig abgezogen waren, die Viehherden über das Eis holten, überquerte auch das mongolische Heer bei Pest die Donau. Noch einmal führten die Prinzen getrennte Operationen durch. Während Qadan sich sofort gegen König Béla wandte und ihn in einer wilden Verfolgungsjagd quer durch Slawonien und Kroatien bis zur Adriaküste hetzte, wandte sich das Haupther unter Bātū gegen Gran, die alte Königsresidenz, die zugleich auch kirchliches Zentrum des Landes war. Man erstürmte die Stadt nach kurzer Belagerung und metzelte die gesamte Bevölkerung nieder. Einzig die königliche Burg hielt dem Ansturm stand. Ohnehin hatte Transdanubien nicht dieselben Verwüstungen zu ertragen. Der neuerliche Angriff überraschte die Bevölkerung nicht so sehr wie der des Vorjahres. König und Adel konnten, noch bevor Béla seine Flucht fortsetzte, die dringendsten Zurüstungen für die Verteidigung treffen. Hinzu kam, daß die Mongolen sich nicht lange in Westungarn aufhielten, sondern ihre Verheerungen nur auf dem Durchzug anrichten konnten. Wir erfahren daher aus einem Brief, den ungarische Prälaten, Adlige und Bürger am 2. Februar 1242 mit der Bitte um Hilfe an den Papst richteten, daß sich die Absender noch „zuhauf und gut bewaffnet" in die Burgen des Landes zurückziehen konnten. Wenigstens drei dieser Burgen, vermutlich aber auch andere feste Plätze, konnten sich halten. Hatten die Mongolen schon die Burg von Gran vergebens zu erstürmen versucht, so mußten sie auch die Belagerung der befestigten Benediktinerabtei Martinsberg (Pannonhalma) aufheben, da es ihnen nicht gelang, den Widerstand der Verteidiger zu brechen. Stuhlweißenburg, die alte Krönungsstadt der Árpáden, blieb verschont, weil frühzeitig einsetzendes Tauwetter die sumpfigen Niederungen, die die Stadt rings umgaben, unter Wasser setzte und alle Zugangsstraßen unpassierbar machte.

Die Nachrichten von der Eroberung Ungarns und Polens durch die Mongolen lösten in der abendländischen Welt Verwirrung und Bestürzung aus. Ein bayerischer Chronist, Hermann von Niederaltaich, notierte in seinen Annalen zum Jahre 1241: „In diesem Jahre wurde das Königreich Ungarn nach 350jährigem Bestand von den Tataren vernichtet" (MGH SS, XXVII, S. 394), und Matthaeus Parisiensis, ein Mönch im englischen Kloster St. Alban, der eifrigste Sammler von Nachrichten über die Mongolen vor 1245, hatte schon zum Jahre 1238 vermerkt, die Gotländer und Friesen seien aus Angst vor einem Mongolenfall nicht wie üblich zum Heringshandel nach England gekommen (CM III, S. 488). Drei Jahre später berichtet er, der Angriff der Mongolen habe die gesamte Christenheit mit Furcht und Schrecken erfüllt (CM IV, S. 109).

Zur gleichen Zeit gelangten dramatische Hilferufe an die europäischen Fürstenhöfe. Nach der Niederlage von Liegnitz richtete König Wenzel III. von Böhmen Rundschreiben an alle Christen Europas (Hormayr II, S. 66 f.; Scriptores rerum Silesiacarum oder Sammlung schlesischer Geschichtsschreiber. Breslau 1835–1894. II, S. 462 f.), Friedrich von Österreich, Otto II. von Bayern und der thüringische Landgraf Heinrich Raspe sollten bald mit neuen Hiobsbotschaften folgen (vgl. Bezzola: Mongolen, S. 67). Dominikaner- und Franziskanermönche, deren Ordensbrüder die ersten Nachrichten über die Mongolen in den Westen gebracht hatten, riefen jetzt zum Kreuzzug gegen die Tataren auf und sorgten dafür, daß „die Furcht vor diesem barbarischen Volke auch die entlegenen Länder, nicht bloß Frankreich, sondern auch Burgund und Spanien erfaßte, denen der Name der Tataren bis dahin unbekannt war" (Annales S. Pantaleonis Coloniensis. MGH SS XXII, S. 535).

Die schrecklichsten Nachrichten trafen aus Ungarn ein. Béla IV. hatte schon am 18. Mai 1241, also einen Monat nach der Schlacht von Mohi, dem Papst von seiner Niederlage gegen die Mongolen berichtet und ihn flehentlich um Rat und Hilfe gebeten. In den folgenden Monaten gingen noch zwei weitere Gesandtschaften des Königs unter der Leitung des Bischofs Stephan von Waitzen (Vác) nach Rom, um den Papst erneut dringend um Hilfe zu bitten. Gleichzeitig richtete Béla eine Botschaft an König Konrad IV. mit demselben Ersuchen. Schließlich reisten Stephan von Waitzen und der Patriarch Berthold von Aquileja, ein Onkel Bélas, zu Friedrich II. und überbrachten das Angebot ihres Königs, er werde, wenn der Kaiser ihm zu Hilfe komme, Friedrich den Lehnseid leisten.

Die Antwortschreiben von Papst und Kaiser ließen nicht lange auf sich warten. Papst Gregor IX. (1227 1241) wandte sich in einer bewegenden Botschaft, die auf den 16. Juni datiert ist, an Béla IV. Er versprach baldige Hilfe (Fejér CD IV/1, S. 216 ff.) und rief gleichzeitig in einem Schreiben an den Gesandten des Königs, Bischof Stephan von Waitzen, zum Kreuzzug gegen die Tataren auf (Fejér CD I, S. 218 ff.). Freilich unterließ der Papst es, die Grundvoraussetzung für eine rasche und wirksame Hilfe zu schaffen. Gregor IX. fand sich nicht bereit, die Auseinandersetzungen mit dem Kaiser zu beenden und gemeinsame Bemühungen zur Unterstützung der von den Tataren heimgesuchten Länder in die Wege zu leiten. Im Gegenteil, statt gegen die Tataren ließ Gregor den Kreuzzug gegen Friedrich II. predigen (MGH SS XXVIII, S. 212; J. L. A. Huillard-Bréholles: Historia diplomatica Frederici secundi V/2, Paris 1859, S. 1152). So konnte Béla IV. vom Papst kaum tatkräftige Hilfe erwarten.

Blieb die Hoffnung auf die Unterstützung durch den Kaiser oder andere christliche Fürsten. Zwar begrüßte Friedrich II. das Angebot Bélas, ihm zu huldigen, ja, er versprach, die Führung im Kampf gegen die Tataren zu übernehmen, zumal er nunmehr das ganze Ausmaß der Gefahr zu erkennen vorgab

(Matth. Paris.: CM IV, S. 112–119; J. L. A. Huillard-Brétiolles: Historia diplomatica Frederici secundi V/2, S. 1143–1146). Auch ließ er es nicht bei vagen Versprechungen bewenden. In einem Aufruf an die Fürsten des Reiches traf der Kaiser Vorsorge für die Verteidigung des Imperiums. Friedrichs Sohn Konrad nahm das Kreuz und stellte bereits im Frühjahr 1241 ein Heer gegen die Tataren auf (MGH SS XXII, S. 535), doch entließ der König die Truppen, als er hörte, die Mongolen ständen an der Donau und beabsichtigten nicht weiter vorzudringen (MGH SS XVII, S. 47). Letztlich ordnete auch Friedrich den Abwehrkampf gegen die Mongolen dem Streit mit der Kurie unter. Solange sich aber weder Papst noch Kaiser bereitfanden, ihrem jedes gemeinsame Handeln lähmenden Suprematiestreit durch tragbare Zugeständnisse ein Ende zu bereiten, mußte sich jede Hoffnung auf baldige Hilfe als nichtig erweisen.

Kaum hilfsbereiter zeigten sich die anderen europäischen Fürsten. Während einige, wie die Könige von Frankreich und England, Bélas Alarmrufe allem Anschein nach unbeantwortet ließen, suchten andere aus der verzweifelten Lage des Königreiches Ungarn für sich Vorteile zu gewinnen. So drohte Papst Gregor IX. mit Schreiben vom 16. Juni 1241 denjenigen Kirchenstrafen an, die es wagen sollten, das Unglück des ungarischen Königs für eigenen Machtgewinn auszunutzen. Der Vorwurf richtete sich vor allem gegen Herzog Friedrich II. von Österreich. Der Babenberger, der sich in zahlreichen Fehden mit fast allen Nachbarn den Beinamen „der Streitbare" erworben hatte, war seit 1233 mehrfach in ungarisches Gebiet eingefallen und hatte einen Aufstand ungarischer Magnaten gegen ihren König unterstützt. Als Andreas II. und dessen Söhne Béla und Koloman einen Vergeltungsfeldzug bis nach Wien unternahmen, konnte der Herzog einen Friedensschluß nur gegen die Zahlung einer erheblichen Entschädigungssumme erlangen. Friedrich, der diese Demütigung offenbar nicht vergessen hatte, nahm 1241 die Verbindungen zu den König Béla feindlich gesinnten ungarischen Großen wieder auf. Nach einer österreichischen Chronik leitete Friedrich den Sturm auf den Palast des Kumanenfürsten Kuthen und trug die Verantwortung für dessen Tod, der Ungarn und Kumanen entzweite (Continuatio Sancrucensis. MGH SS IX, S. 640). Der Herzog nahm zwar zunächst mit wenigen Gefolgsleuten am Kampf gegen die Mongolen teil, ja er zeichnete sich in einem der ersten Gefechte durch besonders tapferes Verhalten aus. Er geriet aber mit König Béla, der den Oberbefehl über Friedrichs Aufgebot für sich beanspruchte, in Streit und kehrte nach Österreich zurück (MGH SS IX, S. 640). Als jedoch Béla nach der Niederlage am Sajó nach Westen floh, lockte ihn der Herzog mit dem Versprechen, ihm Hilfe zu leisten, über die Grenze, ließ den König festsetzen und zwang ihn, ihm drei Komitate, vermutlich Wieselburg, Lutzmannsburg und Ödenburg, zu verpfänden und ihm für die Freilassung Lösegeld (nach Rogerius, cap. 32, etwa 7000–10.000 Mark Silber) zu zahlen.

Béla IV. hat noch im Jahre 1250 in einem Brief, den er an Papst Innozenz IV. richtete (vgl. unten S. 306–310), das Versagen der führenden Mächte der abendländischen Welt treffend beschrieben. Er betonte, er habe „außer leeren Worten von diesen Höfen weder Trost noch Hilfe empfangen" (vgl. unten S. 307). Nicht der vereinte Abwehrkampf der christlichen Mächte war es daher, der Bātū zum Abbruch des Westfeldzuges nötigte, sondern der Tod des Großkhans Ögödäi, der am 11. Dezember 1241 eintrat und alle Prinzen des kaiserlichen Hauses veranlaßte, an der Wahl des neuen Großkhans bzw. an der Erhebung einer Regentin mitzuwirken. Bātū trat im Frühjahr 1241 von Gran aus den Rückzug unter Mitnahme reicher Beute und zahlreicher Gefangener an. Er führte sein Heer donauabwärts nach Bulgarien. Hier traf er mit Qadan zusammen, der nach vergeblicher Belagerung von Trau Dalmatien und Serbien durchzogen hatte. Bevor sie vereint den Rückzug fortsetzten, ließen die mongolischen Heerführer zahlreiche Gefangene niedermachen. Gleichwohl überlebten viele das Gemetzel und wurden von den Mongolen nach Innerasien verschleppt. Noch dreizehn Jahre später sollte Wilhelm von Rubruk manchen dieser ungarischen Kriegsgefangenen auf seiner Reise nach Karakorum begegnen (SF I, 210, 217, 219, 280). Die Mongolen hatten bei ihrem Abzug aus Ungarn ein in weiten Regionen zerstörtes und ausgeplündertes Land zurückgelassen. In einem Brief an den englischen König schrieb Kaiser Friedrich II. im Jahre 1241: „Jenes ganze edle Königreich wurde entvölkert, verwüstet und in eine Einöde verwandelt" (Matth. Paris.: CM IV, S. 113). Wer von den leidgeprüften Einwohnern des Reiches der Abschlachtung oder Verschleppung durch die Mongolen entgangen war, dem drohte nach deren Rückzug der Tod durch Hunger, Entkräftung und Seuchen. Hatten die Bauern schon einen erheblichen Teil des Viehbestandes und der Getreidevorräte an die Mongolen abführen müssen (Rogerius, cap. 36), so konnten sie weder im Herbst 1241 die Ernte einbringen noch im Frühjahr 1242 ihre Felder bestellen. Hinzu kam eine Heuschreckenplage, die 1243 die Ernte vernichtete. Eine „bis dahin nicht gekannte Hungersnot" (Continuatio Sancrucensis MGH SS IX, S. 641) war die Folge. Sie wütete drei Jahre im Lande und forderte ebenso viele Opfer unter der Bevölkerung wie die kriegerischen Ereignisse zuvor (MGH SS IX, S. 641; Thomas von Spalato, cap. 39). Glücklich mußten sich noch diejenigen schätzen, die sich in den bewaldeten Randgebieten durch Jagd und Fischfang am Leben erhielten. Viele nährten sich von Katzen- und Hundefleisch (MGH SS IX, S. 641), während andere ihr kärgliches Dasein von wilden Kräutern, Wurzeln oder Baumrinde fristeten (Rogerius, cap. 40). Selbst Fälle von Kannibalismus werden gemeldet (MGH SS IX, S. 641).

Dem Hunger folgten Seuchen, denen die entkräfteten Menschen scharenweise erlagen. Als mittelbare Nachwirkungen des Hungers und der Verelendung trugen sinkende Geburtenzahlen und eine hohe Kindersterblichkeit zum allgemeinen Bevölkerungsrückgang bei. Man hat berechnet, daß fast die Hälfte der Einwohner Ungarns dem Mongolensturm und seinen Folgen zum Opfer fiel. Freilich, nicht in allen Teilen des Landes erreichten Zerstörungen und Menschenverluste ein gleiches Ausmaß.

Besonders in Mitleidenschaft gezogen wurden jene Gegenden, die die Mongolen bei ihrem Einfall unmittelbar berührt und auf einer Front von zwei bis drei Tagesreisen verwüstet hatten. Zu diesen Regionen gehörten das Land zwischen Donau und Theiß und ein breiter Uferstreifen östlich der Theiß, aber auch die Gebiete beiderseits der Flüsse Maros und Szamos und weite Bereiche Siebenbürgens. Auch der Weg, den Batüs Heer vom Verecke-Paß bis nach Pest nahm, wird auf beiden Seiten von verwüsteten Dörfern bezeichnet. Das ganze Ausmaß der Zerstörungen und Bevölkerungsverluste läßt sich nur annähernd erfassen. Die zeitgenössischen Quellen begnügen sich zumeist mit allgemeinen, wenn auch dramatischen Schilderungen der von den Mongolen verübten Greueltaten und geben nur selten Verlustzahlen. Eine der wenigen Ausnahmen bildet der sog. Echternacher Codex (MGH SS XIV, S. 65), dessen anonymer Autor uns freilich offensichtlich übertriebene Zahlenangaben macht. So beziffert er die Einwohnerverluste der siebenbürgischen Siedlung Kokelburg (Nagyküküllő) auf 30.000 und die von Hermannstadt auf 100.000 Tote (ebda.).

Zuverlässigere Daten liefert uns jedoch die Wüstungsforschung, die durch Vergleich urkundlicher Belege (Flurbegehungen, Grenzbeschreibungen) vor und nach dem Tatareneinfall zu nachprüfbaren und überzeugenden Ergebnissen kommt. Aus ihnen geht hervor, daß die große Ungarische Tiefebene im Osten des Landes die mit Abstand größten Verheerungen aufweist. So berechnete der ungarische Historiker György Györffy, daß etwa 60 Prozent der Siedlungen im ostungarischen Tiefland zerstört wurden (Györffy: Einwohnerzahl, S. 23). Wesentlich günstiger lagen die Verhältnisse in den Gebieten westlich der Donau, die die Mongolen nur auf dem Durchmarsch heimgesucht und nie vollständig in Besitz genommen hatten. Daher verödeten in Transdanubien und der Kleinen Tiefebene nur etwa 20 Prozent aller Ortschaften (ebda.). Manche Regionen, wie etwa das Gebiet der Großen Schüttinsel oder gebirgige Randzonen im Norden und Osten des Landes, blieben sogar ganz von Zerstörungen verschont. Insgesamt dürfte nach diesen Berechnungen aber fast die Hälfte der ungarischen Bevölkerung dem Mongolensturm und seinen Auswirkungen zum Opfer gefallen sein (Györffy: Ungarn, S. 627). Von etwa zwei Millionen Einwohnern, die Ungarn um 1240 zählte, kam fast eine Million ums Leben, davon wiederum ungefähr eine halbe Million durch mittelbare Kriegsfolgen wie Hungersnöte und Seuchen. Vom wirtschaftlichen Niedergang, den die militärische Katastrophe nach sich zog, sollte sich das Land bis zum Ende des 13. Jahrhunderts nicht mehr erholen. So waren etwa die Jahreseinkünfte des Erzbistums Gran von 6000 Mark Silber im Jahre 1186 auf 4000 Mark um das Jahr 1300 gesunken. Wieder macht sich ein deutliches West-Ost-Gefälle bemerkbar. Während die Einkünfte des überwiegend in Pannonien begüterten Bistums Raab (Györ) nur von 1000 auf 800 Mark Silber abnahmen, hatte die nordostungarische Diözese Erlau (Eger) einen Rückgang von 3000 auf 800 Mark zu verzeichnen (Györffy: Einwohnerzahl, S. 28).

Als König Béla im Sommer des Jahres 1242 von der dalmatinischen Küste nach Segesd in Westungarn zurückkehrte, machte er sich sogleich an den Wiederaufbau seines zerstörten und ausgeplünderten Landes. Da die einheimische Bevölkerung nicht alle entvölkerten Landstriche aus eigener Kraft zu besiedeln vermochte, rief Béla, wie er selbst in einer Urkunde aus dem Jahre 1268 betonte, Bauern und Soldaten aus allen Teilen der Welt ins Land. An Kolonisation und Landesausbau waren die Siebenbürger und Zipser Sachsen ebenso beteiligt wie rumänische und slavische Kolonisten, die hinter den Karpaten Zuflucht vor den nachdrängenden Kumanen und Mongolen gesucht hatten. Die Kumanen und die iranischen Jassen (Alanen), die bald nach 1242 erneut Aufnahme fanden, ließen sich in der großen Tiefebene nieder, wo sie günstige Voraussetzungen für die Entwicklung einer ertragreichen Feld- und Viehwirtschaft fanden und seßhaft wurden.

Freilich, mehr noch als die wirtschaftliche Entwicklung stand die militärische Verteidigung des Landes im Vordergrund der Bestrebungen des Königs, der sich vom Trauma seiner Niederlage und Flucht zeitlebens nicht mehr erholen sollte (vgl. B. Hóman, Geschichte II, S. 168). In den Plänen Bélas spielen die Kumanen eine wichtige Rolle. In einem Brief an Papst Innozenz IV. betonte der König, er habe die Kumanen in sein Reich aufgenommen und seinen ältesten Sohn Stephan mit einer Kumanenprinzessin vermählt, um mit der Hilfe der Heiden sein Reich verteidigen zu können. Auch Burgenbau und Städtegründungen, denen sich Béla besonders eifrig nach 1245 widmete, dürfen nicht nur unter dem Gesichtspunkt der Förderung von Handel und Gewerbe gewertet werden. Der König hatte erkannt, daß Grenzverhaue (gyepü) und Landestore allein ein Eindringen der Mongolen nicht hatten verhindern können und daß nur die wenigen Steinburgen, über die das Land 1241 verfügte, den Angreifern erfolgreich widerstanden hatten. Da jedoch, so der König im gleichen Schreiben, „unser Volk im Bau von Burgen unerfahren ist", habe er die Johanniter mit dieser Aufgabe betraut (ebda.). Béla spornte aber auch durch Landschenkungen die Großen seines

Reiches zum Burgenbau an und verpflichtete sie zur Gestellung gepanzerter Reiter, die fortan den Kern des königlichen Heeres bildeten.

Nach außen suchte der König durch ein weitgespanntes Bündnissystem sein Land gegen weitere Angriffe der Mongolen zu sichern. Eine geschickte Heiratspolitik verstärkte die Bindungen der östlichen und nördlichen Nachbarn an Ungarn, da Béla vier seiner sieben Töchter mit russischen und polnischen Fürsten vermählte. Da er bis zu seinem Tode (1270) fürchtete, daß die Mongolen erneut Ungarn angreifen und für immer unterjochen könnten, hatte er den russischen Fürsten die Aufgabe zugedacht, ihn rechtzeitig über die Absichten der Tataren zu unterrichten. Besonders eng gestalteten sich die Beziehungen zu Großfürst Daniil von Galizien und Wolhynien. Der Großfürst, der seit 1246 ein enges Bündnis mit dem Ungarnkönig unterhielt und dessen Sohn Leo 1251 Bélas Tochter Konstanzia heiraten sollte, galt als enger Vertrauter Bélas. Daniil hatte bereits 1245 eine Reise an den Hof Bātūs nach Sarai unternommen und scheinbar die mongolische Oberhoheit anerkannt. Gleichzeitig aber suchte er im Zusammenwirken mit dem litauischen Großfürsten Mindaugas und König Béla eine gemeinsame Abwehrfront gegen die Mongolen zu errichten. Über Daniil erfuhr Béla, der zeitweilig einen regelmäßigen Kurierdienst nach Galič unterhielt, von neuen Angriffsplänen, die die bei der Wahl des neuen Großkhans Güjük versammelten mongolischen Prinzen im August 1246 beschlossen hatten (Wenzel AUO VII, S. 164). Im nächsten Jahr sollte Giovanni Plano de Carpini, der als erster päpstlicher Gesandter Karakorum erreichte und während seiner Rückreise auch am Hofe Bélas Bericht erstattete (Sinor: John of Plano Carpini's Return, S. 205), die aus Galič eingetroffenen ungünstigen Nachrichten bestätigen.

Wieder verhallten die Appelle und Hilferufe, die der König an die Kurie richtete, wirkungslos. Béla, der durch seine Abgesandten auf dem Lyoner Konzil (1245), nicht zuletzt aber durch die Mission Plano de Carpinis von den Plänen des Papsttums erfahren haben muß, die Mongolenherrscher als Verbündete gegen die islamischen Fürsten zu gewinnen, hat offenbar in dieser für ihn äußerst schwierigen Lage den kühnen Entschluß gefaßt, seine Haltung zu ändern und selbst mit Bātū Verbindung aufzunehmen. Die neue Einstellung kommt in Bélas Brief an Papst Innozenz IV. (1250) unmißverständlich zum Ausdruck und wird später in einem Schreiben an Papst Alexander IV. (1259) noch einmal hervorgehoben. In beiden Briefen versichert der König, er werde, falls die Kirche ihm weiterhin ihre Hilfe versage, genötigt sein, ein Übereinkommen mit den Mongolen zu schließen.

In dieser Auffassung sah sich der König durch zwei Ereignisse bestärkt. Bélas Verbündeter, Daniil von Galič, hatte sich 1258 im Vertrauen auf ungarische und polnische Hilfe gegen die mongolische Herrschaft erhoben, war aber nach kurzem Feldzug gezwungen worden, sich wieder zu unterwerfen, und mußte schon im darauffolgenden Jahr nach Ungarn fliehen. Gleichzeitig hatte Khan Berke, der Bruder und Nachfolger Bātūs, ein neues Heer gegen Polen entsandt und Béla ein Bündnisangebot unterbreitet. Falls der König zustimme, so Berke, werde er Ungarn nicht angreifen und dem Lande Tributfreiheit zusichern. Er forderte weiter Béla auf, sich mit einem Viertel des ungarischen Heeres an einem künftigen Westfeldzug zu beteiligen. Berke versprach den Ungarn ein Fünftel der Kriegsbeute, schloß aber mit der Drohung, man werde Ungarn vernichten, falls der König seine Bedingungen zurückweise.

Béla war klug genug, das Angebot Berkes nicht sofort abzulehnen, sondern entsandte seinen Gespan Panity, der die kumanische Sprache beherrschte und mit den Verhältnissen in der „Goldenen Horde" vertraut war. Panity bewies viel diplomatisches Geschick und zog die Verhandlungen in die Länge. Ein Bündnisvertrag kam selbst dann nicht zustande, als Berke 1264 erneut auf dessen Abschluß drängte. Wohl aber gelang es, die Mongolen von einem neuen Angriff auf Ungarn abzuhalten. Dieser Verhandlungserfolg verdient höchste Anerkennung, wenn man in Betracht zieht, daß die Mongolen in der Zwischenzeit wiederholt (1252, 1258/59 und 1262) die polnischen und russischen Fürstentümer mit Krieg überzogen. Für Ungarn war die Gefahr gebannt, als nach dem Tode Berkes (1267) die Goldene Horde für fast zwei Jahrzehnte in innere Auseinandersetzungen verstrickt wurde. Erst 1285 wagten die mongolischen Prinzen Nohai und Teleboġa einen Angriff auf Ungarn, wurden aber von Bélas Enkel Ladislaus IV. bald zurückgeschlagen. Es war Béla IV. zu verdanken, wenn es den Angreifern nicht mehr gelang, das innerlich gefestigte und abwehrbereite Land in eine neue Katastrophe zu stürzen. Sowenig es dem König vergönnt gewesen war, als Heerführer sein Reich 1241 vor der Zerstörung zu bewahren, so sehr hatte er doch nach dem ersten Mongolensturm aus den Versäumnissen der Vergangenheit gelernt. Es war ihm gelungen, durch eine energische Wiederaufbauarbeit im Inneren und durch eine weitsichtige Diplomatie nach außen die Grundlagen für jene Großmachtstellung Ungarns zu schaffen, die es im 14. Jahrhundert unter Bélas Nachfolgern aus dem Hause der Angiovinen wieder erlangen sollte. Erst zweieinhalb Jahrhunderte nach dem Tode des großen Königs sollte ein anderes asiatisches Eroberervolk, die osmanischen Türken, das Werk des „zweiten Reichsgründers" erneut einer Bewährungsprobe aussetzen.

Bericht des frater Riccardus:
Über die Entdeckung
Groß-Ungarns
zur Zeit Papst Gregors IX.

VORBEMERKUNGEN

Als Verfasser des ersten umfassenden, uns erhaltenen Berichts über die östlichen Reisen ungarischer Dominikanermönche wird ein frater Riccardus genannt. Bis heute blieben Persönlichkeit und Wirkungskreis dieses Mannes, ungeachtet aller Versuche der Forschung, Näheres über ihn in Erfahrung zu bringen, im dunkeln. Man weiß von ihm kaum mehr, als daß er Dominikaner in der ungarischen Ordensprovinz war. Unbekannt ist auch, ob er aus Ungarn stammte. Der amerikanische Historiker Denis Sinor möchte ihn gleichsetzen mit einem Kämmerer (*camerarius imperialis aulae*) am Hofe Friedrichs II., ohne indessen nachweisen zu können, daß dieser Amtsträger tatsächlich der Verfasser des Reiseberichts war (D. Sinor: Un voyageur du treizième siècle: le Dominicain Julien de Hongrie. In: Bulletin of the School of Oriental and African Studies XIV [1952], S. 601. Diese Hypothese wurde widerlegt von H. Dörrie: Drei Texte, S. 128, Anm. 4). Riccardus ist offenbar selbst nie in der Mission tätig gewesen. Er gab aber seinen Ordensbrüdern den Anstoß zu ihren Reisen. Denn Riccardus fand, wie er in der Einleitung zu seinem Bericht hervorhebt, Nachrichten über die östliche Urheimat der Ungarn in den Gesta Ungarorum. Diese Kunde habe, so der Autor weiter, bei den Predigermönchen den Wunsch geweckt, zu den im Osten lebenden noch heidnischen Stammverwandten der Ungarn zu reisen, um sie für den christlichen Glauben zu gewinnen.

Ein Adressat des Schreibens wird nicht genannt. Zweifellos war das Schreiben aber an die Kurie gerichtet, die den Bericht für so wichtig hielt, daß sie ihn in den *Liber censuum* aufnahm. Die Absicht, die der Verfasser mit seiner Schrift verband, ist deutlich zu erkennen. Riccardus wollte über die Ergebnisse und vor allem Erfolge der beiden ersten Missionsreisen berichten. Daher mußte ihm daran liegen, die Aussichten, die sich für eine Mission der römischen Kirche bei den Völkern zwischen Volga und Ural boten, in den rosigsten Farben zu schildern.

Riccardus selbst zeigt sich überzeugt, daß nicht allein die heidnischen Ungarn (4,3), vielmehr auch die muslimischen Burtassen (3,11) und Volgabulgaren (3,15–16) bereit seien, sich taufen zu lassen. Selbst die kriegerischen Mordvinen wollten sich bekehren, und der Großfürst von Vladimir unterstützte deren Bestrebungen (5,12), denn er sei überzeugt, daß auch er der römischen Kirche Gehorsam schulde. So übertrieben die von Riccardus entfachten Hoffnungen auch waren – und die dritte Reise zeigte bereits, daß sie weder für die Haltung der Mordvinen noch für die der russischen Fürsten zutrafen (vgl. unten S. 107 f.) –, sie haben gleichwohl ihre Wirkung auf das Papsttum nicht verfehlt. Man berief den Entdecker der östlichen Ungarn, frater Julian, unmittelbar nach seiner ersten Reise zur Berichterstattung nach Rom, und den ersten beiden Missionsreisen sollten mit päpstlicher Unterstützung bald zwei weitere folgen. Erst der Tatareneinfall von 1237/38 vereitelte die Fortsetzung der Missionstätigkeit.

Wie ernst die Dominikaner ihre Bekehrungsarbeit nahmen, zeigen die in den erhaltenen Berichten noch spürbare gründliche Vorbereitung und die Fülle von ethnographisch wertvollen Nachrichten, die sie von ihren Reisen zurückbrachten. Ob es sich um religiöse Bräuche oder die Sitte der Blutrache bei den Kaukasusvölkern (2,11–15), die Nomadenwirtschaft der östlichen Ungarn (4,5–6) oder den Schädelkult und die Kopfjagd bei den Mordvinen (5,7–11) handelt, stets berichtet Riccardus knapp, aber zuverlässig und das Wesentliche hervorhebend. Die meisten Nachrichten halten kritischer Überprüfung und dem Vergleich mit den Angaben zeitgenössischer wie späterer Quellen durchaus stand (vgl. Göckenjan: Bild der Völker, S. 125–152).

Verhältnismäßig wenig erfährt man hingegen über die Mongolen. Im Gegensatz zu dem Bericht Julians enthält das Schreiben des frater Riccardus kaum etwas über Gesellschaft und Heerwesen der Mongolen. Nur flüchtig verweilt er beim Aussehen der Tataren: Sie haben große Köpfe, die nicht zu ihrem Körper passen (4,13). Die Beschreibung entspricht eher der seit der Antike überlieferten Vorstellung von innerasiatischen Reiternomaden in den westlichen Hochkulturen als einem Bild, das die Mönche bei einer unmittelbaren Begegnung mit den Mongolen gewonnen haben könnten (vgl. etwa Jordanes' Beschreibung der Hunnen. In: MGH Auct. ant. V/1, S. 90 f. Siehe auch unten S. 191 f., Anm. 32).

Indessen klingt glaubwürdig, was Riccardus über die Begegnung Julians mit einem Gesandten der Mongolen zu berichten weiß. Von ihm hörte Julian, daß die Mongolen beabsichtigten, gegen Deutschland zu ziehen. Zum ersten Male erfahren wir auch aus einer ungarischen Quelle vom Weltherrschaftsanspruch der Mongolen (4,8–14).

Unter dem Eindruck dieser Drohungen entschloß sich Julian zur Rückkehr. Riccardus versteht es meisterhaft und nicht ohne dramatische Akzente zu schildern, wie sein Ordensbruder im Wettlauf mit der Zeit und mitten durch das Gebiet feindlich gesinnter mordvinischer und russischer Fürsten zurückeilt, um schließlich nach zweijähriger gefahrvoller Reise wohlbehalten heimzukehren.

Riccardus muß seinen Bericht bald nach der Rückkehr Julians, die Weihnachten 1236 erfolgte, abgefaßt haben. Da er von der zweiten Reise Julians, die 1237 stattfand, noch nichts wußte, läßt sich der Bericht mit großer Wahrscheinlichkeit für das Frühjahr 1237 datieren (J. Deér in: SRH II, S. 533; vgl. auch Dörrie: Drei Texte, S. 138).

Die Textüberlieferung des Riccardus-Berichtes beruht auf zwei Handschriften:
Die ältere von ihnen, der Codex Riccardianus Lat. 228 (heute in der Biblioteca Nazionale in Florenz) ist ein Exemplar des *Liber censuum Sanctae Ecclesiae Romanae*. Er wurde seit 1192 als Sammlung wichtiger Nachrichten für den ständigen Gebrauch der Kurie bereitgehalten. Der Codex stellt eine 1228 angelegte zweite Fassung des *Liber censuum* dar und enthält von fol. 328 r bis 329 v den Bericht des frater Riccardus. 1388 wurde eine Abschrift vorgenommen, der Riccardianus Lat. 229, der in zahlreichen Kopien verbreitet war. Insgesamt 13 Varianten dieser Handschrift sind verzeichnet bei P. Fabre – G. Duchesne: Le liber censuum de l'église Romaine I, 1899, S. 31 (zu den Kopien des Codex Riccardianus Lat. 228 gehört auch der in der Pariser Nationalbibliothek aufbewahrte Codex Lat. 4188).
Eine zweite Handschrift, der Codex Vaticanus Palatinus Lat. 965, entstand um 1360. Sie führt den Titel „Diversa ad Historiam pertinentia" und wurde auf Befehl König Johanns des Guten von Frankreich (1350–1364) angefertigt. Sie bestand aus einer Sammlung von Dokumenten zur französischen Geschichte. Aus welchen Gründen der Riccardus-Bericht, der auf fol. 201 r–203 v steht, aufgenommen wurde, ist nicht bekannt. Diese Textvariante trägt noch den Titel „De facto Ungariae magne a fratre Riccardo ordinis fratrum predicatorum invento tempore domini Gregorii noni" („Bericht des Bruders Riccardus vom Predigerorden: Über die Entdeckung Groß-Ungarns zur Zeit Papst Gregors IX.").
Vom Riccardus-Bericht liegen zahlreiche Editionen vor (eine Übersicht findet sich bei Gombos: Catalogus III, S. 2046 f., und Dörrie: Drei Texte, S. 150, Anm. 2). Die älteren Ausgaben fußen zumeist auf dem von Josef Innozenz Desericius (Desericzky) veröffentlichten Text in der Sammlung „De initiis ac maioribus Hungarorum commentarii". Budae 1748.

I, S. 169–176. Die älteren Editionen berücksichtigen allerdings nicht den Codex Riccardianus Lat. 228. Erst László Bendefy verglich 1937 alle bis dahin bekannten Handschriften, ohne indessen der Kollation eine kritische Textausgabe folgen zu lassen (L. Bendefy: Fontes authentici itinera [1235–38] fr. Juliani illustrantes. In: Archivum Europae Centro-Orientalis III [1937], S. 1–52). Die Bewältigung dieser Aufgabe blieb zwei neueren Editionen vorbehalten, die von József Deér (in: SRH II, 1938, S. 531–542) und Heinrich Dörrie (Drei Texte, S. 151–161) erarbeitet wurden. Die vorliegende deutsche Übertragung basiert auf der kritischen Ausgabe von H. Dörrie.

1.1. In den Gesta der christlichen Ungarn stieß man auf die Nachricht von einem anderen, größeren Ungarn, das die sieben Führer[1] mit ihren Völkern verlassen hatten, um ein neues Siedlungsgebiet aufzusuchen, da die alte Heimat die Menge ihrer Einwohner nicht mehr nähren konnte. 2. Als diese viele Königreiche durchzogen und unterworfen hatten, kamen sie schließlich in ein Land, das heute Ungarn heißt, zu jener Zeit aber unter dem Namen „Weidegründe der Römer"[2] bekannt war. 3. Diesem Land gaben sie vor anderen den Vorzug, um sich dort niederzulassen, und sie unterwarfen die Völker, die damals ebendort ihre Wohnsitze hatten. 4. Während sie aber schließlich durch den heiligen Stephan, ihren ersten König, zum katholischen Glauben bekehrt wurden, verblieben die alten Ungarn,[3] von denen sie abstammten, in ihrem Unglauben, so daß jene auch heute noch Heiden sind.

5. Die Dominikaner, die mit den Nachrichten der Gesta vertraut waren, hatten Mitleid mit den ungarischen Stammesbrüdern, da diese bislang im Unglauben verharrten, und sie entsandten vier Ordensbrüder, um jene, wo auch immer, mit Gottes Hilfe aufzusuchen. 6. Denn sie hatten aus den Schriften der Alten[4] Kenntnis davon, daß die heidnischen Ungarn im Osten wohnten, ohne indessen Genaueres zu wissen.

7. Die genannten Brüder setzten sich auf Land- und Seereisen zahlreichen Strapazen aus und suchten ihr Ziel mehr als drei Jahre[5] lang; 8. gleichwohl konnten sie es wegen der vielen Gefahren, die ihnen unterwegs zustießen, nicht finden. Nur ein Priester namens Otto, der als Kaufmann reiste, kam ans Ziel. 9. Er

begegnete in einem der heidnischen Königreiche Leuten, die sich in jener Sprache [Ungarisch] verständigten. Von ihnen erfuhr er auch, wo sie heimisch waren. Freilich betrat er selbst deren Land nicht. 10. Er kehrte vielmehr nach Ungarn zurück, um mehr Brüder zu gewinnen, die mit ihm erneut aufbrechen und jenen Leuten den katholischen Glauben predigen sollten. 11. Aber durch die zahlreichen Strapazen zermürbt, starb er acht Tage nach seiner Rückkehr, nachdem er vorher noch die Reiseroute beschrieben hatte.

2.1. Die Dominikaner, die aber die Bekehrung der Ungläubigen anstrebten, sandten erneut vier Brüder aus, um den genannten Volksstamm zu suchen. 2. Sie empfingen den Segen ihrer Brüder, vertauschten ihr Ordensgewand mit weltlicher Kleidung, ließen sich Bart und Haare nach Art der Heiden wachsen und gelangten auf dem Weg über das Bulgarien des Asen[6] und über die Romania[7] und unter dem Geleit wie auf Kosten Bélas,[8] des jetzigen Königs von Ungarn, bis nach Konstantinopel.
3. Von dort aus traten sie eine Seereise an und gelangten nach 33 Tagen in ein Land mit Namen Sychia[9] und in eine Stadt namens Matrica,[10] deren Fürst und Bevölkerung sich als Christen[11] bezeichnen, die griechische Schrift benutzen und griechische Priester haben. 4. Ihr Fürst soll hundert Gemahlinnen haben. 5. Alle Männer scheren ihr Haupt völlig kahl, lassen ihre Bärte üppig sprießen. Nur die Vornehmen lassen zum Zeichen ihres Adels wenige Haare oberhalb des linken Ohres stehen, während sie den restlichen Kopf kahl scheren.[12] 6. Dort blieben sie, um eine Karawane abzuwarten, fünfzig Tage. 7. Gott aber schenkte ihnen seine Gnade in Gestalt der Fürstin, die den hundert Gemahlinnen des Königs vorstand, so daß diese ihnen ihre besondere Zuneigung schenkte und sie mit allem Notwendigen versorgte.

8. Beraten und unterstützt von dem oben erwähnten Fürsten, brachen sie sodann auf und durchquerten dreizehn Tage lang eine Wüste,[13] in der sie weder Behausungen noch Menschen antrafen. 9. Dann kamen sie in ein Land, das man Alanien[14] nennt und in dem Christen und Heiden gemischt leben. 10. Es gibt dort so viele Fürsten wie Dörfer,[15] und kein Fürst anerkennt die Oberhoheit eines anderen. 11. Es herrscht dort ständiger Krieg der Fürsten und Dörfer untereinander. 12. Zur Zeit des Anbaus und der Ernte kommen alle Männer eines Dorfes bewaffnet auf dem Felde zusammen. 13. Auch auf dem angrenzenden Grundbesitz üben sie diesen Brauch und versammeln sich außerhalb der Dörfer in gleicher Weise bewaffnet, sei es, um Holz zu schlagen oder andere Arbeiten zu verrichten. 14. Einzeln können sie, aus welchen Gründen auch immer, ihre Dörfer die ganze Woche über nicht verlassen, ohne sich persönlicher Gefahr auszusetzen, mit Ausnahme des Sonntags vom Morgen bis zum Abend. 15. Der Sonntag wird bei ihnen so sehr geachtet, daß dann jeder, was auch immer er Böses getan oder wieviel Gegner er hat, sicher sein kann, ob er nun ungeschützt oder bewaffnet ist, und unbehelligt auch unter denen umhergehen kann, deren Blutsverwandte er getötet oder denen er anderes Unheil zugefügt hat.[16]

16. Jene, die als Christen bezeichnet werden, essen oder trinken aus einem Gefäß, in dem eine Maus starb oder aus dem ein Hund fraß, nicht eher, als es von einem Priester geweiht wurde.[17] 17. Wer sich anders verhält, wird aus der Gemeinschaft der Christen ausgeschlossen.

18. Wenn jemand von ihnen einen Menschen tötet, so wird er dafür weder bestraft noch gelobt; 19. gilt doch bei ihnen ein Totschlag nichts. 20. Das Kreuz[18] verehren sie so sehr, daß arme Leute – Einheimische wie Fremde –, die nicht mit großem Geleit reisen können, jederzeit unter Christen wie Heiden sicher

einhergehen können, wenn sie nur irgendein Kreuz hoch erhoben an einer Fahnenstange tragen.

21. Für eine Weiterreise konnten die Brüder sich keiner Karawane anschließen, da man die Tartaren fürchtete, die in der Nähe sein sollten.[19] 22. Deswegen kehrten zwei Mönche heim. Die übrigen aber harrten in diesem Lande sechs Monate unter größten Entbehrungen aus. Während dieser Zeit erhielten sie kein Brot und zum Trinken nur Wasser. 23. Aber ein Priester stellte Löffel und einige andere Gegenstände her, für die sie einmal etwas Hirse erhielten. Davon aber konnten sie sich, wenn überhaupt, so nur sehr dürftig nähren. 24. Daher beschlossen sie, zwei von ihren Leuten in die Sklaverei zu verkaufen, um mit dem erlösten Geld die begonnene Reise fortzusetzen; 25. aber sie fanden keine Käufer, weil sie sich weder aufs Pflügen noch aufs Mahlen verstanden. 26. Daher kehrten notgedrungen zwei der Ihren aus jener Gegend nach Ungarn zurück, die anderen aber blieben dort und wollten vom begonnenen Weg nicht Abstand nehmen.

3.1. Endlich fanden sie Anschluß an die Karawane einiger Heiden und zogen 37 Tage ununterbrochen durch Wüsteneinöde,[20] 2. in dieser Zeit lebten sie von 22 in der Asche gebackenen Broten, die so klein waren, daß sie sie in fünf Tagen hätten essen können und doch nicht satt geworden wären. 3. Von dort führte sie der Bruder, der zwar gesund, aber kraftlos war, unter großen Mühsalen und Schmerzen, aber eifrig aus der Wüste heraus. 4. Der kranke Bruder jedoch, der mehr mit dem gesunden als mit sich selbst Mitleid verspürte, sagte jenem oft, er solle ihn in der Wüste als toten und nutzlosen Rumpf zurücklassen, damit er nicht über der Beschäftigung mit ihm das Werk Gottes vernachlässige. 5. Der stimmte aber keinesfalls zu, sondern bemühte sich um seinen Reisegefährten bis zu dessen Tode. 6. Ihre heidnischen Weggefährten, die glaubten, sie seien im Besitz von Geld, hätten sie bei der Durchsuchung beinahe getötet.

7. Nachdem sie aber die weglose Wüste durchquert hatten, kamen sie am 37. Tage in ein Land der Sarazenen mit Namen Veda[21] und in die Stadt Bundaz.[22] 8. Dort konnten sie bei niemandem gastliche Aufnahme finden, sondern mußten auf freiem Feld dem Regen und der Kälte ausgesetzt bleiben. 9. Am Tage bettelte der gesunde Mönch für sich und seinen kranken Mitbruder um Almosen in der Stadt; 10. und so fand er auch Getränke und andere Lebensmittel, besonders vom Fürsten der Stadt; 11. als der erkannte, daß er einen Christen vor sich habe, gewährte er ihm freigebig Almosen. Denn sowohl der Fürst als auch die Bevölkerung jenes Landes beteuern, daß sie bald Christen werden und sich der römischen Kirche unterstellen müßten. 12. Von dort kamen sie zu einer anderen Stadt, wo der genannte kranke Ordensbruder, ein Priester namens Gerardus, im Hause eines Sarazenen, der ihn aus Liebe zu Gott aufgenommen hatte, im Herrn entschlief und ebendort beigesetzt wurde.

13. Bald darauf wurde Bruder Julianus, der als einziger übriggeblieben war und nicht wußte, wie er weiterreisen sollte, Diener eines sarazenischen Priesters und von dessen Frau. Der Priester reiste mit ihm nach Groß-Bulgarien,[23] wo sie auch gemeinsam ankamen. 14. Groß-Bulgarien ist aber ein großes und mächtiges Königreich, das reiche Städte umfaßt; aber alle sind Heiden. 15. In jenem Königreich geht das Gerücht um, daß die Bulgaren schnell Christen werden und sich der römischen Kirche unterwerfen müßten;[24] 16. aber sie versichern, den Zeitpunkt dieses Übertritts nicht zu kennen. Diese Nachricht haben sie von ihren Weisen empfangen.

17. In einer großen Stadt dieses Landes, aus der 50.000 Krieger kommen sollen,[25] begegnete der Bruder einer ungarischen Frau, die aus dem von ihm gesuchten Lande stammte und nach Groß-Bulgarien

verheiratet worden war. 18. Jene zeigte dem Bruder die Reisewege, die er einschlagen müsse, und versicherte, er könne in zwei Tagesreisen die Ungarn, die er suchte, finden; was auch geschah.

4.1. Er fand sie nämlich am großen Strom Ethyl.[26] Als sie ihn gesehen und erkannt hatten, daß er ein christlicher Ungar sei, freuten sie sich nicht wenig über seine Ankunft, führten ihn durch die Häuser und Dörfer und fragten ihn voll Vertrauen aus über den König und das Königreich der christlichen Ungarn, ihrer Brüder. 3. Was er ihnen auch über den Glauben und über andere Angelegenheiten vortrug, das hörten sie beflissen, da sie ja die ungarische Sprache benutzen; und sie verstanden ihn und er sie.[27]
4. Sie sind Heiden, haben keinerlei Kenntnis von Gott, verehren aber auch keine Götzenbilder, sondern leben wie Tiere. 5. Sie bebauen nicht die Felder, sondern essen Pferde- und Wolfsfleisch[28] und ähnliches; sie trinken Milch und Blut[29] von Pferden. 6. Pferde und Waffen besitzen sie im Überfluß und sind sehr kriegerisch. 7. Sie wissen freilich aus den Überlieferungen der Alten, daß jene Ungarn von ihnen abstammten; aber wo jene wohnten, wußten sie nicht.
8. Das Volk der Tartaren ist ihnen benachbart. Dieselben Tartaren kämpften mit ihnen, konnten sie aber nicht besiegen, ja jene wurden in der ersten Schlacht von ihnen bezwungen.[30] 9. Daher wählten sie sich die Ungarn zu Freunden und Bundesgenossen und zerstörten im Bündnis mit ihnen fünfzehn Königreiche. 10. In diesem Lande der Ungarn stieß der genannte Ordensbruder auf Tartaren und einen Gesandten des Tartarenfürsten, der Ungarisch, Russisch, Kumanisch, Deutsch, Arabisch und Tartarisch verstand. 11. Der teilte mit, daß das Tartarenheer, das damals in der Nachbarschaft, nur fünf Tagereisen entfernt, stand, gegen Deutschland zu Felde ziehen wolle,[31] 12. sie warteten aber auf ein anderes

Heer, das sie zur Unterwerfung der Perser ausgesandt hatten.[32] 13. Derselbe Gesandte berichtete auch, daß jenseits des Tartarenlandes ein sehr zahlreiches Volk hause, das allen Menschen an Bedeutung und Größe überlegen sei. Die Leute dort hätten so große Köpfe, daß diese überhaupt nicht zu ihrem Körper passen.[33] 14. Dasselbe Volk beabsichtige, sein Siedlungsgebiet zu verlassen, werde alle, die ihm Widerstand leisten wollten, niederwerfen und sämtliche Königreiche unterjochen.

5.1. Als der Bruder das alles erfahren hatte, beschloß er, obwohl von den Ungarn zum Bleiben eingeladen, diesem Wunsch aus zweierlei Gründen nicht zu willfahren! 2. Einmal würden die heidnischen Reiche und das Land der Russen, die zwischen den christlichen Ungarn und jenen liegen, durch die Nachricht, daß jene zum Übertritt zum Christentum eingeladen würden, beunruhigt, vielleicht alle Straßen überwachen aus Furcht, die im Christentum vereinigten Ungarn könnten alle dazwischenliegenden Reiche unterwerfen; 3. zum anderen leitete ihn die Überlegung, daß seine Arbeit vergebens gewesen sei, wenn er in Kürze sterben oder erkranken sollte, da er dann weder selbst Erfolg gehabt hätte noch die Brüder wissen könnten, wo dasselbe ungarische Volk wohne. 4. Da er folglich zurückkehren wollte, zeigten ihm dieselben Ungarn einen anderen Weg, über den er schneller ans Ziel gelangen konnte. 5. Der Bruder brach zur Rückkehr drei Tage vor dem Fest Johannes' des Täufers (am 21. Juni) auf, gönnte sich auf seiner Reise zu Wasser und zu Lande nur wenige Tage Ruhe und erreichte zwei Tage nach Weihnachten die Grenzen Ungarns;[34] 6. und er ritt doch durch Rußland und Polen.

7. Bei der Rückkehr von dem oben erwähnten Ungarn durchquerte er auf einem Fluß in fünfzehn Tagen das Königreich der Mordvinen. Sie sind Heiden und so grausam, daß bei ihnen ein Mann nur etwas gilt,

wenn er viele Menschen getötet hat; 8. und wenn jemand unterwegs ist, so werden ihm Köpfe aller von ihm getöteten Männer öffentlich vorangetragen. 9. Je mehr Köpfe jemandem vorangetragen werden, desto höher wird er geachtet; 10. aus den Schädeln der Erschlagenen stellen sie Schalen her, aus denen sie besonders gern trinken.[35] 11. Wer keinen Mann getötet hat, darf auch nicht heiraten. 12. Diese Leute hörten von ihren Propheten, daß sie Christen werden müßten. Sie wandten sich an den Fürsten des großen Vladimir, das ein ihnen benachbartes Land der Russen ist, mit der Bitte, ihnen einen Priester zu schicken, der sie taufen solle. 13. Aber der Fürst gab zur Antwort: „Es ist nicht meine Aufgabe, das zu tun, sondern die des römischen Papstes: denn die Zeit ist nahe, daß wir alle den Glauben der römischen Kirche annehmen und uns ihr unterwerfen müssen."[36]

ANMERKUNGEN

1 Der anonyme Verfasser der Gesta Ungarorum, Magister P.,
spricht von sieben Heerführern der landnehmenden Ungarn
(*„VII principales persone, qui Hetumoger vocantur"*), aus
deren Mitte durch Wahl der Großfürst Álmos als Ahnherr des
Königsgeschlechts der Árpáden hervorgegangen sei (SRH I,
S. 39–44). Ähnliche Auffassungen vertraten auch Simon de
Kéza, ein ungarischer Chronist des 13. Jahrhunderts (SRH I,
S. 165–167), und die sog. Wiener Bilderchronik im 14. Jahrhundert (SRH I, S. 286–295). In auffälliger Übereinstimmung
zu den Nachrichten der ungarischen Quellen steht die Mitteilung des byzantinischen Kaisers Konstantin VII. Porphyro-
gennetos (913–959), daß die Ungarn noch vor ihrer Niederlassung im Donauraum eine Föderation aus sieben Stämmen
bildeten: Später schlossen sich nach dem Zeugnis Konstantins
die türkischen Kavaren als achter Stamm an (Constantine
Porphyrogenitus: De Administrando Imperio. Ed. by Gy.
Moravcsik and R. J. H. Jenkins. Budapest 1949, S. 174).

2 „Weidegründe der Römer" *(pascua Romanorum)* und „Hirten
der Römer" *(pastores Romanorum)* finden bereits in der
ungarischen Überlieferung des 12. Jahrhunderts Erwähnung.
Nach dem Bericht des anonymen Magister P. waren die Ungarn
bei ihrer Landnahme im Karpatenbecken nicht nur mit Slaven
und Bulgaren in Berührung gekommen, sondern auch auf
„Hirten der Römer" gestoßen, die von sich behaupteten, nach
dem Tode Attilas in Pannonien eingewandert zu sein (SRH I.
S. 45–48).
Die Nachricht findet sich auch bei zeitgenössischen Autoren,
die zwar jenseits der ungarischen Grenzen lebten, aber mit den
Verhältnissen des Landes vertraut waren. So rühmt Odo de
Deogilo, ein französischer Chronist des 12. Jahrhunderts, der
Ungarn aus eigenem Erleben kannte, in seinem Werk über den
Kreuzzug König Ludwigs VII. von Frankreich: „. . . dieses
Land (Ungarn) ist so reich an Nahrungsmitteln, daß behauptet
wird, aus ihm habe Cäsar das benötigte (Pferde-)Futter
bezogen." Gombos: Catalogus III, S. 1720.
Die Frage, welchem Volkstum diese „Hirten der Römer" zu-
zuordnen seien, blieb in der Forschung bis heute umstritten.
Während z. B. Konrad Schünemann die „Römer" als vla-
chische Wanderhirten deutete (K. Schünemann: Die „Römer"
des anonymen Notars. In: Ungarische Jahrbücher VI, 1926,
S. 448–457) und die meisten rumänischen Gelehrten ohne-

hin mit Entschiedenheit die Auffassung von der Kontinuität der romanischen Bevölkerung im Karpatenraum vertraten (vgl. etwa die Arbeit von Şt. Pascu: Voievodatul Transilvaniei. I. Cluj 1972, S. 49), identifizierte noch kürzlich der ungarische Historiker Gyula Kristó die „Römer" in Westungarn mit Einwanderern aus dem römisch-deutschen Reich, die besonders zur Zeit Gertruds von Meran, der Gemahlin König Andreas' II., in Ungarn erheblich an Wohlstand und Einfluß gewonnen hatten (Gy. Kristó: Rómaiak és vlachok Nyesztornál és Anonymusnál [Römer und Vlachen bei Nestor und Anonymus]). In: Századok CXII (1978), S. 623–661. Zur Frage der Vlachen im Karpatenbecken vgl. die jüngste Studie von L. Rásonyi: Hidak a Dunán. A régi török népek a Dunánál [Brücken über die Donau. Die alten türkischen Völker an der Donau], Budapest 1981, S. 48–80.

3 Vgl. oben S. 74.

4 Die Erinnerung an die östliche Herkunft der Ungarn blieb nicht nur in der einheimischen Überlieferung lebendig (SRH I, S. 34, 144–145, 250–251. Vgl. dazu auch Gy Kristó: Egy 1235 körüli Gesta Ungarorum körvonalairól (Riccardus és Albericus tanúsága) [Über die Umrisse einer um 1235 entstandenen Gesta Ungarorum. (Das Zeugnis des Riccardus und des Albericus)]. In: KKKK, S. 229–238. Kristó behauptet, die Dominikaner hätten ihre Kenntnisse über die östlichen Ungarn nicht aus den sog. Ur-Gesta des 11. Jahrhunderts, sondern aus einer um 1235 verfaßten Fassung der Gesta Ungarorum bezogen.
So berichtet Gottfried von Viterbo um 1184 in der „Memoria Seculorum": „Wir erfuhren, daß es zwei Reiche der Ungarn gibt, das eine, alte an den Sümpfen der Maeotis, im Grenzraum zwischen Asien und Europa und das andere, gleichsam neue, das sich vom ersten Königreich in Pannonien herleiten läßt..." (MGH SS XXII, S. 102). Noch vermutete man freilich die ursprünglichen Sitze der Ungarn an den Ufern des Azovschen Meeres. Folgerichtig suchten die Dominikaner bei ihren ersten Reisen Großungarn zunächst nicht an der oberen Volga, sondern am nordöstlichen Gestade des Schwarzen Meeres (vgl. dazu: Bogyay: Östliche Ungarn, S. 25–30; I. Erdélyi: Les ancien Hongrois ont-ils été dans la région du Kouban? In: Studia Archaeologica VI: Les anciens Hongrois et les ethnies voisines à l'Est. Budapest 1977, S. 249–252; I. Fodor: Où le dominicain Julien de Hongrie retrouva-t-il les Hongrois de l'Est? Ebda. S. 9–20).

5 Die erste Erkundungsreise des Bruders Otto fällt in die Zeit zwischem dem Frühjahr 1231 und dem Herbst 1233.

6 Die Reise führte Julian und seine Gefährten zunächst in das Land des Bulgarenherrschers Ivan Asen II. (1218–1241), der mit Maria, einer Schwester König Bélas IV., vermählt war

und auf dessen Unterstützung die Missionare daher zählen konnten.

7 Die Bezeichnung „Romania" findet in den lateinischen Quellen Anwendung für das Gebiet des Byzantinischen Reiches, zumal sich die Byzantiner selbst als Rhomäer ('Ρωμαῖοι) und rechtmäßige Erben des Römischen Weltreichs empfanden. Als „Romania" im engeren Sinne wird aber bereits in einem Pilgeritinerar des 11. Jahrhunderts das Land zwischen Philippopel und Adrianopel benannt (Gombos: Catalogus II, S. 845). Der Begriff lebt noch unter osmanischer Herrschaft im Namen der Provinz Rumelien (*Rum-eli, Rumili* „Land der Rhomäer") fort (vgl. dazu F. Babinger: Rumeli, Rumelien. In: Enzyklopaedie des Islam. III, Leiden, Leipzig 1936, S. 1271–1275). Riccardus verwendet den Namen als Synonym für das 1204 gegründete Lateinische Kaiserreich bzw. dessen um 1235 auf die Umgebung von Konstantinopel beschränktes Restterritorium.

8 König Béla IV. (1235–1270).

9 Ein Land und Volk der Zichen war bereits den antiken Autoren bekannt. Schon Strabon erwähnt unter den Völkern, die an der Ostküste des Schwarzen Meeres siedeln, die Ζύγοι (Strabon XI, 2, 12). Bei Plinius treten sie als *Zigae* in derselben Region in Erscheinung (VI, 12; 2, 12). (Weitere Belege bei A. Namitok: Origines des Circassiens. Leiden 1939, S. 53.) Unter ähnlichen Namen finden sie auch bei mittelalterlichen Reisenden Erwähnung: bei Marco Polo (cap. IV, 24) als *Zic*, bei Giovanni Plano de Carpini als *Sicci* (cap. IX, 20 in SF, I, S. 112).
Der Name *Zic, Zicchia* ist abzuleiten aus der Selbstbezeichnung der Čerkessen *Adighe (Adzyghe)* „Menschen" (vgl. dazu Göckenjan: Das Bild der Völker, S. 126).

10 Die Hafenstadt Matrica (griech.: Ταμάταρχα; altruss.: *Tmutorokanb;* türk.: *Taman-tarchan.* Vgl. Gy. Moravcsik: Byzantinoturcica II, Berlin 1958[2], S. 297), heute Taman, lag Kerč gegenüber, unweit der Kuban-Mündung. Rubruk, der die Stadt etwa zwei Jahrzehnte später besuchte, beschreibt sie als Handelsplatz, an dem sich die Kaufleute aus Konstantinopel treffen, um an der Donmündung Fische aufzukaufen (SF I, S. 166–167). Offenbar galt Matrica als politisches und kirchliches Zentrum der Čerkessen. So errichtete noch Papst Clemens VI. (1342–1352) hier ein Erzbistum, um so die Čerkessen für die Kirchenunion zu gewinnen (Pontificia Commissio ad redigendum Codicem Juris Canonici Orientalis. Series III, Vol. I–XIII ed. A. L. Tautu, F. M. Délorme, Th. T. Halušočynskyj, M. M. Wojnar. Romae 1943–70. Hier Vol. IX, Nr. 146, 150, 151; S. 232 f., 239 f., 241 f.).

11 Das Christentum war zwar durch byzantinische Missionare bereits im 6. Jahrhundert eingeführt worden, vermochte aber nie die ursprünglich herrschende Naturreligion der Čerkessen völlig zu verdrängen. Nach Mitteilung des „Libellus de notitia Orbis" aus dem Jahre 1404 „haben die Čerkessen Kirchen,

Ikonen und Feste wie die Griechen", pflegen daneben aber auch noch heidnische Bräuche. Sie bringen an Festtagen Schlachtopfer dar und verteilen diese an Arme und Tiere zum Verzehr. Sie richten einen heiligen Baum auf, den sie mit einem Kreuz, aber auch mit Tierköpfen und heidnischen Symbolen schmücken (A. Kern: Der „Libellus de Notitia Orbis" Johannes' III. [de Galonifontibus?] OP, Erzbischofs von Sultanyeh. In: Archivum Fratrum Praedicatorum VIII (1938), S. 108 f.). Auch der Hinweis des Riccardus auf die 100 Gemahlinnen des Čerkessenfürsten deutet an, daß man das christliche Gebot der Monogamie nicht allzu ernst nahm. Gleichwohl bewahrten die Čerkessen Elemente ihres christlichen Glaubens wenigstens äußerlich verhältnismäßig lange. Giorgio Interiano berichtet noch drei Jahrhunderte nach Riccardus: „Sie [die Čerkessen] nennen sich Christen und haben griechische Priester; doch taufen sie ihre Kinder erst nach dem achten Lebensjahr" (G. B. Ramusio: Delle Navigationi et Viaggi raccolto gia da M. Giovanni Battista Ramusio. Vol. II, Venetia 1583, S. 196).

12 Von ähnlichen Haartrachten bei anderen Kaukasusvölkern berichtet Giovanni Plano de Carpini (vgl. dazu die deutsche Übertragung: Plano Carpini: Geschichte, ed. F. Risch, S. 231, Anm. 6). Allerdings bezieht sich Carpini nicht, wie Dörrie meint, auf die Čerkessen, sondern auf die noch heute im Kaukasus lebenden Bergjuden (Dörrie: Drei Texte, S. 153; zu den Bergjuden und ihren Haartrachten vgl. Narody Kavkaza I. Moskva 1960, S. 554–561).

13 Die Steppenzone zwischen dem Kuban im Westen und dem Terek im Osten.

14 Die Alanen, ein iranisches Volk, das unter dem Namen Alani, 'Αλανοί, bereits in der antiken Literatur auftauchte, hielten im ersten Jahrhundert nach Chr. den Raum zwischen dem Aral-See im Osten und dem Don im Westen besetzt (Pelliot: Notes on Marco Polo I, S. 16). Im Mittelalter wurde der Herrschaftsbereich der Alanen durch das Eindringen türkischer Reiternomaden stark eingeengt. Immerhin erstreckte er sich am Vorabend der Mongoleneinfälle über das nordkaukasische Steppengebiet bis zur Volga und zum Don im Norden.
Der Mongolensturm traf die Alanen besonders hart. Während ein Teil des kriegerischen Volkes, die Vorfahren der heutigen Osseten, nach den übereinstimmenden Berichten orientalischer und westlicher Chronisten den Mongolen jahrzehntelangen Widerstand leistete und sich in den unzugänglichen Hochregionen des Kaukasus behaupten konnte (V. Minorsky: Caucasica III: The Alān Capital Magas and the Mongol Campaigns. In: Bulletin of the School of Oriental and African Studies XIV/2 (1952), S. 221–238), flüchteten andere Gruppen zusammen mit den Kumanen nach Westen. Viele Alanen fanden Aufnahme im Königreich Ungarn, wo sie bis zum 19. Jahrhundert eine rechtliche Sonderstellung genossen und

als Jassen 1318 zum erstenmal Erwähnung fanden. Noch 1957 entdeckte man im ungarischen Landesarchiv ein alanisches Glossar aus dem 15. Jahrhundert, dessen Wortschatz sich mühelos mit dem Vokabular des modernen Ossetischen in Übereinstimmung bringen läßt (J. Németh: Eine Wörterliste der Jassen, der ungarländischen Alanen. In: Abhandlungen der Deutsche Akademie der Wissenschaften zu Berlin. A. Klasse für Sprachen, Literatur und Kunst. Jahrgang 1958, Nr. 4. [Ost-] Berlin 1959, S. 3–36).

15 Das anschauliche Bild, das die ungarischen Missionare von der feudalen Zersplitterung des Ossetenlandes entwerfen, trifft bis in die Neuzeit hinein für viele Kaukasusvölker zu. Noch heute vermitteln die unzugänglichen Aule der Bergbevölkerung im Hochkaukasus mit ihren Wehrtürmen einen lebhaften Eindruck von den mörderischen Fehden, die zwischen den einzelnen Sippen und Familien oft jahrzehntelang tobten (vgl. dazu F. Bodenstedt: Die Völker des Kaukasus und ihre Freiheitskämpfe gegen die Russen. Frankfurt a. M. 1848, S. 72 f.).

16 Um eine Sonntagsheiligung, wie sie die frommen Mönche im Sinne eines Gottesfriedens verstanden, dürfte es sich hier kaum handeln. Eher ist die Vereinbarung einer längeren Friedenszeit unter den an der Ausübung der Blutrache beteiligten Parteien gemeint. So heißt es in einem Reisebericht vom Beginn des 19. Jahrhunderts: „Die Blutrache vererbt sich auf Sohn und Enkel und wird oft die Ursache langwieriger Feindseligkeiten zwischen ganzen Dörfern. Obgleich sie niemals ganz aufgehoben werden kann, so findet dennoch der Gebrauch statt, daß sie durch gemachte Geschenke aufgehalten wird. Der Mörder entflieht in seinen festen Turm und verteidigt sich dort mit einigen seiner Familie gegen die ihm nachstellenden Verwandten des Getöteten. Von da aus schickt er an die Ältesten des Dorfes einen seiner Freunde ab, der sie versammelt, und diese suchen dann, mit der Gegenpartei einen Vertrag auf ein Jahr zustande zu bringen, kraft welches der Mörder eine gewisse Anzahl Schafe oder Ochsen an die Beleidigten entrichtet, die dann beschwören, ihn die Zeit des Vertrages über in Ruhe zu lassen. Nach Ablauf derselben kann er von beiden Teilen erneuert werden" (J. v. Klaproth: Reise in den Kaukasus und nach Georgien, unternommen in den Jahren 1807 und 1808. Halle, Berlin 1812/14, II/1, S. 594).

17 An der Verurteilung rein formaler Verstöße gegen den Glauben wird deutlich, daß das Christentum bei den Osseten nur schwache Wurzeln geschlagen hatte (vgl. auch die Bemerkungen Rubruks über den Glauben der Alanen. SF I, S. 192).

18 Auch für die große Verehrung des Kreuzes bei manchen – selbst muslimischen – Kaukasusvölkern finden sich entsprechende Nachrichten bei Reisenden des 19. Jahrhunderts. So vermerkt Friedrich Bodenstedt 1845 von den muslimischen Abchasen: „... sie ... halten das Kreuz heilig nach Art der Christen"

(Völker des Kaukasus, S. 174). Julius von Klaproth berichtet: „Die Osseten haben auch eine große Ehrfurcht vor Stern-schnuppen, die sie ... fliegende Kreuze oder Heilige nennen. Wenn der Mond zum ersten Male aufgeht, schlagen die ihn Sehenden mit einem Messer oder mit dem Dolche gegen den Mond und gegen die Sterne und ziehen mit demselben um sich einen Kreis von Kreuzen, weil sie die Erscheinung des neuen Mondes für sehr heilig halten" (J. Klaproth: Reise II/1, S. 602). Offensichtlich bestand demnach ein Zusammenhang zwischen Kreuzverehrung und vorchristlichen Kulten von Mond- bzw. Sterngottheiten. (Das Kreuz als kosmisches Symbol spielt auch in Zentralasien eine große Rolle. Vgl. H.-J. Klimkeit: Das Kreuzessymbol in der zentralasiatischen Religionsbegegnung. In: G. Stephenson [Hrsg.]: Leben und Tod in den Religionen. Symbol und Wirklichkeit. Darmstadt 1980, S. 61–80.)

19 Es handelt sich vermutlich um Vorausabteilungen jenes Hee-res, das den großen Westfeldzug von 1237 unternehmen sollte.

20 Die sog. heutige Kalmückensteppe im Südwesten der unteren Volga.

21 Der Name *Veda* ist allem Anschein nach eine verderbte Variante der Bezeichnung *Merdas* bzw. *Modua,* die uns bei Rubruk begegnet: „Im Norden gibt es riesige Wälder, in denen zwei Gruppen von Menschen hausen. Die einen sind die Moxel, die ohne Gesetz leben und Heiden sind. Sie kennen keine städtische Siedlung, sondern bewohnen Hütten in den Wäl-dern ... Jenseits von ihnen leben andere Leute, die man Merdas, im Lateinischen auch Merdines nennt. Sie sind Sarazenen" (SF I, S. 198 f.).

Die von Rubruk geschilderten Verhältnisse können nur für das volgafinnische Volk der Mordvinen zutreffen, dessen Sied-lungsgebiet sich in nachchristlicher Zeit von der oberen Oka im Westen bis zur Volga erstreckte (M. Vasmer: Die alten Bevölkerungsverhältnisse Rußlands im Lichte der Sprachfor-schung. Preußische Akademie der Wissenschaften. Vorträge und Schriften 5. Berlin 1941, S. 30). Die Mordvinen gliederten sich schon zu Julians und Rubruks Zeiten in zwei sprachlich verwandte, aber kulturell verschiedenartige Stammesgruppen, die Mokša- und die Erza-Mordvinen (Décsy: Einführung, S. 95, 99, 232, 236).

Die Mokša-Mordvinen, die mit den Moxel Rubruks identisch sind, siedelten zwischen Sura, Oka und Volga (B. Spuler: Die Mordvinen, S. 95). Südöstlich von ihnen, zwischen Sura und Volga, saßen die Merdas oder Erza-Mordvinen (vgl. T. V. Vasil' ev: Mordovija. Moskva 1931, S. 41 f.). Deren Identifizie-rung mit den Veda des Riccardus fällt um so leichter, als beide Gruppen – die *Merdas* bei Rubruk (SF I, S. 199) und die *Veda* bei Riccardus – als Sarazenen, d. h. Muslime, bezeichnet werden.

22 Mit *Bundaz* sind die Burdassen bzw. Burtassen gemeint, ein Volk an der mittleren Volga, das bereits den arabischen und persischen Autoren im 10. Jahrhundert bekannt war (J. Marquart: Osteuropäische und ostasiatische Streifzüge. Ethnologische und historisch-topographische Studien zur Geschichte des 9. und 10. Jahrhunderts [ca. 840–940] Darmstadt 1961, S. 333–336; Ḥudūd al-ʾĀlam. The Regions of the World. A Persian Geography 372 A. H. – 982 A. D., ed. by V. Minorsky. London 1937, S. 162, 462–465), dessen ethnische Zugehörigkeit aber in der Forschung umstritten blieb. Während der überwiegende Teil der Gelehrten glaubte, sie den Mordvinen zuordnen zu können (so etwa J. Marquart: Streifzüge, S. 82, 161; W. Barthold: Burtas. In Enzyklopaedie des Islam. I, S. 835; V. Minorsky in: Ḥudūd al-ʾĀlam, S. 462–465), vertraten andere die Auffassung, bei den Burtassen handle es sich um ein eigenständiges, vielleicht turksprachiges Volk, das später in den Čuvašen bzw. Volgatataren aufgegangen sei (so A. Z. V. Togan: Ibn Fadlāns Reisebericht S. 202, 207–210, 221; so auch I. N. Smirnov: Les populations finnoises: les Mordves. Paris 1898, S. 271). Eine endgültige Lösung der Frage steht noch aus. Nur so viel läßt sich mit Sicherheit sagen, daß die Burtassen ein mächtiges Volk waren, das in der Umgebung der späteren russischen Städte Saratov, Pensa und Simbirsk ansässig war und seine Unabhängigkeit gegenüber Volgabulgaren, Chazaren und Pečenegen lange erfolgreich zu behaupten wußte (vgl. Göckenjan: Bild der Völker, S. 134–135).

23 Als Groß-Bulgarien *(magna Bulgaria)* – der Name begegnet uns bereits drei Jahrhunderte zuvor bei Istahrī (J. Marquart: Streifzüge, S. 517 f.) – bezeichnet Riccardus hier das Reich der Volgabulgaren. Die noch im 5. Jahrhundert in den Steppen zwischen Azovschem Meer und Kuban nomadisierenden turksprachigen Bulgaren waren im 7. Jahrhundert durch den Ansturm der Chazaren vertrieben worden (J. Hrbek: Bulghār. In: The Encyclopaedia of Islam. New Edition I. Leiden, London 1960, S. 1304–1308; V. F. Gening – A. Ch. Chalikov: Rannye Bolgary na Volge. Moskva 1964, S. 118–148). Während ein Teil der Unterlegenen – die späteren Donaubulgaren – nach Westen flüchtete, wurden andere Abteilungen volgaaufwärts versprengt und ließen sich am Zusammenfluß von Volga und Kama nieder. Dort errichteten sie ein Reich, dessen Einflußsphäre zum Zeitpunkt seiner höchsten Blüte, d. h. vom 11. bis zum 13. Jahrhundert, von Velikij Ustjug im Norden bis nach Saratov im Süden und von Murom im Westen bis Ufa im Osten reichte und somit das gesamte riesige Gebiet der an Volga und Ural siedelnden finnischen und türkischen Völker umspannte (vgl. Barthold: Zwölf Vorlesungen, S. 69).

24 Von einer Bereitschaft der „heidnischen", d. h. muslimischen Volgabulgaren, das Christentum anzunehmen, berichtet nur Riccardus.

25 Wollte man der Bemerkung des Riccardus Glauben schenken, nach der eine größere Stadt der Volgabulgaren – vermutlich Bolgar selbst – 50.000 Krieger stellen konnte, so hätte die Einwohnerzahl Bolgars im 13. Jahrhundert die Viertelmillion erreicht. Gegenüber solchen Zahlen scheint freilich Zurückhaltung geboten. Offensichtlich verwechselt Riccardus die Angaben über die Bevölkerung der Stadt mit denen über die Gesamtzahl der Bulgaren, die schon von arabischen Reisenden des 11. Jahrhunderts auf etwa 50.000 Zelte, d. h. auf mehr als eine Viertelmillion Menschen beziffert wurde (A. Z. V. Togan: Ibn Faḍlāns Reisebericht, S. 190). Nach neueren Berechnungen lag die Bevölkerungszahl der Stadt Bolgar im 13. Jahrhundert bei etwa 50.000–100.000 Menschen (vgl. Göckenjan: Bild der Völker, S. 139).

26 Ethyl ist abzuleiten von *Etil*, *Ātil*, „Strom, Fluß", der turksprachigen Bezeichnung für die Volga (vgl. dazu A. Z. V. Togan: Ibn Faḍlāns Reisebericht, S. 173 f.; J. Marquart: Kultur- und sprachgeschichtliche Analekten. In: Ungarische Jahrbücher IX [1929], S. 96; L. Rásonyi: Sur quelques catégories de noms de personnes en turc. In: Acta Linguistica Academiae Scientiarum Hungaricae III [1953], S. 347–359).

27 Die Ansicht, daß die Sprache der östlichen Ungarn identisch mit der ihrer Stammverwandten im Westen sei, vertrat auch Rubruk (SF I, S. 218–219).

28 Die hier geschilderten Eßgewohnheiten weisen die östlichen Ungarn als Reiternomaden aus, die sich in ihrer Lebensweise kaum von anderen Steppenvölkern unterscheiden. So berichtet Carpini von den Mongolen: „Sie essen alles, was man nur verzehren kann: Hunde, Wölfe, Füchse und im Notfall sogar Menschenfleisch" (SF I, S. 47). Marco Polo notiert: „Die Tataren essen alle Arten Fleisch, auch das von Pferden, Hunden und Pharaonsratten" (Marco Polo: Description I, S. 169). Hingegen verschmähen die heutigen Nachkommen der innerasiatischen Reiternomaden Wolfs- und Fuchsfleisch, wie Pallas für die Kalmücken bezeugt: „Die Kalmücken haben einen großen Abscheu gegen Wolffleisch ... sowie auch gegen Fuchsfleisch und das Fleisch anderer kleiner Raubtiere" (P. S. Pallas: Voyages dans plusieurs provinces de l'empire de Russie et dans l'Asie septentrionale, trad. par Gauthier: nouvelle édition. Paris 1794. II, S. 175).

29 Vergorene Stutenmilch *(qumizz)* und Pferdeblut waren als Getränk bei allen türkischen und mongolischen Reitervölkern beliebt (vgl. dazu Marco Polo: Description I, S. 173. Ein ähnlicher Bericht findet sich auch bei Carpini: SF I, S. 49).

30 Über diese Niederlage der Mongolen berichtet ein Zeitgenosse, der arabische Historiker Ibn al-Atīr (1160–1233): „Als die Tataren mit den Russen getan, was wir berichtet haben [in der Schlacht an der Kalka 1223] und deren Land ausgeraubt hatten, kehrten sie aus demselben zurück und gingen auf Bulgar los in

den letzten [Tagen] des Jahres 620 [1223]. Als die Einwohner von Bulgar ihr Herannahen vernahmen, legten sie ihnen [den Tataren] an einer Anzahl von Orten Hinterhalte und rückten gegen sie aus. Als sie nun mit ihnen [den Tataren] zusammenstießen, zogen sie diese auf sich, bis sie [die Stelle der im Hinterhalt Liegenden passiert hatten. Diese griffen sie [die Tataren] nun hinter ihrem Rücken an, so daß sie [die Tataren] zwischen zwei Feuer kamen, und es packte sie das Schwert von allen Richtungen. Da wurden die meisten von ihnen getötet, und nur wenige von ihnen entkamen – wie es heißt, waren es gegen 4000 Mann." (Zitiert nach Marquart: Volkstum, S. 144–145.)

Offenbar waren auf volgabulgarischer Seite auch Krieger der östlichen Ungarn an den siegreichen Kämpfen gegen die Mongolen beteiligt.

31 Es handelte sich wohl um jenes Heer, dessen Entsendung gegen Kumanen, Volgabulgaren und die Stadt Saqsīn schon die mongolische Reichsversammlung von 1229 beschlossen hatte (vgl. Spuler: Goldene Horde, S. 15).

32 Für einen Feldzug gegen Persien zu dieser Zeit fehlt, wie H. Dörrie zu Recht bemerkte, jeder stichhaltige Hinweis. Wohl aber dürfte darunter jenes Unternehmen zu verstehen sein, das in den Jahren 1235/36 zur Unterwerfung georgischer und armenischer Fürstentümer führte (Dörrie: Drei Texte, S. 158; G. Altunian: Die Mongolen und ihre Eroberungen in kaukasischen und kleinasiatischen Ländern im XIII. Jahrhundert. Berlin 1911, S. 29 ff.; E. Schütz: Tatarenstürme im Gebirgsgelände [Transkaukasien 1220, 1236]. In: Central Asiatic Journal XVII [1973], S. 253–273) und dessen Vorboten Riccardus an anderer Stelle bereits ankündigte (vgl. oben Anm. 19).

33 Ähnlich furchterregende, wenn auch selten der Wirklichkeit entsprechende Beschreibungen der äußeren Erscheinung der Mongolen finden sich auch in anderen abendländischen Quellen der Zeit, so bei Alberich von Trois Fontaines (Chronica Albrici monachi trium fontium a monacho novi monasterii interpolata MGH SS XXIII, S. 946), bei Matthaeus Parisiensis (CM III, S. 488) oder in den Marbacher Annalen (MGH SS XVII, S. 174). Sie standen sämtlich unter dem Einfluß der soeben von den ungarischen Reisenden im Westen verbreiteten Nachrichten (vgl. dazu Bezzola: Mongolen, S. 32 ff.).

Auch scheint ein älteres Bild von der barbarischen Grausamkeit der Steppenvölker, die seit der Spätantike geradezu dem Antichrist gleichgesetzt wurden, nachgewirkt zu haben (ebd. S. 69 f. Zur „Verteufelung" der Hunnen bei den antiken Autoren vgl. O. J. Maenchen-Helfen: Die Welt der Hunnen. Eine Analyse ihrer historischen Dimension. Wien, Köln, Graz 1978, S. 2–4).

34 Die Rückreise nahm noch ein halbes Jahr in Anspruch. Erst am 27. Dezember beendete frater Julian seine Reise.

35 Als Kopfjäger standen die Mordvinen durchaus nicht verein-
zelt da. Die Erbeutung von Köpfen und Skalps war unter den
Völkern zwischen Volga und Ural ebenso verbreitet wie in
Sibirien. Noch bis in die Neuzeit lassen sich Spuren dieses
Brauchs bei Ostjaken, Tungusen, Jukagiren u. a. feststellen
(U. Harva: Die religiösen Vorstellungen, S. 441). Schon Ibn
Faḍlān beobachtet Ähnliches bei den Baškiren: „... wenn ein
Mann einen anderen [feindlichen] antrifft, so schlägt er ihm
den Kopf ab und läßt ihn [den Leichnam] zurück" (A. Z. V.
Togan: Ibn Faḍlāns Reisebericht, S. 35. Vgl. auch Györffy:
Tanulmányok, S. 111; Göckenjan: Bild der Völker, S. 135–137).

36 Die Nachricht über die Bereitschaft der Mordvinen, sich taufen
zu lassen, ist mit Vorsicht aufzunehmen, zumal Riccardus an
anderer Stelle behauptet, die muslimischen Volgabulgaren (!)
beabsichtigten, zum Christentum überzutreten (vgl. oben
S. 78). Die Volgabulgaren, die bereits im 10. Jahrhundert den
Islam angenommen hatten, haben nie ernsthaft den Übertritt
zum Christentum in Erwägung gezogen. Nicht minder abge-
neigt waren die Mordvinen im 13. Jahrhundert, ein Taufver-
sprechen abzulegen, geschweige denn sich an den Fürsten von
Vladimir-Suzdal mit der Bitte um Missionare zu wenden, der
mit ihnen eben um diese Zeit in blutige Auseinandersetzungen
verwickelt war (Spuler: Die Mordvinen, S. 94 f.).
Auch die Nachricht von der Bereitschaft des Fürsten Jurij II.
Vsevolodovič (1212–1238), den Glauben der römischen Kirche
anzunehmen, wird eher dem Wunschdenken der ungarischen
Missionare als den wirklichen Absichten des russischen Fürsten entsprochen haben. Zwar hatte Jurij dem Bruder Julian
einen freundlichen Empfang bereiten lassen, um über ihn mit
dem ungarischen König Verbindung aufzunehmen, diesen vor
den Tataren zu warnen und womöglich zum Bundesgenossen
zu gewinnen.
Zu einer Sinnesänderung kam es bei dem Großfürsten aber
offensichtlich, als im Jahre 1236 andere Dominikaner die Absicht äußerten, Flüchtlinge aus Groß-Ungarn, die der Tataren-
invasion entkommen waren, zum Christentum zu bekehren.
Wenn Jurij nunmehr zu drastischen Maßnahmen griff und die
Missionare des Landes verwies, so mag er aus der Überlegung
heraus gehandelt haben, die Mongolen könnten die Aufnahme
und Taufe der östlichen Ungarn zum Anlaß nehmen, um von
ihm die Auslieferung „ihrer Sklaven" zu verlangen (vgl. oben
den Brief Batus an König Béla. Siehe auch B. Ja. Ramm:
Papstvo i Rus 'v X–XV vekach [Das Papsttum und die Rus im
10.–15. Jahrhundert]. Moskva, Leningrad 1959, S. 142; A. M.
Ammann: Abriß der ostslawischen Kirchengeschichte. Wien
1950, S. 55).

Bericht des frater Julianus
über das Leben der Tataren

VORBEMERKUNGEN

Das „erste umfassende Tatarenbild" der abendländischen Geschichtsschreibung stammt von dem ungarischen Dominikaner Julianus, der anders als sein Ordensbruder Riccardus (vgl. oben S. 69) selbst zwei Missionsreisen unternommen hatte und mit mongolischen Gesandten im Volgagebiet zusammengetroffen war. Obwohl Julian die Ergebnisse seiner Reisen in einem Brief, dessen Inhalt weite Verbreitung fand, an den päpstlichen Legaten ausführlich darlegte, ist über Herkunft und Lebenslauf des Autors verhältnismäßig wenig bekannt. Allem Anschein nach war er Ungar. Zumindest beherrschte er die ungarische Sprache so gut, daß er sich mühelos mit den Bewohnern „Groß-Ungarns" verständigen konnte (Riccardus cap. 4,3), deren Sprache im Mittelalter mit dem Magyarischen identisch war.

Text und Stil des Julian-Berichts verraten den umfassend gebildeten Autor, der zugleich lebhaft und anschaulich darzustellen weiß. Man darf annehmen, daß Julian für seine künftigen Aufgaben vor Antritt der Reisen eine sorgfältige Ausbildung erhalten hatte. So gehörte er wahrscheinlich zu jenen ausgewählten Dominikanern, die Papst Gregor IX. und die Ordensoberen 1228 für die Kumanenmission bestimmt hatten (vgl. Pfeiffer: Dominikaner, S. 77 f.). Die Erfahrungen, die Julian bei der Bekehrung der Kumanen gemacht hatte, sein diplomatisches Geschick und Sinn für das Wesentliche, nicht zuletzt aber seine Hingabebereitschaft, die bis zur Selbstaufopferung reichte, mögen den ungarischen König wie den Dominikanerprovinzial in der Auffassung bestärkt haben, ihn gleich zweimal mit der Durchführung der Erkundungsreisen zu betrauen.

Stand die erste Reise, die Julian 1235 unternommen hatte und die von seinem Ordensbruder Riccardus ausführlich beschrieben wurde, noch ganz im Zeichen der Wiederentdeckung „Groß-Ungarns", so erfolgte die zweite unter gänzlich veränderten und kaum vorherzusehenden Bedingungen. Julian, der im Frühjahr 1237 aufgebrochen war in der Absicht, das Missionswerk bei den östlichen Ungarn zum Abschluß zu bringen, gerät mitten in den Aufmarsch der Mongolenheere. Er kann „Groß-Ungarn" nicht mehr erreichen, erfährt nur noch von dessen Untergang. Auch die benachbarten Volgabulgaren und Mordvinen sind unterworfen. Den russischen Fürstentümern Suzdal' und Rjazań, auf deren Territorium sich Julian aufhält, bleibt nur noch eine Gnadenfrist. Rjazań wird schon am 21. Dezember 1237 erstürmt. Suzdal' und Vladimir fallen im Februar des darauffolgenden Jahres.

Überzeugt von der Aussichtslosigkeit weiterer Missionsarbeit und alarmiert durch Nachrichten, die Angriffsabsichten der Mongolen auch gegen Ungarn und die abendländische Welt enthüllten, trat Julian überstürzt die Heimreise an. Er und seine Gefährten müssen die russischen Fürstentümer verlassen haben, noch bevor die Mongolen mit dem Einbruch des Winters und dem Zufrieren der Flüsse ihren neuen Feldzug eröffnen konnten, also im November 1237. Julian hat gleich nach der Heimkehr sein Schreiben an den päpstlichen Legaten aufgesetzt. Ursprünglich war wohl ein weit umfangreicherer Bericht über die Mongolen geplant. Die bedrohlichen Nachrichten, die er aus Suzdal' mitgebracht hatte, einschließlich des unheilverkündenden Briefs Bātūs an den ungarischen König, mußten es ihm aber geraten erscheinen lassen, in sein Schreiben nur solche Mitteilungen aufzunehmen, die für künftige Auseinandersetzungen mit den Mongolen von Belang sein konnten. So blieb denn auch die ursprüngliche Absicht, der Schilderung der Mongolen noch ein Kapitel über deren Religion anzufügen, unerfüllt. Der dringende Warnruf, den Julian an die europäischen Herrscher richten wollte, ließ ihm keine Zeit zu einer breitangelegten Schilderung der mongolischen Sitten und Gebräuche, sondern nötigte ihn, sich auf Herkunft und Geschichte, Kriegführung und Angriffspläne der Mongolen zu beschränken.

Offenkundig ist Julians Bemühen um eine sachliche und unvoreingenommene Darstellung der Mongolen, die weder von Greuelgeschichten noch von übertriebenen Hoffnungen auf das Erscheinen des Priesterkönigs Johannes bestimmt ist. Im dunkeln bleiben allerdings auch für ihn die Anfänge des mongolischen Weltreichs. Julian steht noch ganz im Banne der endzeitlichen Prophezeiungen des Pseudo-Methodios. Für ihn sind daher die Tataren wie alle anderen Steppenvölker die Nachkommen Ismaels und seiner wilden Söhne, die am Ende der Tage die Menschheit heimsuchen werden (vgl. unten S. 111, Anm. 4). In dieses Bild, das er nach eigenem Eingeständnis einem russischen Geistlichen verdankte (cap. 6,1), fügen sich stark legendär gefärbte Berichte über Frauenraub, Verrat und Blutrache gut ein, die Julian über die mongolische Frühzeit in Erfahrung bringen konnte. Historisch verbürgte Ereignisse und Personen werden gleichwohl sichtbar, die Stammesfehden zwischen Mongol und Merkit, deren Flucht zu den Kumanen, die bereits in der „Geheimen Geschichte" erwähnte Entführung der Mutter Činggis Khans oder der Aufstieg Gurgutams, in dem man ohne viel Mühe den Begründer des mongolischen Weltreichs wiedererkennt, lassen den historischen Kern der Erzählung sichtbar werden.

Vollends aus dem Bereich der Legende tritt Julian allerdings erst mit der Schilderung der mongolischen Persien- und Rußlandfeldzüge. Die Nachrichten von Siegen über Kumanen, Volgabulgaren und Mordvinen und vom bevorstehenden Angriff auf die russischen Fürstentümer geben die tatsächlichen Ereignisse unverfälscht wieder. Julian begnügt sich nicht mit Berichten aus zweiter Hand. Er befragt gleichermaßen Flüchtlinge wie tatarische Gesandte (cap. 2,5; 4,1; 4,4; 4,8), nicht ohne deren Aussagen gewissenhaft zu überprüfen und verbürgte Angaben von bloßen Vermutungen zu trennen (cap. 4,1–2). Julian verbindet Beobachtungsgabe mit sicherem Gespür für das Wesentliche. Mit wenigen knappen Sätzen entwirft er ein anschauliches Bild von Heeresverfassung und Kriegführung der Mongolen, das auch kritischem Vergleich mit den jüngsten Ergebnissen wissenschaftlicher Forschung standhält.

Unerreichte Meisterschaft verraten jene Passagen, in denen der Autor das Werden des mongolischen Weltherrschaftsanspruchs aufzeigt, den er als erster der abendländischen Welt verkündete. Činggis Khan habe – so Julian – am Anfang noch in Stammesfehden und Beutezügen verstrickt, mit jedem militärischen Erfolg stärker dem Drang zu weiterer Expansion nachgegeben und schließlich im Bewußtsein, „mächtiger als alle Menschen auf Erden zu sein", sich zur Weltherrschaft berufen gefühlt. Noch 1948 suchte Erich Haenisch, der Herausgeber der „Geheimen Geschichte" der Mongolen, den Aufstieg Činggis Khans mit nahezu denselben Beweggründen zu erklären (ebd., S. XI f.).

Julian begnügt sich nicht mit der Darstellung dieses Aufstiegs, sondern führt als unumstößlichen Beweis für das Weltmachtstreben der mongolischen Herrscher das Schreiben Bātūs an König Béla an. Julian möchte deutlich machen, daß der Expansionsdrang der mongolischen Eroberer nicht an den Grenzen Europas innehalten werde. Für ihn ist deren Angriff gegen Ungarn bereits unvermeidbar und ein Kriegszug gegen Rom und die abendländische Welt in den Bereich des Möglichen gerückt. Julian läßt daher sein Schreiben ausklingen mit einer dringenden Warnung an die Kurie und der Aufforderung, sich rechtzeitig gegen die drohend aufziehende Gefahr zu wappnen. Der Appell Julians gehört somit an den Anfang jener Alarmrufe, die – man denke an das Hilfsgesuch Bélas IV. oder an die eindringliche Warnung Johann Plano de Carpinis – zwar in der Christenheit weite Verbreitung fanden, gleichwohl nicht vermochten, die europäischen Fürsten zu gemeinsamem Vorgehen gegen die Tataren zu veranlassen.

Der Bericht des frater Julianus ist in zwei Handschriften überliefert, die als Codices P und V bezeichnet werden.

Die Handschrift P = Vaticanus Palatinus Lat. 443, Pergament, 121 fol., etwa um das Jahr 1284 entstanden, wurde ursprünglich im Kloster Schönau bei St. Goarshausen aufbewahrt und enthält neben anderen Schriften auf fol. 105 r.–105 v. den Bericht Julians, mit Ausnahme des Schlußabsatzes (cap. 6, 4–7), der, wie Heinrich Dörrie richtig vermutete, aus Platzmangel nicht mehr aufgenommen wurde. Da die Handschrift bis auf die Eigennamen den ursprünglichen Text am zuverlässigsten bewahrte, bildete sie die Grundlage für die jüngste kritische Textedition von H. Dörrie: Drei Texte, S. 165–182, Die Textvariante V = Vaticanus Lat. 4161 ist unvollständig. Insgesamt fehlt etwa ein Drittel des Originaltextes, und zwar cap. 1,28–29,31,36–38; cap. 2, 1–6; capp. 3, 6–5,9. Wiederholt arbeitete der Schreiber mit Kürzungen und Glättungen, wenn er den Text offensichtlich nicht verstand. Doch bietet V den Vorteil, daß nur hier der letzte Absatz des ursprünglichen Textes (cap. 6,4–7) erhalten blieb.

Ein dritter Text H., dessen Vorlage verlorenging, findet sich bei Joseph Freiherr von Hormayr-Hortenberg: Die Goldene Chronik von Hohenschwangau (Hormayr, II, S. 67–69). Diese Variante enthält nicht die Kapitel 5 und 6, dafür aber eine zusätzliche Eintragung, die nach cap. 4,16 eingefügt wurde und in deutscher Übersetzung folgenden Wortlaut hat: „Allen Christgläubigen sei kundgetan, daß der König von Ungarn dieses Schreiben dem Patriarchen von Aquileja übermittelte und der Patriarch es an den Bischof von Brixen und den Grafen von Tirol weitersandte, damit sie es allen Christgläubigen mitteilen und sie auffordern, zu Gott für die Kirche zu beten. Außerdem wünschen wir, daß alle, an die das vorliegende Schriftstück gerichtet ist, wissen sollen, daß der Überbringer des Schreibens zuverlässig ist und im amtlichen Auftrag handelt" (lateinischer Text bei Dörrie: Drei Texte, S. 163).

Die Kenntnis von den Missionsreisen Julians und seiner Ordensbrüder war im Mittelalter weit verbreitet. Spuren ihrer Reiseberichte finden sich in den Werken von Alberich von Trois Fontaines und Matthaeus Parisiensis ebenso wie bei Rubruk und Carpini (vgl. die Zusammenstellung bei L. Bendefy: Az ismeretlen Juliánusz [Der unbekannte Julianus]. Budapest 1936, S. 136–173). Um so mehr muß auffallen, daß die neuere historische Forschung dem Bericht Julians nicht immer die ihm gebührende Beachtung geschenkt hat. So fand das Schreiben z. B. im Gegensatz zur Relatio des Riccardus keine Aufnahme in die 1937/38 von I. Szentpétery edierten Scriptores rerum Hungaricarum (die älteren Ausgaben sind verzeichnet bei Dörrie: Drei Texte, S. 165).

Lange Zeit herrschte sogar die Auffassung vor, eine Rekonstruktion des Originalberichts aus den vorhandenen Textzeugen sei schlechterdings nicht möglich. Erst 1956 brachte H. Dörrie eine kritische Textedition heraus, die wissenschaftlichen Ansprüchen genügte (Dörrie: Drei Texte, S. 165–182). Auf diese Ausgabe stützt sich die vorliegende Übersetzung.

TEXT

Dem in Christus ehrwürdigen Vater, von Gottes
Gnaden Bischof von Perugia, Legaten des apostolischen Stuhls[1] entbietet Bruder Julian von den Brüdern
des Ordens der Prediger (Dominikaner) in Ungarn als
Diener Eurer Heiligkeit die schuldige und ehrfürch-
tige Verehrung.

1. Da ich gemäß dem mir auferlegten Gehorsam mit
den mir beigegebenen Brüdern nach Groß-Ungarn
ziehen mußte und wir die uns befohlene Reise
antreten wollten, erfuhren wir, als wir die äußersten
Grenzen der Ruś erreicht hatten (den wahren Sach-
verhalt), 2. daß alle Bascarden,[2] die man auch heidnische Ungarn nennt, die Bulgaren und sehr viele
Königreiche von den Tartaren völlig vernichtet worden waren. 3. Wer aber die Tartaren sind und
welcher Lehre sie anhängen, werde ich Euch, so gut es
geht, im vorliegenden Schreiben berichten.

1.1. Mir wurde von einigen Gewährsleuten berichtet,
daß die Tartaren früher das Land bewohnten, das
jetzt die Kumanen besiedeln,[3] und daß sie in Wahrheit Söhne Ismaels genannt werden.[4] Deshalb möchten auch jetzt die Tartaren als Ismaeliten bezeichnet
werden.[5] 2. Das Land aber, aus dem sie früher
ausgewandert sind, wird Gotta[6] genannt. Ruben hat
es Gotta genannt. 3.[7] Der erste Krieg der Tartaren
aber begann so: 4. Es gab im Lande Gotta einen
Fürsten mit Namen Gurgutam.[8] Der hatte zur Schwester eine Jungfrau, die nach dem Tode ihrer Eltern
ihrer Familie vorstand und sich wie ein Mann ge-
bärdet haben soll.[9] 5. Sie unterwarf einen bestimmten Nachbarfürsten und beraubte ihn seiner Güter.
6. Nach einiger Zeit wollte das Tartarenvolk den
genannten Fürsten erneut wie gewohnt unterjochen.

7. Jener aber sah sich vor, behielt im erneut ausgebrochenen Kampf mit dem Mädchen die Oberhand und nahm seine frühere Feindin gefangen. 8. Als er deren Heer in die Flucht geschlagen hatte, verletzte er die Gefangene, entjungferte sie zum Zeichen seines Sieges und ließ sie schimpflich enthaupten.

9. Als das dem Bruder des Mädchens, dem oben genannten Fürsten Gurgutam, zu Ohren kam, soll er dem vorerwähnten Mann folgende Botschaft übermittelt haben: „Ich habe vernommen, daß Du meine Schwester gefangengenommen, entjungfert und enthauptet hast. 11. Du weißt, daß Du damit einen mir gegenüber feindlichen Akt begangen hast. 12. Wenn meine Schwester Dich vielleicht überfallen und Dir an Deinem beweglichen Gut Schaden zugefügt hat, so hättest Du Dich an mich wenden und von mir ein gerechtes Urteil über sie erbitten können. 13. Wenn Du sie aber mit eigenen Händen bestrafen wolltest, sie besiegt, gefangengenommen und entjungfert hast, so konntest Du sie auch zur Frau nehmen. 14. Wenn Du aber vorhattest, sie zu töten, so durftest Du sie überhaupt nicht entjungfern. 15. Jetzt aber hast Du Dich in zweierlei Hinsicht vergangen. Du hast ihrer jungfräulichen Züchtigkeit Schimpf angetan und Du hast sie zu einem elenden Tod verurteilt. 16. Wisse daher, daß ich zur Rache für den Tod dieses Mädchens mit all meiner Macht gegen Dich kämpfen werde."

17. Als das der Fürst, der den Mord begangen hatte, vernahm und erkannte, daß er keinen Widerstand leisten könne, verließ er sein Land und floh mit den Seinen zum Sultan von Hornach.[10]

18. Zu der Zeit, als sich dieses ereignet hatte, lebte ein Fürst namens Euthet[11] im Lande der Kumanen, dessen Reichtum, wie man rühmte, so groß war, daß auch seine Viehherden auf den Weidegründen aus goldenen Behältern getränkt wurden. 19. Ihn griff ein anderer Kumanenfürst, Gureg vom Flusse Buchs,[12] wegen seines Reichtums an und besiegte ihn. 20. Der

Unterlegene floh mit seinen beiden Söhnen und wenigen Begleitern, die dem Krieg entronnen waren, zu dem bereits genannten Sultan von Hornach. 21. Der Sultan aber, der sich eines Unrechts erinnerte, das ihm jener einst als Nachbar zugefügt hatte, empfing ihn am Tore, ließ ihn aufhängen und unterwarf dessen Volk seiner Herrschaft. 22. Die beiden Söhne des Euthet aber flohen weiter, und da sie keine andere Zuflucht hatten, kehrten sie zu besagtem Gureg, der ihren Vater und sie vorher ausgeplündert hatte, zurück. 23. Der tötete in wilder Wut den Älteren mit Pferden.[13] 24. Der Jüngere aber entfloh und kam zu dem oben schon genannten Tartarenfürsten Gurgutam und bat ihn inständigst, Rache an Gureg zu üben, der seinen Vater beraubt und seinen Bruder getötet hatte. Er betonte, daß ein solches Vorgehen dem Gurgutam zur Ehre gereichen und ihm selbst Genugtuung und Rache für den Raub am Vater wie für den Tod des Bruders verschaffen werde. 26. So geschah es auch.[14]

27. Nach diesem Sieg bat der vorgenannte junge Mann wiederum den Fürsten Gurgutam, Rache an dem Sultan für den schändlichen Tod seines Vaters zu nehmen. 28. Er versprach, daß auch das von seinem Vater zurückgelassene und jetzt dort gleichsam gefangene Volk das [Tartaren-]Heer beim Vormarsch unterstützen werde. 29. Jener, der sich schon in Gedanken an dem doppelten Sieg berauschte, gestand bereitwillig zu, was der Jüngling forderte, zog gegen den Sultan zu Felde und errang einen glanzvollen und ehrenhaften Sieg. 30. Da er so auf seinen Sieg gleichsam überall vertraute, eröffnete der Tartarenfürst Gurgutam den Krieg gegen die Perser in Vergeltung für Kämpfe, die sie einst gegen ihn geführt hatten,[15] 31. auch dort trug er einen ehrenvollen Sieg davon und unterwarf sich das Reich der Perser völlig.

32. Durch diese Erfolge kühner geworden, hielt er sich für mächtiger als alle Menschen auf der Erde, rückte gegen andere Reiche vor und setzte sich die

103

Unterwerfung der ganzen Welt zum Ziel.[16] 33. Er kam daher zum Lande der Kumanen, besiegte die Kumanen und unterwarf sich deren Land. 34. Darauf kehrten sie [die Tartaren] nach Groß-Ungarn zurück, woher unsere Ungarn stammten, bekämpften sie [die Groß-Ungarn] vierzehn Jahre lang und bezwangen sie im fünfzehnten Jahre, wie uns die heidnischen Ungarn selbst berichteten. 35. Nach deren [der Groß-Ungarn] Unterwerfung wandten sich [die Tartaren] wieder nach Westen und unterwarfen im Zeitraum eines Jahres oder etwas längerer Zeit fünf mächtige Reiche der Heiden, sie eroberten Sascia,[17] Merowia,[18] das Königreich der Bulgaren,[19] und nahmen auch sechzig stark befestigte Städte ein, die so volkreich waren, daß eine von ihnen 50.000 bewaffnete Krieger stellen konnte.[20] 36. Im übrigen eroberten sie Wedin,[21] Merowia, Poydowia[22] und das Reich der Mordanen,[23] über das zwei Fürsten[24] herrschten. 37. Der eine Fürst hatte sich mitsamt seinem ganzen Volk und seiner Familie dem Herrscher der Tartaren unterworfen, 38. der andere aber suchte zu seinem Schutz stark befestigte Örtlichkeiten auf, um sich mit wenigen Leuten dort zu behaupten.[25]

2.1. Da wir aber jetzt im Gebiet der Ruś weilten, erfuhren wir die Wahrheit, daß das ganze gegen Westen vorrückende Tartarenheer in vier Teile[26] gegliedert ist. 2. Ein Teil lagert in der Ruś an der Volga, in der Ebene östlich von Suzdal', 3. der andere aber im Süden, schon auf dem Gebiet von Rjazań, einem anderen Fürstentum der Russen, das sie (die Tartaren) niemals[27] eroberten; 4. die dritte Abteilung lagerte am Flusse Denh[28] nahe der Stadt Orgenhusen,[29] einem weiteren Fürstentum der Russen. 5. Doch warteten sie [die Tartaren] dort, wie uns die Russen, Ungarn und Bulgaren, die vor ihnen geflohen waren, berichteten, daß es nach dem Zufrieren der Erde, der Flüsse und Sümpfe im nächsten Winter ihrer ganzen Menge [der Tartaren] leichtfalle,[30] ganz

Ruscia so auszuplündern wie das ganze Land der Russen. 7. Nun sollt ihr erfahren, daß jener Gurgutam, der erste Fürst, der den Krieg eröffnete, starb.[31] 8. Zur Zeit regiert dessen Sohn Chayn[32] an seiner Stelle und residiert in der großen Stadt Hornach,[33] dessen Königreich sein Vater zuerst eroberte. 9. Er residiert dort so:
Er hat einen so großen Palast, daß tausend Reiter, die durch ein Tor hereinkommen und ihm [dem Khan] aufwarten, nichtsdestoweniger im Sattel bleiben können und dort gleichzeitig Platz finden. 10. Der vorgenannte Fürst aber errichtete sich ein sehr großes und hohes Bett, das auf goldenen Säulen ruht.[34] 11. Ein goldenes, kostbar bedecktes Bett, auf dem der ruhmreiche Herrscher in kostbare Gewänder gehüllt sitzt.[35] 12. Die Tore des Palastes aber sind zur Gänze aus Gold, und die Reiter ziehen unversehrt durch sie. 13. Wenn aber fremde Gesandte, ob als Reiter oder zu Fuß, beim Durchgang durch die Tore mit den Füßen die Torschwelle berühren,[36] werden sie auf der Stelle mit dem Schwert niedergemacht; jeder Fremde muß mit größter Ehrfurcht hinüberschreiten.
14. In solchem Prunk residierend entsandte er seine Heere in verschiedene Länder, nämlich, wie wir glauben, übers Meer, und was er dort vollbracht hat, habt auch Ihr gehört.[37] 15. Ein anderes zahlloses Heer aber sandte er am Meer entlang,[38] gegen alle Kumanen, die nach Ungarn hinüberflohen. 16. Das dritte Heer aber belagert ganz Rußland, wie ich berichtete.[39]

3.1. Um Euch die Wahrheit über deren Kriegführung zu berichten, so schießen sie angeblich weiter mit Pfeilen als andere Völker.[40] 2. Und beim ersten Zusammenprall sollen sie nicht nur mit Pfeilen schießen, sondern die Pfeile scheinen zu regnen;[41] Schwerter und Lanzen führen sie im Krieg angeblich weniger geschickt. 3. Sie ordnen ihr Heer so, daß zehn Männer ein Tartar befehligt und hundert Männer wieder ein Centurio.[42] 4. Das unternehmen sie so klug, daß Spione sich unter ihnen nicht verbergen können. Wenn sich aber die Zahl der Soldaten vielleicht wegen kriegerischer Ereignisse verringert, so kann das Heer ohne Verzug wieder ergänzt werden, und das aus verschiedenen Stämmen gesammelte Volk kann nicht abfallen.[43] 5. Denn sie [die Tartaren] erschlagen unverzüglich in allen von ihnen unterworfenen Reichen die Könige, Fürsten und Vornehmen, von denen man annehmen könnte, daß sie einmal Widerstand leisten würden. 6. Soldaten aber und mutige Landsleute treiben sie gegen deren Willen und unter Waffengewalt vor sich her in den Kampf.[44] 7. Andere Bauern, die zum Kämpfen weniger geeignet erscheinen, lassen sie zurück, um die Felder zu bebauen. Die Frauen, Töchter und weiblichen Verwandten von allen [in den Kampf Getriebenen wie Erschlagenen] teilen sie in Gruppen von zehn oder mehr Frauen den Bauern, die zum Feldbau zurückgelassen wurden, zu und machen diesen zur Auflage, sich künftig als Tartaren zu bezeichnen.[45] 8. Wenn aber die Krieger, die in den Kampf getrieben werden, gut fechten und siegen – so ist ihr Lohn gering; fallen sie aber im Kampf, kümmert man sich nicht darum! 9. Wenn sie aber in der Schlacht zurückweichen,[46] werden sie unverzüglich von den Tartaren niedergemacht. Deshalb wollen die Kämpfenden lieber in der Schlacht fallen als von den Schwertern der Tartaren niedergemetzelt werden. 10. Sie kämpfen also tapferer, nicht um später zu überleben, sondern um schneller zu sterben. 11. Befestigte Städte erobern sie [die Tartaren] nicht, sondern verwüsten vorher das flache Land und plündern die Bevölkerung aus. Zugleich sammeln sie die Landbevölkerung und treiben sie in den Kampf, um die Stadt selbst zu erobern.[47] 12. Über die Stärke des Heeres selbst schreibe ich Euch nur, daß es auch die kampffähigen Soldaten aller Reiche, die es bezwungen hat, zum Kampf vor sich hertreibt.

4.1. Auch wird von mehreren Zeugen glaubwürdig versichert und der Fürst von Suzdal'[48] ließ persönlich durch mich dem König von Ungarn mitteilen, daß die Tartaren Tag und Nacht beraten, wie sie das christliche Königreich Ungarn besiegen und einnehmen können.[49] 2. Sie sollen auch den Vorsatz gefaßt haben, Rom und die Länder jenseits von Rom zu erobern.[50]

3. Er [der Khan] schickte daher dem König von Ungarn Gesandte. Sie wurden bei der Reise durch das Suzdaler Land vom Fürsten von Suzdal' gefangengenommen. Der Fürst nahm ihnen den an den König gesandten Brief ab. 4. Die Boten selbst habe ich zusammen mit den mir beigegebenen Gefährten auch gesehen; 5. den erwähnten Brief, der mir vom Fürsten von Suzdal' übergeben worden war, habe ich dem ungarischen König überbracht. 6. Der Brief ist in heidnischer Schrift,[51] aber in tartarischer Sprache verfaßt. 7. Der König fand viele Leute, die diesen Brief lesen, aber niemand, der ihn übersetzen konnte. 8. Als wir aber durch Kumanien reisten, fanden wir einen Heiden, der uns den Brief übersetzt hat. Die Übersetzung lautete[52] wie folgt: 9. „Ich, der Khan, der Gesandte des Himmelskönigs, der mir die Macht verlieh, auf der Erde die Demütigen zu erhöhen und die Widersetzlichen zu erniedrigen, wundere mich über Dich, König von Ungarn, weil Du, obwohl ich schon dreißigmal Gesandte zu Dir geschickt habe, mir darauf nicht antwortest und mir weder Gesandte noch Briefe zurücksendest. Ich weiß, daß Du ein reicher und mächtiger König bist, viele Soldaten unter Dir hast und in Alleinherrschaft ein großes Reich regierst. 12. Deshalb ist es schwer für Dich, Dich mir freiwillig zu unterwerfen. Dennoch wäre es besser und heilsamer für Dich, wenn Du Dich mir aus freien Stücken unterwerfen würdest. 13. Ich habe auch erfahren, daß Du die Kumanen, meine Sklaven, unter Deinem Schutz hältst. 14. Deshalb befehle ich Dir, sie fortan nicht bei Dir zu behalten und mich

Dir ihretwegen nicht zum Gegner zu machen. 15. Denn ihnen fällt es leichter als Dir, mir zu entkommen, weil jene ohne Häuser mit Zelten wandern und vielleicht entfliehen können. 16. Du aber wohnst in Häusern, hast Burgen und Städte. Wie willst Du meinen Händen entrinnen?"[53]

5.1. Aber ich möchte auch folgende Nachricht mitzuteilen nicht unterlassen. Während ich zum zweiten Mal an der römischen Kurie weilte, zogen mir meine vier Ordensbrüder nach Groß-Ungarn voraus. Sie begegneten bei ihrer Reise durch das Land Suzdal' einigen heidnischen Ungarn, die vor den Tartaren flohen und gern den katholischen Glauben angenommen hätten, wenn sie in das christliche Ungarn gekommen wären. 2. Als das der vorerwähnte Fürst von Suzdal' vernahm, verbot er entrüstet, den zurückgerufenen Brüdern, den vorgenannten Ungarn den römischen Glauben zu predigen. Er vertrieb daher die Brüder aus seinem Lande. 3. Dennoch wollten diese nicht gern heimkehren und den einmal eingeschlagenen Weg leichthin aufgeben. Sie wandten sich zur Stadt Rjazań, um möglicherweise einen Weg zu erkunden, auf dem sie nach Groß-Ungarn, zu den Mordvinen oder zu den Tartaren gelangen konnten. 4. Sie ließen dort zwei Brüder zurück und gelangten unter Führung von Dolmetschern nach dem Peter-Paul-Fest[54] zu dem einen der beiden Mordvinenfürsten, der an demselben Tage, an dem sie gekommen waren, aufgebrochen war und sich mit seinem ganzen Volke und seiner Familie, wie wir oben berichteten, den Tartaren unterwarf. 5. Im übrigen ist völlig unbekannt, was mit jenen beiden Ordensbrüdern geschah, ob sie starben oder von dem oben erwähnten Mordvinenfürsten zu den Tartaren verschleppt wurden. 6. Die beiden zurückgelassenen Brüder, die sich über das Ausbleiben ihrer Confratres wunderten, schickten um das Michaelsfest[55] einen Dolmetscher, da sie wissen wollten, ob die Brüder noch am Leben seien; aber auch den Dolmetscher töteten die Mordvinen. 7. Als ich und meine Gefährten nun sahen, daß das Land von den Tartaren besetzt und unzugänglich war, kehrten wir, ohne die Ernte eingebracht zu haben, nach Ungarn zurück. 8. Und obwohl wir durch viele Heere und Räuberbanden hindurch mußten, gelangten wir doch infolge der Fürbitten unserer heiligen Kirche unversehrt zu unseren Brüdern und zu unserem Kloster.

9. Da sich im übrigen eine solche Geißel Gottes[56] auch den Söhnen der Kirche, der Braut Christi, nähert, sollten Eure Heiligkeit sorgfältig überlegen, was zu unternehmen ist.

6.1. Damit nun nichts unerwähnt bleibt, gebe ich Euch, ehrwürdiger Vater, kund, daß uns ein russischer Kleriker etwas über die Geschichte des Buches der Richter schrieb. Er sagte [darin], daß die Tartaren Madianiter sind, die mit Cethym gegen die Söhne Israels kämpften und von Gideon besiegt wurden, wie es im Buche der Richter geschrieben steht. 3. Darauf flohen die Madianiter und wohnten an einem Flusse Tartar, weshalb sie auch Tartaren genannt wurden.[57] 4. Auch versichern die Tartaren, daß sie eine solche Menge an Kriegern hätten, daß, wenn man dieses Heer in vierzig Teile gliedere, sich keine Macht auf Erden finde, die auch nur einem [der 40] Teile Widerstand leisten könne. 5. Ebenso sollen sie in ihrem Heere 260.000 Sklaven haben, die nicht nach ihrem Gesetz leben, und 135.000 der bewährtesten Krieger, die sich gemäß ihrem Gesetz verhalten.[58] 6. Ebenso sollen auch ihre Frauen so kriegerisch wie sie selbst sein, sie schießen Pfeile, reiten auf Pferden und Maultieren wie die Männer und sind eifriger im Kampf als die Männer.[59] 7. Wenn die Männer sich zur Flucht wenden, so fliehen sie keineswegs, sondern setzen sich jeder Gefahr aus.

Das Buch über Leben, Glauben und Herkunft der Tartaren ist zu Ende.

ANMERKUNGEN

1 Salvius de Salvis, Bischof von Perugia, diente der Kurie seit Mai 1236 als Legat an den Höfen Bélas IV. und Ivans Asen II. von Bulgarien.

2 Der lateinische Name „Bascardi", den Julian zur Bezeichnung der heidnischen Ungarn verwendet, ist offensichtlich türkischer Herkunft (baškirisch: *baškort, baškïrt;* tatarisch: *baškurt;* čuvašisch: *puškêrt.* L. Benkő [Hrsg.]: A magyar nyelv történeti-etimológiai szótára [Historisch-etymologisches Wörterbuch der ungarischen Sprache]. I. Budapest 1967, S. 255 f.). Die Bedeutung des Wortes blieb bis heute in der Forschung umstritten. So möchte Gyula Németh den Namen vom türkischen *bäš(o)γur* „fünf Stämme" ableiten (Gy. Németh: A honfoglaló magyarság kialakulása [Die Entstehung des landnehmenden Ungartums]. Budapest 1930, S. 313). Andere Linguisten neigen zu der Annahme, es handle sich um die Benennung nach einem mythischen Totemtier, das die Baškiren in ihre heutige Heimat geführt habe. Der Name sei eine Wortbildung aus *baš* „Kopf" und *kurt* „Wolf" (ebd. S. 311). Als Bezeichnung für die westlichen, im Karpatenbecken lebenden Ungarn wie für deren an der Volga verbliebene Stammesverwandten benutzen orientalische Autoren des 9.–13. Jahrhunderts wie Iṣṭaḥrī, Ibn Hauqal, Jākūt, Mas' ūdī, Kašgarī, Abū l-Fidā', Abū Hamid al-Andalusi u. a. die Namensvarianten *bašdžird, bašγird, baškird* u. a. (Gy. Németh: op. cit., S. 299–306; Gy. Németh: Ungarische Stammesnamen bei den Baschkiren. In: Acta Linguistica Academiae Scientiarum Hungaricae XVI [1966], S. 17 f.; V. Minorsky: Hudūd al-'Ālam. The Regions of the World. A Persian Geography 372 A. H. – 982 A. D. London 1937, S. 318–320).
Die Gleichsetzung von Baškirien und Groß-Ungarn, die Julian offenbar in Kenntnis des einen oder anderen dieser Reiseberichte vornimmt, fand bei späteren westlichen Chronisten allgemeine Nachahmung, bei Carpini ebenso (SF I, S. 73, 111) wie bei Benedictus Polonus (SF I, S. 138) oder bei Rubruk (SF I, S. 219).

3 „inhabitabant terram prius quam nunc Cumani inhabitant" (,, . . . die Tataren früher das Land bewohnten, das jetzt die Kumanen besiedeln . . ."). Wie bereits Dörrie richtig erkannte, ist der Text dieses Halbsatzes verderbt (Drei Texte, S. 167) und eine sinnvolle Auslegung kaum möglich, da die Mongolen mit Sicherheit nicht aus dem damaligen Gebiet der Kumanen

110

stammten, das sich vor dem Tatareneinfall vom Aralsee nach Westen bis zum Dnjepr erstreckte (zur Frühgeschichte der Kumanen vgl. u. a. Marquart: Volkstum; D. A. Rasovskij: Polovcy [Les Comans]. In: Seminarium Kondakovianum VII [1935], S. 245–262; VIII [1936], S. 161–182; IX [1937], S. 71–85; X [1938], S. 155–178; XI [1940], S. 95–128; Pelliot: À propos des Comans).

4 Wenn Julian die Mongolen als Söhne Ismaels bezeichnet, bezieht er sich auf ein alttestamentarisches Motiv. Nach Gen. 16,12 prophezeite ein Engel der Hagar über ihren Sohn Ismael: „Ein Wildeselmensch wird er werden. Seine Hand wird gegen jedermann und jedermanns Hand wird gegen ihn sein. Allen seinen Brüdern entgegengesetzt wird er wohnen."
Der biblische Ismael fand Eingang in die Chroniken des Mittelalters. Als Urbild der ungläubigen wilden Nomaden, die am Ende der Tage die Welt erobern, taucht das biblische Sinnbild Ismaels und seiner Nachkommen zum ersten Mal in der Prophetie des syrischen Schriftstellers Methodios von Patara (Pseudo-Methodios) um 700 auf. Seit dem 12. Jahrhundert begegnet der auf Sarazenen und innerasiatische Steppennomaden übertragene Topos uns auch in den Schriften abendländischer wie byzantinischer und slavischer Autoren (vgl. dazu E. Sackur: Sibyllinische Texte und Forschungen. Pseudomethodius, Adso und die tiburtinische Sibylle. Halle 1898, S. 3 ff.; Bezzola: Mongolen, S. 41–43; S. Cross: The earliest allusion in slavic literature to the Revelations of Pseudo-Methodius. In: Speculum IV [1929], S. 329–339).

5 Nach dem oben (Anm. 4) Gesagten muß die Bemerkung Julians, die Tataren wollten selbst Ismaeliten genannt werden, rätselhaft erscheinen. Nun betont bereits der persische Geschichtsschreiber Rašīd ad-Dīn, einer der besten Kenner der mongolischen Gesellschaft, daß die Gefolgsleute Činggis Khans sich als „Mongolen" (Moal, Mongol) bezeichneten und dieser Selbstbenennung den Vorzug vor der Bezeichnung Tatar gaben (Rašīd ad-Dīn. Sbornik Letopisej I/1. Aus dem Persischen übersetzt von L. A. Chetagurov. Moskva, Leningrad 1952, S. 92).
Die Klangähnlichkeit des Namens Moal, Mongol mit dem Ismaels mußte westliche Reisende zusätzlich verleiten, die Mongolen mit den „Söhnen Ismaels" gleichzusetzen (Dörrie: Drei Texte, S. 167; Bezzola: Mongolen, S. 42).

6 In der Vorstellungswelt Julians waren dunkle Nachrichten über ein Land Cathay (China) mit dem biblischen Hinweis auf die Deportation der jüdischen Stämme Ruben, Gad und Manasse in das Land Gozan zu einer untrennbaren Überlieferung verschmolzen (zum Lande Gozan vgl. 1 Chr 5; Kön 17,6; 18,11; 19,12, und Jes 13,17).

7 Hier folgt eine Darstellung über Herkunft und Aufstieg der Mongolen, die einerseits stark legendär gefärbte Züge auf-

weist, zum anderen jedoch – wenn auch zum Teil verzerrt – historische Ereignisse und Persönlichkeiten erwähnt, die für die Ausbreitung des mongolischen Weltreiches von Bedeutung waren. Der Inhalt des Berichts verrät außerdem ein so hohes Maß von Einfühlungsvermögen in die Kultur und das Weltbild der Steppennomaden, daß als verbürgt gelten darf, Julian habe seine Nachricht von Gewährsleuten erhalten, die in enger Berührung mit den Tataren standen oder zu ihnen gehörten. So weist der Mönch an anderer Stelle deutlich darauf hin, daß er den Gesandten des Großkhans, die dessen Brief an König Béla mit sich führten, begegnet sei (vgl. oben S. 107). Wenig später ist davon die Rede, daß die Dominikaner bei ihrer Reise durch Kumanien einen des Mongolischen mächtigen Dolmetscher fanden, der ihnen die Botschaft des Tatarenherrschers übersetzt habe (vgl. oben S. 107).

8 Der Name Gurgutam geht zurück auf die bereits bei den Qara Khitai übliche Rangbezeichnung *Gür Qan* „großer, mächtiger Herrscher“, die später von den Mongolen übernommen und auf die Titulaturen der jeweils herrschenden Großkhane übertragen wurde (W. Heissig: Zum Namen und zur Person des Gurgutam. In: Dörrie: Drei Texte, S. 198–201; K. H. Menges: Der Titel Kür-chan der Qara Qytai. In: Ural-Altaische Jahrbücher XXIV [1952], S. 84–88; Doerfer: Elemente III, S. 633–637).

Da Julian an anderer Stelle berichtet (vgl. oben S. 103), Gurgutam habe den Westfeldzug gegen den Sultan von Hornach (den Chorezm Šāh Ǧalāl ad-Dīn Muhammad, der als „Sultan des Islam“ Transoxanien, Persien und fast das gesamte heutige Afghanistan unter seiner Herrschaft vereinigt hatte) eröffnet und dessen Reich unterworfen, lassen sich diese Angaben nur auf Činggis Khan selbst beziehen (Heissig nahm fälschlich an, Gurgutam sei gleichzusetzen mit dem Činggis Khan-Sohn Ǧūǧī, der 1221 Urgenč eroberte. Dörrie: Drei Texte, S. 200). Ǧūǧī (Joči) aber führte im Gegensatz zu seinem Bruder Ögödäi, der noch vor seiner Erhebung zum Kaiser als *Khan* bezeichnet wurde (Geheime Geschichte, ed. E. Haenisch § 269, S. 136), niemals den Titel eines *Gür [Kür] – Qan*.

Eine Bestätigung für die Gleichsetzung von Gurgutam und Činggis Khan findet sich in einem Brief, den ein namenloser ungarischer Bischof an Guillaume d'Auvergne, den Bischof von Paris, richtete und der uns in zwei Fassungen bei Matthaeus Parisiensis und in den Annalen von Waverley erhalten blieb (beide Texte wurden in die vorliegende Sammlung aufgenommen. Vgl. hier S. 277–279). Der Autor des Schreibens muß, da er im Auftrag Bélas IV. das Verhör gefangener mongolischer Kundschafter durchzuführen hatte, als besonders vertrauenswürdiger Zeuge angesehen werden (vgl. unten S. 273). Während der Mongolenherrscher in den Annalen von Waverley unter dem Namen *Churchitan* in Erscheinung tritt (Annales de

Waverleia, S. 325. Vgl. hier S. 278), der offenbar lediglich eine
weitere Variante zu Gurgutam ist, bezeichnet Matthaeus
Parisiensis denselben Herrscher als *Zingiton* (CM, VI, S. 76. Im
vorliegenden Band auf S. 278). *Zingiton* aber ist eine verderbte
Version von Činggis Khan.

Auch die Geschichte vom Frauenraub bei Julian weist unüber-
sehbare Parallelen zu Vorfällen auf, die die „Geheime Geschichte" überliefert. Hier ist es zwar nicht, wie bei Julian, die
Schwester des Herrschers, die Anlaß zum Krieg zwischen den
benachbarten Stämmen bietet, doch werden in der Geheimen
Geschichte gleich Mutter und Gattin des regierenden Großkhans von den rivalisierenden Stämmen entführt und um-
kämpft (Geheime Geschichte, ed. E. Haenisch, § 55–56, S. 8–9,
§ 102, S. 23).

9 Daß Frauen bei den Mongolen im Ernstfall die Aufgaben von
Männern wahrnehmen, ja mitunter aktiv am Kriegsgeschehen
teilnehmen konnten, wird von der Forschung gern in Abrede
gestellt. Man verwies die zahlreichen Nachrichten abendländischer Chronisten über die Kampfeslust und Grausamkeit der
Tatarenfrauen als „Greuelpropaganda" in das Reich der
Legende (so auch Dorrie: Drei Texte, S. 168, Anm. 1,4, und
Bezzola: Mongolen, S. 45 f.), ohne indes zur Kenntnis nehmen
zu wollen, daß ungeachtet aller Übertreibungen, die sich in den
westlichen Berichten finden, auch die einheimische mongolische Überlieferung nicht selten rühmend hervorhebt, daß
tatarische Frauen ihrer Rolle als Herrscherin und Heerführerin
durchaus gerecht zu werden vermochten.

Besonders die „Geheime Geschichte" bezeugt, welch hohes Ansehen vor allem die weiblichen Angehörigen der Fürstenfamilien
genossen. So wurden Frauen zu Beratungen hinzugezogen und
über geheime Vereinbarungen unterrichtet (Geheime Geschichte,
ed. E. Haenisch, § 169, S. 59; § 245, S. 117; § 265, S. 133). Die
Hauptfrau des designierten Herrschers nimmt an dessen Erhebung zum Großkhan gleichberechtigt teil, d. h., sie wird wie
der Khan auf eine Filzdecke gesetzt und zur *qatun*, zur „Kai-
serin", erhoben (aus dem Bericht des Simon von St. Quentin,
zitiert nach Johann de Plano Carpini: Geschichte, ed. F. Risch,
S. 242. Leider war mir die neueste Ausgabe der Histoire des
Tartares, ed. J. Richard in: DRHC VIII, 1965 nicht zugänglich). Nach dem Tode des Khans führt sie die Regentschaft
für dessen unmündige Nachfolger (Geheime Geschichte, ed.
E. Haenisch, § 69–78, S. 12–15; § 240, S. 113). Sie wie die übrigen
Gemahlinnen des Herrschers verfügten über gesonderte Hof-
haltungen (SF I, S. 50; vgl. Al-'Umarī: Das Mongolische
Weltreich, S. 202) und Einnahmequellen (Geheime Geschichte,
ed. E. Haenisch, § 215, S. 101), ja sie wurden bisweilen bei der
Verteilung von Kriegsbeute berücksichtigt (Geheime Geschichte,
ed. E. Haenisch § 242, S. 114). Selbst in den mongolischen Teil-
reichen, die in der Folgezeit den Islam übernahmen, scheinen

die Frauen ihren Einfluß nicht eingebüßt zu haben (Al-'Umarī: Das Mongolische Weltreich, S. 136). Nicht selten begleiten die Frauen ihre Männer in die Schlacht (Jean de Joinville: Histoire de Saint Louis, Texte originale par N. de Wailly. Paris 1906 XCV, § 488; Geheime Geschichte, ed. E. Haenisch, § 257, S. 129; § 265, S. 133) und greifen im Ernstfall ins Kampfgeschehen ein (d'Ohsson: Histoire, I, S. 329).

10 Urgenč, die Residenz des Chorezm Šāh.

11 Ein Kumanenhäuptling Euthet ist aus anderen Quellen nicht bekannt.

12 Unklar war bislang, wer sich hinter der Gestalt des „Gureg vom Flusse Buchs" verbarg. Die Lösung des Rätsels bietet eine chinesische Biographie des mongolischen Feldherrn Sübödäi. Sie berichtet, Sübödäi habe im Verlauf seines Kaukasusfeldzuges im Jahre 1223 die verbündeten Fürsten Juk-li-kit *(Yü-li-ghi)* und T'at-t' at-hap-rh am Flusse Put-tsu *(Bu-dsu)* unweit des Passes von Derbent besiegt (Bretschneider: Mediaeval Researches I, S. 297 f.; Marquart: Volkstum, S. 78, 152 f.). Es fällt nicht schwer, den Kumanenfürsten Juk-li-kit mit dem Gureg des frater Julian zu identifizieren. Den altrussischen Chroniken ist nämlich zu entnehmen, daß es sich um Jurij, den Sohn des Kumanenkhans Končak aus dem Stamm der Sügürčis, handelte (Marquart: Volkstum, S. 155). Auch die Flußnamen Buchs und Bu-dsu stimmen auffällig überein. Offenbar hatte Julian auch hier lediglich die Namen historischer Personen und Orte in Erfahrung gebracht, ohne daß es ihm gelang, sie verläßlich in tatsächliche Ereignisse einzuordnen.

13 Der Brauch, den Verurteilten durch Pferde zu Tode schleifen zu lassen, wird auch für die Tataren an anderer Stelle bezeugt (Spuler: Goldene Horde, S. 365; Juvaini: History, S. 207).

14 Nach dem Zeugnis der oben (Anm. 12) genannten chinesischen Quelle war Gureg (Juk-li-kit, Jurij) nach der Schlacht den Mongolen zunächst entronnen, später aber durch Verrat in ihre Hände gefallen (Marquart: Volkstum, S. 152). Offenbar kam er aber erneut frei, um später in der Schlacht an der Kalka gegen die Tataren zu fallen (ebd. S. 148).

15 Hier setzt bei Julian die historisch gesicherte Überlieferung ein. Er bezieht sich auf Ereignisse, die zum Ausbruch des Krieges zwischen den Mongolen und dem Chorezm Šāh führten: Die Chorezmier hatten im Jahre 1218 eine Handelskarawane, die aus dem Mongolenreich kam und in der sich ein Gesandter Činggis Khans befand, ausgeplündert und die Kaufleute ermordet. Da alle Forderungen der Mongolen auf Wiedergutmachung des erlittenen Schadens unbeantwortet blieben, traf Činggis Khan Vorbereitungen zum Krieg gegen das Reich der Chorezmier (Barthold: Zwölf Vorlesungen, S. 157 f.; Spuler: Mongolen in Iran, S. 25 f.).

16 Tatsächlich ließ Činggis Khan seinen Anspruch auf die Weltherrschaft zum ersten Mal offiziell auf der großen mongoli-

schen Reichsversammlung *(quriltai)* des Jahres 1206 verkünden. Der persische Historiker Ǧuwainī gibt die mongolische Auffassung getreu wieder, wenn er betont, Činggis Khan habe vom höchsten Himmelsgott den Auftrag zur Eroberung der Welt erhalten (Juwaini: History, S. 39). Ähnliche Berichte von der göttlichen Berufung Činggis Khans geben auch andere persische Autoren (die Belege sind gesammelt bei Al'-'Umarī: Das Mongolische Weltreich, S. 190 f.). Eine andere Version findet sich bei armenischen Chronisten. So berichtet Grigor von Akanc', ein Engel in Adlergestalt habe dem Mongolenfürsten den Titel eines Großkhans (Gayan, d. h. Khagan) verliehen und ihn zum Weltenherrscher erhoben (Grigor of Akanc': History of the Nation of the Archers [the Mongols]. Ed. with an English Translation and Notes by R. P. Blake and R. N. Frye in: Harvard Journal of Asiatic Studies XII [1949], S. 289–291). (Zum mongolischen Weltreichsgedanken vgl. Al'-'Umarī: Das Mongolische Weltreich, S. 190–196; Doerfer: Elemente II, S. 577; III, S. 141–180; O. Turan: The Ideal of World Domination among the Medieval Turks. In: Studia Islamica IV (1955), S. 77–90; W. Kotwicz: Les Mongols, promoteurs de l'idée de paix universelle au début du XIIIe siècle. In: La Pologne au VIe Congrès International des Sciences Historiques I [Warszawa 1933], S. 199–204; M. de Ferdinandy: Tschingiz Chan. Hamburg 1958, S. 92–98.)

17 Land und Stadt Saqsīn der Oghuzen-Türken an der unteren Volga (vgl. F. Risch: Wohnsitze und Abstammung der Saxi. In: Johann de Plano Carpini: Geschichte, ed. F. Risch, S. 312–324; Bretschneider: Mediaeval Researches I, S. 296). Marquart und Pelliot suchen Saqsīn 40 Tagesreisen südlich von Bolgar (Marquart: Volkstum, S. 56 f.; Pelliot: Notes, S. 165–174).

18 Das Land der volgafinnischen Čeremissen, die sich selbst als Mari bezeichnen und in den russischen Chroniken als Merja in Erscheinung treten (Povest' vremennych let. I. Tekst i perevod, ed. D. S. Lichačev. Moskva, Leningrad 1950, S. 10. Zu ihrem mittelalterlichen Siedlungsgebiet siehe M. Vasmer: Schriften zur slavischen Altertumskunde und Namenkunde. I. Berlin 1971, S. 351–354. Vgl. auch Décsy: Einführung, S. 105 f.).

19 Der Volgabulgaren.

20 Vgl. oben S. 78 (Riccardus cap. 3,17).

21 Das Land *Wedin, Weda,* nennt Riccardus in Verbindung mit dem Volk der Burtassen oder Merdas-Mordvinen, die im Gegensatz zu ihren nördlichen Stammesverwandten zum Islam übergetreten waren und die Lebensweise der Steppenvölker angenommen hatten (Göckenjan: Bild der Völker, S. 133). Die Ähnlichkeit des Namens *Vedin* mit dem der bulgarischen Stadt Vidin ist zufällig und berechtigt keinesfalls zu kühnen Hypothesen.

22 Ein Land „Poydowia" ist aus anderen Quellen nicht bekannt.

23 Die Mordvinen.

24 Daß die Mordvinen sich bereits im 13. Jahrhundert in zwei Stammesgruppen, die späteren Mokša- und Erza-Mordvinen, gliederten, bezeugt auch Wilhelm von Rubruk (SF I, S. 198 ff.).

25 Anscheinend unterwarfen die Mongolen nur das Volk der Burtassen, während sich die nördlichen Mokša-Mordvinen in die Wälder zurückzogen, um dort gegen die Mongolen ebenso wie später gegen die Russen „Kleinkrieg" zu führen (Spuler: Die Mordvinen, S. 94–105). Vom tapferen Widerstand der Mordvinen gegen die Tataren weiß noch Sigismund von Herberstein zu berichten (Rerum Moscoviticarum Commentarii Sigismundi Liberi Baronis in Herberstein ... Basileae 1571, Nachdruck Frankfurt a. M. 1964, S. 65).

26 Julian spricht hier von vier Mongolenheeren, die den Westfeldzug eröffneten, beschreibt aber im folgenden lediglich drei Angriffskeile, die bei Suzdal', Rjazań und Voronež ihre Ausgangsstellungen bezogen hatten. Tatsächlich wird die Dreiteilung des mongolischen Heeres von anderen Quellen ausdrücklich bestätigt (C. de Bridia: Hystoria Tartarorum, S. 17–22; Bretschneider: Mediaeval Researches, I, S. 308–320). Der Aufmarsch des mongolischen Heeres erfolgte nach einem strategischen Plan, der sorgfältige Vorbereitung und umfassende Kenntnis der geographischen Gegebenheiten erkennen läßt und in abgewandelter Form erneut Anwendung fand, als Bātū im Frühjahr 1241 das Königreich Ungarn angriff (vgl. S. 203).

27 Hier irrt Julian. Die Mongolen eroberten Rjazań am 21. Dezember 1237 und machten die gesamte Bevölkerung der Stadt nieder. Auch der Fürst von Rjazań, der der Aufforderung, sich freiwillig zu unterwerfen, nicht nachgekommen war, wurde mit seiner Gemahlin zusammen hingerichtet (Spuler: Goldene Horde, S. 17).

28 Der Don.

29 Die Stadt Voronež.

30 Zu den Winterfeldzügen der Mongolen bemerkt George Vernadsky: „Subuday [mongolischer Feldherr] betrachtete den Winter als beste Jahreszeit, um militärische Operationen in Nordrußland durchzuführen. Natürlich ist der Winter in der Mongolei selbst sehr streng, und die Mongolen hatten sich an seine Härte gewöhnt; außerdem waren sie durch ihre Pelzkleidung gut gegen die Kälte geschützt. Auch die mongolischen Pferde konnten die große Kälte ertragen und vermochten, wenn der Schnee nicht zu hoch lag, noch Blätter oder Grasstoppeln unter ihm zu finden. Der größte Vorteil der Winterfeldzüge bestand darin, daß die zahlreichen Flüsse und Seen des nördlichen Rußlands zugefroren waren. So wurden die Operationen der Angreifer erleichtert" (G. Vernadsky: Mongols and Russia, S. 50). Auch in Ungarn überqueren die Mongolen später die Donau in Richtung Westen erst, als der Strom im Winter zufriert (vgl. unten S. 180).

31 Činggis Khan starb am 18. oder 25. August 1227 im Alter von 72 Jahren. Das exakte Todesdatum läßt sich nicht mehr ermitteln. Während die chinesischen Annalen den 18. August angeben, treten die persischen Historiker für das spätere Datum ein (P. Pelliot: Notes on Marco Polo I, S. 305–309).

32 Die Nachfolge auf dem Thron des Großkhans trat Ögödäi, der dritte Sohn Činggis Khans, an, der von 1229 bis 1241 regierte.

33 Als Großkhan residierte Ögödäi nicht in Urgenč (= Hornach), sondern in Karakorum.

34 Der große persische Geschichtsschreiber Rašīd ad-Dīn (1247 bis 1318) gibt von der Sommerresidenz des Großkhans Ögödäi bei Karakorum eine Darstellung, die der Palastbeschreibung Julians auffallend ähnelt. Rašīd ad-Dīn berichtet: „Er [Ögödäi] befahl, daß muslimische Baumeister eine Tagesreise von Karakorum einen Pavillon errichten sollten ... Sie schlugen dort ein Zelt auf, das mehr als tausend Menschen umfaßte und das man nie mehr abbrach. Die Streben waren aus Gold, das Innere war mit kostbaren Stoffen ausgeschlagen; man nannte es „Goldene Horde" *(sira orda)* (Rashīd ad-Dīn: The Successors, S. 63).

Über ein goldenes Palastzelt verfügte bereits Ong Khan (d. h. „Prinz-Khan". Ong läßt sich vom chinesischen *wang* „Prinz", „Fürst" ableiten), Fürst der christlichen Kereit-Mongolen und lange Zeit als Khan „Vater", d. h. Oberherr Temüjins, des späteren Činggis Khans (Geheime Geschichte, ed. E. Haenisch, § 184, S. 72).

35 Ganz ähnlich beschreibt Ibn Baṭṭūṭā im 14. Jahrhundert den Thron des Khans der Goldenen Horde (Tuhfat an-nuzzār fī garā 'ib al-amṣār wa 'aǧā 'ib al-asfār. Voyages d'Ibn Batoutah. Texte arabe, accompagné d'une traduction par C. Defrémery et B. R. Sanguinetti. Bd. I–IV. Paris 1853–1858. Hier zitiert aus II, S. 406).

36 Bei den Mongolen galt die Türschwelle als Sitz des Hausgottes, der dort über den Eingang wachte, als heilig (J. Witte: Das Buch des Marco Polo als Quelle für die Religionsgeschichte. Berlin 1916, S. 44 f.). So führt die Türschwelle in Činggis Khans Palastjurte die Bezeichnung *altan bosoqa* „goldene Schwelle" (Geheime Geschichte, ed. E. Haenisch, § 137, S. 40). Bereits in der „Großen Yasa", dem Gesetzeswerk Činggis Khans, findet sich die Verordnung: „Ebenso soll man den töten, der mit dem Fuß auf die Schwelle des Zeltes des Heerführers tritt" (zitiert nach Alinge: Mongolische Gesetze, S. 120; Al-'Umarī: Das Mongolische Weltreich, S. 97). Daß man am Hofe des Großkhans nicht zögerte, eine derartige Übertretung durch die Vollstreckung der Todesstrafe zu sühnen, bezeugen Carpini (SF I, S. 107, 120) und Rubruk (SF I, S. 262) ebenso wie Odericus von Pordenone (SF I, S. 474). Das Verbot behielt seine Gültigkeit in der Goldenen Horde (d'Ohsson: Histoire III, S. 388) wie am persischen Hof der Ilchane (Spuler: Mongolen in

Iran, S. 172), und noch im 19. Jahrhundert sah man bei Kalmücken (B. Bergmann: Nomadische Streifereien unter den Kalmücken in den Jahren 1802 und 1803. Riga 1804. II, S. 264) und Ostmongolen (N. M. Prschewalski: Reisen in der Mongolei. Jena 1881, S. 68) die Berührung der Türschwelle als Frevel an.

37 Mit Recht weist Dörrie darauf hin, daß für Julian jenseits des Meeres das Heilige Land lag (Drei Texte, S. 175). Julian erwähnt somit Vorbereitungen zu einem Feldzug, den der mongolische Heerführer Baijū 1242–1245 gegen die Seldschuken unternahm (Spuler: Mongolen in Iran, S. 43 f.).

38 Berke, ein Bruder Bātūs und Enkel Činggis Khans, hatte nach Rašīd ad-Dīn seit dem Frühjahr 1237 die Kumanen am Nordufer des Kaspischen Meeres und an der unteren Volga angegriffen und zersprengt (Rašīd ad-Dīn: The Successors, S. 60). Nur ein Teil der Kumanen unter dem Fürsten Kotjan (Kuthen) war dem Ansturm der Mongolen entronnen und nach Ungarn geflohen (vgl. S. 141).

39 Vgl. S. 104.

40 Die Bogenschützen der Mongolen bewundert auch Marco Polo, wenn er schreibt: „In erster Linie verwenden sie Bogen, denn sie sind außergewöhnlich gute Schützen, die besten der Erde" (Marco Polo: Description I, S. 171). Nach einigen Zeugnissen konnte ein mongolischer Bogenschütze seinen Gegner auf eine Entfernung von 200 bis 400 Metern treffen (Grousset: Steppenvölker, S. 314). In der neueren Fachliteratur wird aber eine solche Reichweite für die Komposit- und Reflexbögen der innerasiatischen Reiternomaden rundweg bestritten. So behauptet Mc Leod, daß Bogenschützen bis zu 50 oder 60 Metern genau zielen und eine Höchstweite von 160 bis 175 Metern erzielen konnten, keinesfalls aber 400 Meter erreichten (W. Mc Leod: The Range of the Ancient Bow. In: Phoenix XIX [Toronto 1965], S. 13 f.).

Die Mongolen selbst schätzten die Kraft und Reichweite ihrer Bögen freilich höher ein. Aus der „Geheimen Geschichte" kennen wir nur maßlos übertriebene Angaben. So rühmt sie an Qasar, dem Bruder Činggis Khans: „Feinde, mit denen er in Kampf gekommen ist und die sich an der anderen Seite des Feldes befinden, schießt er, wenn er seinen Käyibür-Pfeil anzieht und abschnellt, durch mehrere Menschen glatt hindurch. Wenn er mit starkem Zug schießt, so schießt er über eine Strecke von 900 Klaftern (ca. 1530 m). Wenn er mit schwachem Zug schießt, so noch über eine Strecke von 500 Klaftern (ca. 850 m) (ed. E. Haenisch, § 195, S. 83; weitere Belege bei Spuler: Mongolen in Iran, S. 410; offenbar gab es aber ein breites Sortiment von Pfeilen und Bögen, die an Reichweite und Treffsicherheit stark divergierten. Vgl. dazu Ligeti: Titkos történet, S. 167).

41 Zahlreiche zeitgenössische Autoren heben hervor, daß die Mongolen den Kampf mit einem Hagel von Pfeilen eröffneten, so Rogerius von Torre Maggiore (vgl. unten S. 162), C. de Bridia (Hystoria Tartarorum, S. 35) und Thomas von Spalato (vgl. unten S. 243, 247). Ähnliche Berichte stammen von russischen Chronisten (PSRL X, Nikinovskaja Letopis, S. 177, PSRL XXV, S. 131. Deutsche Übersetzung in: P. Nitsche: Der Aufstieg Moskaus, I, S. 74). Die „Geheime Geschichte" schließlich erwähnt ausdrücklich das Pfeilgefecht *(qarbulalduqu)*, mit dem die Mongolen die Schlacht eröffneten (ed. E. Haenisch, § 79, S. 15).

42 Im Jahre 1203 ordnete Činggis Khan an, sein Heer zu zählen und dessen Gliederung auf der Grundlage des Dezimalsystems vorzunehmen: „Sie [die Mongolen] stellten dort ihre Zahl fest, und er [Činggis Khan] teilte sie zu Tausendschaften ein und bestellte dort Tausendschaftsführer, Hundertschaftsführer und Zehntschaftsführer" (Geheime Geschichte, ed. E. Haenisch, § 191, S. 77 f. Dazu Ligeti: Titkos Történet, S. 166; vgl. auch Juvaini: History, S. 31–34, 81, und Alinge: Mongolische Gesetze, S. 120).

Die Einteilung des mongolischen Heeres in Zehnt-, Hundert-, Tausend- und Zehntausendschaften, wie sie Činggis Khan 1203 vornahm, entbehrte – so revolutionierend sie auf den ersten Blick scheinen mag – keineswegs der Vorbilder. Spuren einer auf der Dezimalordnung fußenden Heeres- bzw. Gesellschaftsordnung finden sich bei zahlreichen türkischen und mongolischen Völkern Zentral- und Ostasiens (Doerfer: Elemente III, S. 67–69; zum Gesamtkomplex neuerdings Göckenjan: Zur Stammesstruktur und Heeresorganisation altaischer Völker. Das Dezimalsystem. In: K.-D. Grothusen – K. Zernack [Hrsg.]: Europa slavica – Europa orientalis. Festschrift für Herbert Ludat zum 70. Geburtstag. Berlin 1980, S. 51–86).

43 Die Neuordnung der Heeresverfassung erleichterte die Eingliederung der unterworfenen Völker und löste zum Teil die alten Stammesverbände auf (vgl. oben S. 25).

44 Der Brauch der Mongolen, Kriegsgefangene an die Spitze des Heeres zu stellen und mit Gewalt in den Kampf zu treiben, findet in zahlreichen Quellen Erwähnung. So berichtet schon Matthaeus Parisiensis: „Die Tataren ... haben Städter und Bauern niedergemetzelt. Und wenn sie zufällig einige von ihnen auf deren Sitten hin verschonten, so zwangen sie diese wie rechtlose Sklaven, in den vordersten Reihen gegen ihre eigenen Nachbarn zu kämpfen. Und wenn manche nur zum Schein kämpften oder sich versteckten, um zu fliehen, so setzten die Tataren ihnen nach und machten sie nieder. Wenn sie aber tapfer kämpften und siegten, dankte man es ihnen nicht (CM IV, S. 76; ähnlich auch Carpini: SF I, S. 82, 95 f.).

Die Methode, Angehörige unterworfener Völkerschaften zum Kampf zu zwingen, brachten die Mongolen bei ihrem Einfall in Ungarn so erfolgreich zur Anwendung (vgl. unten die Berichte des Rogerius und des Thomas von Spalato, S. 179, 252), wie bei ihren Eroberungszügen in Mittelasien und China (zahlreiche Belege bei: Juvaini: History I, S. 106; Spuler: Mongolen in Iran, S. 28, 418; J. J. Saunders: The History of the Mongol Conquests. London 1971, S. 59–66; Bezzola: Mongolen, S. 88 f.). Die rücksichtslose Verwendung verachteter Hilfsvölker ist jedoch keineswegs als mongolische Erfindung anzusehen, sondern war bei vielen Steppenvölkern üblich, so auch bei Awaren und Ungarn (A. Kollautz: Geschichte und Kultur eines völkerwanderungszeitlichen Nomadenvolkes. Die Jou-Jan der Mongolei und die Awaren in Mitteleuropa. I. Teil: Die Geschichte. Klagenfurt 1970, S. 228–231; J. Deér: Karl der Große und der Untergang des Awarenreiches. In: Karl der Große: Lebenswerk und Nachleben. Ed. W. Braunfels. I. Düsseldorf 1966, S. 734–737; Göckenjan: Hilfsvölker, S. 36). Den Kampfwert solcher Hilfstruppen veranschlagte man bei den Reiternomaden naturgemäß nicht sehr hoch. So wird vom Awarenkhagan Bajan überliefert, er habe Krieger aus dem Volk der Kutriguren mit der Bemerkung in die Schlacht entsandt, er werde deren Untergang nicht allzu sehr bedauern (Menandros: Excerpta de legationibus. Ed. C. de Boor. Berolini 1903, S. 196). Činggis Khan verleiht seiner Mißachtung der Gefangenenkontingente Ausdruck, wenn er diese einem Schafhirten unterstellt (Geheime Geschichte, ed. E. Haenisch, § 222, S. 104).

45 Bei den Tatar handelte es sich ursprünglich um eine mongolische Stammesföderation, deren Name erstmals in einer alttürkischen Inschrift vom Orchon-Fluß im Jahre 731/32 Erwähnung findet (vgl. Thomsen: Alttürkische Inschriften, S. 147) und in der chinesischen Form Ta-ta in einem Brief aus dem Jahre 842 wiederkehrt (Al-ʻUmarī: Das Mongolische Weltreich, S. 301, Anm. 35; Pelliot – Hambis: Histoire, S. 2–9). Die Tatar hatten im 12. Jahrhundert die Vormachtstellung über die übrigen Mongolenstämme errungen. Erst Činggis Khan gelang es im Bündnis mit den Kereit, die Vorherrschaft der Tatar abzuschütteln, deren Liga zu zerschlagen und die Angehörigen dieses Volkes auf die anderen mongolischen Stämme zu verteilen (Geheime Geschichte, ed. E. Haenisch, § 153–154, S. 52 f.; Ligeti: Titkos történet, S. 158; Poucha: Geheime Geschichte, S. 57 f.).
Während der Name *Manghol, Mongol,* der uns zum ersten Mal in den Annalen der chinesischen Dynastie der Tang (602–901) als *Šiwei Mong-gu*, „Stamm Mongu", begegnet (D. Banzarov: Černaja verja ili šamanstvo u mongolov i drugija stati Dordži Banzarova. Pod. red. T. N. Potanina. St. Petersburg 1891, S. 70–76) und sich nach 1206 als Bezeichnung für alle unter der Herrschaft Činggis Khans vereinten Mongolen einbürgerte, verwendete man den Namen *Tatar* für später unterworfene

oder angeschlossene Völker (vgl. Bezzola: Mongolen, S. 42 f.), vor allem türkischer Herkunft (zur Verschmelzung mongolischer und türkischer Volkselemente vgl. Spuler: Goldene Horde, S. 285–290).

46 Vgl. unten S. 252.

47 Der Perser Ğuwainī berichtet, daß die Mongolen die männlichen Einwohner Bucharas beim Sturm auf die Zitadelle der Stadt vor sich her getrieben hätten (Juvaini: History, S. 106). Wenig später zwingen sie dasselbe bucharische Aufgebot zum Angriff auf die Städte Samarqand und Dabūsiya (Juvaini: History, S. 117). Nicht anders verfuhren die Mongolen bei ihren Westfeldzügen (vgl. unten S. 179; SRH II, S. 582. Weitere Belege bei Spuler: Mongolen in Iran, S. 417 f.).

48 Jurij II. Vsevolodovič, Großfürst von Vladimir und Fürst von Suzdal' (1212–1238). Er fiel am 4. März 1238 in der Schlacht am Sit' gegen die Mongolen.

49 Den Beschluß, einen umfassenden Westfeldzug zu unternehmen, in dessen Verlauf die Eroberung Ungarns und Polens in Angriff genommen werden sollte, faßte die mongolische Reichsversammlung *(quriltai)* im Jahre 1235 (Juvaini: History, S. 196–200; Spuler: Goldene Horde, S. 16). Der Hinweis Julians, daß die Tataren Tag und Nacht berieten, wie sie Ungarn einnehmen könnten, verrät, wie sorgfältig sie auch diesen Feldzug planten und vorbereiteten.

50 Noch eindringlicher warnt Carpini die abendländischen Fürsten: „. . . weil es mit Ausnahme der Christenheit sonst kein Land auf Erden gibt, das sie [die Mongolen] fürchten, so rüsten sie sich zum Krieg gegen uns. Deshalb möge man allerseits folgendes wohl beherzigen: . . . Dieser Kuiuk-chan [der Großkhan Güjük] nun pflanzte mit allen seinen Fürsten die Fahne des Krieges gegen die Kirche Gottes und das Römische Reich, gegen alle christlichen Königreiche und die Völker des Abendlandes auf; es müßte denn gerade sein, daß sie [freiwillig] tun, was er dem Papst, den Machthabern und allen christlichen Völkern des Abendlandes gebietet" (SF I, S. 93–94). Kein Geringerer als Friedrich II. trug solchen Alarmrufen Rechnung, wenn er seinerseits in einem Brief warnte: „. . . sie [die Tartaren] haben die Absicht, sich den ganzen Westen zu unterwerfen" (Matth. Paris.: CM IV, S. 118). Die Mongolen selbst ließen keinen Zweifel an ihren Absichten aufkommen, sich auch den Okzident botmäßig zu machen. Wie eine unheilvolle Bestätigung der Warnungen Carpinis klingt jenes Schreiben des Großkhans Güjük, das der Gesandte nach seiner Rückkehr Papst Innozenz IV. übergab. Darin heißt es u. a.: „In der Kraft des ewigen Himmels erteilen wir, der Meeres Khan des ganzen großen Volkes der Erde unseren Befehl. Dies ist ein Befehl, gesandt an den großen Papst, damit er ihn kenne und begreife . . . Die Bitte um Unterwerfung, die Ihr uns übermittelt habt, haben wir durch Eure Gesandten

empfangen. Und wenn Ihr Euren eigenen Worten entsprechend handeln wollt, so müßt Ihr, der große Papst, zusammen mit den Königen persönlich zu uns kommen, um uns zu huldigen. Und wir werden Euch dann die Befehle der Yasa wissen lassen . . ." (vgl. das persische Original des Schreibens und die lateinische Fassung bei P. Pelliot: Les Mongols et la Papauté. In: Revue de l'orient Chrétien XXIII [1922/23], S. 13–15, 17–18). Unmißverständlich kommt hier zum Ausdruck, daß die Bitte des Papstes um Aufnahme diplomatischer Beziehungen vom Mongolenherrscher nur als dessen Angebot, sich zu unterwerfen, angesehen wurde. Carpini betont an anderer Stelle: „Man muß wissen, daß sie [die Mongolen] mit niemandem Frieden schließen, der sich ihnen nicht unterworfen hat, da schon Činggis Khan die ausdrückliche Weisung erteilte, sie sollten sich alle Völker unterjochen" (SF I, S. 84–85). Ein derart universaler Herrschaftsanspruch ließ keinen Raum für Verträge unter gleichberechtigten Bündnispartnern und erlaubte den Fürsten, die sich dem Herrscherwillen des Großkhans noch nicht gebeugt hatten, lediglich die Wahl zwischen Unterwerfung und Krieg bzw. Ausrottung.

51 H. Dörrie vermutete, der Brief sei in arabischer Schrift aufgesetzt worden, in die man die mongolische Sprache des Textes transkribiert habe (Drei Texte, S. 178, Anm. 4,6). Indessen ist kein offizielles Dokument bekannt, in dem der mongolische Text mit arabischen Schriftzeichen wiedergegeben wird (E. Voegelin: The Mongol Orders of Submission to European Powers 1245–1255. In: Byzantion XV [1940/4], S. 394). Auch scheidet die Möglichkeit aus, daß das Schreiben, wie später der Brief Güjüks an Innozenz IV., in persischer Sprache und arabischer Schrift aufgesetzt war. Erwähnt doch Julian ausdrücklich eine tatarische Textfassung. Zu berücksichtigen ist vielmehr, daß schon unter Činggis Khan die Schrift der türkischen Uiguren von den Mongolen übernommen wurde (Poucha: Geheime Geschichte, S. 190). So bezeugt Ǧuwainī, daß die Generäle Činggis Khans den Einwohnern Chorezmiens Befehle in uigurischer Schrift übermittelten (Juvaini: History, S. 173). Daher erscheint die Annahme berechtigt, daß der Brief an König Béla IV. in mongolischer Sprache und uigurischer Schrift abgefaßt war.

52 Der an Béla IV. gerichtete Brief ist als ältestes bekanntes Zeugnis für eine unmittelbare Kontaktaufnahme zwischen mongolischen und abendländischen Herrschern anzusehen, wenngleich von mongolischer Seite schon vorher offenbar zahlreiche vergebliche Anläufe unternommen wurden – im Brief ist die Rede von 30 (?!) früheren Gesandtschaften –, Verbindung mit dem ungarischen König aufzunehmen. Schon die Einleitungsformel „Ego, Chayn, nuntius regis caelestis" weist den Brief als Originaldokument aus. Sie läßt die mongolische Wendung *tengri-yin küčündür* „durch die Kraft des

ewigen Himmels" erkennen, die häufig zu Beginn der kaiserlichen Sendschreiben im 13. und 14. Jahrhundert wiederkehrt
(vgl. Wł. Kotwicz: Formules initiales des documents mongoles
aux XIIIe et XIVe siècles. In: Rocznik órientalistyczny X
[1934], S. 134–140; E. Voegelin op. cit., S. 392–402; A. Mostaert
– F. W. Cleaves: Les lettres de 1289 et 1305 des ilkhan Arγun et
Ölĵeitü à Philippe le Bell [Harvard-Yenching Institute. Scripta
Mongolica. Monograph Series 1]. Cambridge, Mass. 1962,
S. 17–23, 55–58). Auch der Ausdruck „cui dedit potentiam
super terram" ist unschwer in Übereinstimmung zu bringen
mit dem mongolischen *qan manu üge,* „wir, der Khan, unser
Befehl" (Dörrie: Drei Texte, S. 179).
Einer ähnlichen Titulatur bedient sich noch der Großkhan
Möngke in einem Brief an König Ludwig den Heiligen von
Frankreich: „Das ist der Befehl des ewigen Gottes. Im Himmel
ist nur ein ewiger Gott und auf Erden sei nur ein Herrscher,
Činggis Khan . . ." (SF I, S. 307). Der Herrscher als Stellvertre-
ter des Himmelsgottes *(tengri)* auf Erden – so sahen sich
Činggis Khan und dessen unmittelbare Nachfolger wie vor
ihnen die sakralen Könige der Koktürken (Al-'Umarī: Das
Mongolische Weltreich, S. 193–197; Grousset: Steppenvölker,
S. 134–135; 306; Turan: The Ideal of World Domination,
S. 77–90).

53 Auf ähnliche Weise fordert schon Attila den oströmischen
Kaiser auf, ihm Flüchtlinge und Überläufer auszuliefern. Auch
er droht mit Krieg, wenn man ihm die Deserteure nicht
übergebe (E. Doblhofer: Byzantinische Diplomaten und östliche Barbaren [Byzantinische Geschichtsschreiber. Bd. IV],
Graz, Wien, Köln 1955, S. 23). Nicht anders verhielten sich die
Mongolen in der Kiever Ruś, als sie die russischen Fürsten
aufforderten, die Kumanen als „Knechte" der Mongolen
auszuliefern (Nitsche: Der Aufstieg Moskaus, S. 55).

54 Am 29. Juni 1237.

55 Am 6. September 1237. Die beiden Ordensbrüder scheinen sich,
wie bereits Dörrie vermutete (Drei Texte, S. 181), wieder bei
Julian eingefunden und mit ihm gemeinsam die Rückreise
angetreten zu haben.

56 Die Vorstellung von den Steppennomaden, die von Gott
gesandt seien, um die Menschheit für ihre Sünden zu strafen,
war im Mittelalter weit verbreitet. Sie taucht zu Beginn des
7. Jahrhunderts in Isidors Gotengeschichte auf (MGH Auct.
Ant. XI. Chronica minora II, S. 279) und findet am deutlichsten
in der sog. Legende von Troyes Ausdruck, die Attila auf die
Frage des Bischofs Lupus die Worte in den Mund legt: „Ich bin
Gottes Geißel." Darauf habe der Bischof erwidert: „Ich bin
Gottes Knecht, der die Schläge der Geißel seines Herrn
erwartet" (H. de Boor: Das Attilabild in Geschichte, Legende
und heroischer Dichtung. Darmstadt 1963², S. 8).

Das gleiche Motiv begegnet aber auch in der ungarischen Überlieferung, die noch in den Gesta des 14. Jahrhunderts erhalten blieb. Ihr zufolge habe Otto der Große die in der Schlacht am Lechfeld 955 gefangenen ungarischen Häuptlinge Bulcsu und Lél befragt, warum sie die Christen so grausam heimsuchten, und zur Antwort erhalten: „Wir sind die Rache des höchsten Gottes, von ihm über euch zur Geißel bestimmt; wenn wir aber aufhören, euch zu verfolgen, werden wir durch euch Gefangenschaft und Tod erleiden" (SRH I, S. 308).

Činggis Khan selbst aber habe – so Guwainī – nach der Einnahme Buhārās den Einwohnern der Stadt verkündet: „Wißt, daß ihr große Sünden begangen habt ... Wenn ihr mich nach dem Beweis für meine Behauptung fragt, so sage ich dies, weil ich die Strafe Gottes bin. Hättet ihr nicht große Sünden begangen, so hätte Gott nicht eine solche Strafe wie mich über euch herabgesandt" (Juvaini: History, S. 105).

57 Julian nimmt Bezug auf Richter 7, 15–25. Von einem Fluß Tartar ist dort indessen nicht die Rede. Die Vermutung, es könne sich hier um ein Mißverständnis handeln, erscheint um so begründeter, als Julian selbst betont, er habe von einem russischen Geistlichen erfahren, daß die Tataren identisch mit den Midianitern seien. In der Tat finden sich ähnliche Vorstellungen auch in dem Bericht, den ein russischer Erzbischof Peter vor dem Konzil von Lyon 1245 über die Tataren erstattete (Dörrie: Drei Texte, S. 188). Gleichwohl hält sich in den Chroniken hartnäckig die Ansicht, die Tataren hätten ihren Namen vom gleichnamigen Fluß entlehnt. Sie begegnet noch bei C. de Bridia und Carpini (Hystoria Tartarorum, S. 4; SF I, S. 51 f.; vgl. auch J. Becquet – L. Hambis: Jean de Plan Carpin: Histoire des Mongols. Paris 1965, S. 148 f., Anm. 34–37).

58 Julian unterscheidet hier deutlich zwischen den mongolischen Kerntruppen und später angeschlossenen Hilfsvölkern. Sosehr Zurückhaltung gegenüber den Zahlenangaben mittelalterlicher Autoren angebracht sein muß, Julians Angaben erscheinen in einem glaubwürdigeren Licht, wenn man die entsprechenden Belege aus anderen Quellen zum Vergleich heranzieht. So boten allein die Angaben der „Geheimen Geschichte" eine zuverlässige Grundlage für die Berechnung der Stärke des mongolischen Heeres gegen Ende der Regierungszeit Činggis Khans. Den Mitteilungen der „Geheimen Geschichte" wie auch zeitgenössischer chinesischer Quellen ist zu entnehmen, daß die mongolische Armee beim Tode Činggis Khans im Jahre 1227 auf 129.000 Mann angewachsen war und sich in einen linken Flügel mit 62.000 und einen rechten mit 38.000 Mann gliederte, während die restlichen Truppen das Zentrum und die Reserven bildeten (Martin: Mongol Army, S. 48–49; Vernadsky: Mongols and Russia, S. 127). Zählt man noch die kaiserliche Garde hinzu, die 9000 auserlesene Krieger umfaßte, so gelangt man zu einer Gesamtstärke von 138.000 Soldaten

(Martin: Mongol Army, S. 49). Insgesamt dürften sich diese Heeresmassen auf über zehn Prozent der Gesamtbevölkerung belaufen haben (Vernadsky: Mongols and Russia, S. 127). Julians Zahlenangaben dürften mithin als zuverlässig angesehen werden. Zu Recht ist darauf hingewiesen worden, daß das mongolische Heer durch den Anschluß fremder Hilfsvölker im Verlauf der späteren Eroberungszüge vielfach ergänzt und vergrößert wurde. So erwähnt Carpini, daß die Mongolen bei den unterworfenen Völkern ein Drittel der wehrfähigen Mannschaft für den Heeresdienst rekrutierten (SF I, S. 85). Zicht man in Betracht, daß Julians Bericht zu einer Zeit entstand, als die Mongolen bereits die dichtbevölkerten Regionen Nordchinas und Zentralasiens erobert und dort ebenfalls Aushebungen vorgenommen hatten, so dürfte die von Julian auf 260.000 Mann veranschlagte Stärke der Hilfsvölker nicht zu hoch gegriffen sein (vgl. Martin: Mongol Army, S. 49).
59 Vgl. oben S. 114, Anm. 9.

Rogerius von Torre Maggiore:
„Klagelied"

VORBEMERKUNGEN

Das bedeutendste und ausführlichste Zeugnis über
den Tatareneinfall in Ungarn hat uns Magister
Rogerius hinterlassen (vgl. auch L. Juhász in: SRH II,
S. 545–550; hier auch ein Verzeichnis der älteren
Literatur). Rogerius stammte aus der apulischen
Stadt Torre Maggiore, wo er bald nach 1200 – das
genaue Geburtsdatum ist unbekannt – zur Welt kam.
Seit etwa 1230 in den Diensten der Kurie, kam er im
Gefolge des Kardinallegaten Jacopo di Pecorari,
Bischofs von Praeneste, 1232 nach Ungarn. Hier
zunächst Kaplan, später Archidiakon im Domkapitel
von Großwardein (Nagyvárad), erlebte er den Mongoleneinfall von 1241 als Augenzeuge, fiel nach der
Schlacht bei Mohi in die Hände der Mongolen und
fristete über ein Jahr lang als Diener eines Tataren ein
kärgliches Dasein. Erst während des mongolischen
Rückzugs gelang ihm unter schwierigen Bedingungen
die Flucht. 1243 wieder am päpstlichen Hof, bat er, da
die Tataren die Diözese Großwardein völlig verwüstet hatten, um eine neue Aufgabe und wurde zum
Archidiakon von Ödenburg (Sopron) ernannt. Noch
im gleichen Jahre kehrte er nach Ungarn zurück. Hier
muß er um diese Zeit (1243/44) seine an Jacopo di
Pecorari gerichtete Darstellung des Mongoleneinfalls
niedergeschrieben haben (vgl. L. Juhász in: SRH II,
S. 546), da der Legat bereits am 26. Juni 1244 verstarb.
Nach dessen Tod trat Rogerius als Kaplan in die
Dienste des Kardinals Johannes von Toledo, wurde
auf dessen Empfehlung zum Domherrn in Zagreb
ernannt und nahm wahrscheinlich auch am Konzil
von Lyon 1245 teil. Nach Franz Babinger hat Rogerius sogar maßgeblichen Einfluß auf die päpstliche
Tatarenpolitik ausgeübt. Tatsächlich ist kaum anzu-

nehmen, daß die Kurie sich die Gelegenheit entgehen ließ, einen so berufenen Kenner der Mongolen wie Rogerius als Berater heranzuziehen (F. Babinger: Maestro Ruggiero delle Puglie, relatore prepoliano sui Tartari. In: VII centenario della nascità di Marco Polo. Venezia 1955, S. 58 f.).

Als 1249 Ugrinus, der Erzbischof von Spalato, starb, ernannte Papst Innozenz IV. am 30. April 1249 Rogerius zum Nachfolger, übrigens gegen den erbitterten Widerstand der Bürger und des Domkapitels von Spalato, die ihren eigenen Kandidaten, den ungarischen Dominikanermönch Johannes, auf dem erzbischöflichen Thron sehen wollten. Auch Béla IV. hat offenbar aus Verärgerung darüber, daß die Kurie vor der Ernennung nicht seine Zustimmung eingeholt hatte, die Bestätigung der Erhebung hinausgezögert und erst ein Jahr später, am 26. Februar 1250, erteilt. Nach der Bestätigung durch den König trat Rogerius am 28. Februar 1250 sein neues Amt an, das er bis zu seinem Tode mit großer Tatkraft und Umsicht leitete. In den letzten beiden Lebensjahren wurde er allerdings durch ein schmerzhaftes, offenbar rheumatisches Gelenkleiden ans Krankenbett gefesselt und so gehindert, seinen Amtspflichten voll nachzukommen. Rogerius starb am 14. April 1266. Er fand seine letzte Ruhestätte vor dem Portal seiner Kathedralkirche St. Domnius, des vormaligen Diokletian-Mausoleums.

Thomas von Spalato schildert Rogerius als machtbewußten und prachtliebenden Kirchenfürsten, aber auch als fähigen Verwalter seines Erzbistums und gewandten Diplomaten. Auffallend sind die Übereinstimmungen im Lebenslauf beider Prälaten (vgl. dazu auch die Einleitung von James R. Sweeney zum Bericht des Thomas unter S. 227–232). Thomas war, wenn überhaupt, nur wenig älter als Rogerius und nicht nur einer von dessen Vorgängern auf dem erzbischöflichen Stuhl von Spalato (1243), sondern auch für fast zwei Jahrzehnte (1249–1266) dessen Untergebener, der seinen Vorgesetzten nur um zwei Jahre überlebte. Die Vermutung liegt nahe, daß beide Prälaten in dieser Zeit in regem geistigen Austausch standen, der sich nicht nur auf den Bereich der kirchlichen Verwaltung und der seelsorgerischen Aufgaben erstreckte. Denn Rogerius wie Thomas waren begabte Geschichtsschreiber, die ihre Werke im Abstand von nur wenigen Jahren und noch unter dem Eindruck des persönlich Erlebten niederschrieben. Freilich bleibt zweierlei zu berücksichtigen:

1. Rogerius hatte, als er sein erzbischöfliches Amt in Spalato antrat und zum ersten Mal mit dem Archidiakon Thomas zusammentraf, sein „Carmen" bereits geschrieben.

2. Thomas kannte zwar, wie er selbst bekennt, die Erlebnisse des Rogerius bei den Tataren. Auch wird er von Rogerius manches zusätzlich im Gespräch erfahren haben, was sich aus dessen Bericht nicht entnehmen ließ. Gleichwohl ist nur schwer zu entscheiden, welche Nachrichten über die Mongolen Thomas in seiner Historia Salonitana eigenen Erlebnissen, den Angaben des Rogerius oder den Schilderungen anderer Zeugen verdankt. Beide Autoren wahren daher im Aufbau und Stil durchaus ihre Eigenständigkeit. Anders als Thomas, der dem Mongolensturm nur vier der 69 Kapitel seiner Historia Salonitana widmete, hat sich Rogerius als unmittelbar Betroffener ausschließlich auf eine Darstellung des Tatareneinfalls beschränkt. Rogerius verfolgte mit seiner Schrift, wie er selbst in Einleitung und Schlußwort andeutet, zwei Ziele:

1. Er wollte seinen Gönner, den Kardinallegaten Jacopo di Pecorari – und über ihn auch den Papst –, umfassend über die Erfahrungen unterrichten, die er während seiner Gefangenschaft mit den Mongolen gemacht hatte. Der Kurie mußte ein Augenzeugenbericht um so willkommener sein, als sie beabsichtigte, über Maßnahmen zur Abwehr der Tataren auf dem bevorstehenden Konzil von Lyon zu beraten (vgl.

auch Soranzo: Il papato, S. 77–83; Dörrie: Drei Texte, S. 182–194 Thomas Archidiaconus: Historia Salonitana. Ed. Fr. Rački. [Monumenta Spectantia Historian Slavorum Meridionalium. Scriptores III.] Zagrabiae 1894, S. 204; vgl. auch W. E. Lunt: The sources of the first Council of Lyon, 1245. In: The English Historical Review XXXIII [1918], S. 72–87).
2. Rogerius verfolgte mit seiner Schrift aber auch persönliche Belange. Er suchte durch die dramatische Schilderung seiner Leiden das Mitleid seines Gönners zu erregen und so seine Abberufung aus Ungarn zu bewirken (Bezzola: Mongolen, S. 87). Rogerius erreichte sein Ziel rasch. Zwar starb der Adressat seines Schreibens, Jacopo di Pecorari, wenig später. Ein neuer Gönner, Kardinal Johannes Toletanus, achtete, wie Thomas von Spalato bezeugt, sorgsam darauf, daß Rogerius am päpstlichen Hof eingeführt und gefördert wurde. Diese Bemühungen hatten Erfolg, als Rogerius am 30. April 1249 von Innozenz IV. zum Erzbischof von Spalato ernannt wurde.
Ein drittes Motiv, das Rogerius zur Abfassung seiner Schrift bewogen haben mag, wird zwar von ihm weder in Einleitung noch Schluß erwähnt, läßt sich aber aus Aufbau und Kontext des Gesamtwerks erschließen. Rogerius begnügt sich nicht mit einer Darstellung des Mongoleneinfalls und einer Schilderung des Grauens, das die Tataren verbreiteten. Er suchte nach Gründen, um die Niederlage des ungarischen Heeres und die Katastrophe, in die das Königreich nach Mohi geriet, erklären zu können. Rogerius machte in den ersten vierzehn Kapiteln, die fast ein Drittel der gesamten Schrift einnehmen, die Auseinandersetzungen zwischen dem König und den Großen des Landes für das Unglück verantwortlich. Sosehr sich der Autor darum bemüht, die Standpunkte beider Parteien in Rede und Gegenrede darzustellen, so läßt er doch keinen Zweifel daran aufkommen, daß er Partei für den König nimmt. Für Rogerius steht Béla IV. an Bedeutung in einer Reihe

mit den bedeutendsten Herrschern Ungarns, den „heiligen Königen" Stephan, Ladislaus und Koloman. Er habe sich durch die Missionierung heidnischer Völker große Verdienste um die Kirche erworben. Er habe durch seine guten Werke diejenigen zum Schweigen gebracht, die ihn verleumdeten. Der König bändige zu Recht die „dreiste Unverfrorenheit" seiner Barone, die in ihrer Unbotmäßigkeit selbst vor dem Hochverrat nicht zurückgeschreckt seien. Er habe entfremdete Regalien wieder eingezogen und die rechtmäßige Herrschaft des Königtums erneuert. Rogerius nimmt Béla gegen den Vorwurf in Schutz, er habe nicht rechtzeitig geeignete Maßnahmen getroffen, um die Gefahr abzuwenden, die dem Lande durch die Mongolen gedroht hätte. Vielmehr seien die Großen des Landes schon früh und wiederholt gemahnt worden, ihre Aufgebote zu sammeln und mit ihnen unter die Fahnen des Königs zu eilen. Doch tadelt Rogerius, dessen Bemühen um ausgewogene Beurteilung der Ereignisse offenkundig ist, sehr wohl die Schwächen des Königs. Er berichtet, Ugolinus, der Erzbischof von Kalocsa, habe dem König dessen Kleinmut im Kampf verübelt (cap. 21), Béla sei in der Schlacht bei Mohi nicht fähig gewesen, seine Befehlsgewalt durchzusetzen (cap. 28) und Ordnung in den eigenen Reihen zu schaffen. Freilich, die Hauptschuld an der Niederlage schreibt Rogerius jenen ungarischen Adeligen zu, die aus Gegnerschaft zum König nicht nur ihre Gefolgschaft im Kampf versagten, sondern eine Niederlage Bélas geradezu herbeiwünschten (cap. 28). Versagen wirft Rogerius aber auch jenen europäischen Fürsten vor, die den Hilferufen des ungarischen Königs nicht Folge geleistet hätten. Keiner von allen Freunden Ungarns habe dem Land im Unglück geholfen. Rogerius vermeidet sorgsam, den Papst oder den Kaiser von Mitschuld freizusprechen. Aus seiner wie aus des Königs Sicht hatten alle christlichen Fürsten kläglich versagt. Béla IV. hat Rogerius dessen mutiges Eintreten für das Königtum noch in späteren Jahren zu lohnen gewußt. So bereitete der Onkel des Königs, der Patriarch Berthold von Aquileja (1218–1251), dem neuernannten Erzbischof von Spalato sicher nicht ohne Zuraten des Königs einen ehrenvollen Empfang, wie Thomas von Spalato bezeugt. Von Thomas stammt auch die Nachricht, Béla sei zwar verstimmt darüber gewesen, daß die Wahl des neuen Erzbischofs ohne seine Zustimmung erfolgt sei, doch habe er seine Verärgerung nicht auf Rogerius übertragen, diesen stets mit der schuldigen Ehrerbietung behandelt und sogar freundschaftlichen Umgang mit ihm gepflogen.

Das Tatarenbild des Rogerius ist zuvorderst von dessen oft grauenvollen persönlichen Erlebnissen bestimmt und daher naturgemäß nicht frei von Verzerrungen, etwa wenn er, wie in Kap. 39, von den Mongolen als blutrünstigen Kannibalen spricht. Gleichwohl bleiben genug Greuel übrig, die Rogerius als Augenzeuge miterlebt haben muß und die mit den Nachrichten anderer Quellen übereinstimmen (vgl. dazu die Anmerkungen S. 213–222). Eindrucksvoll beschreibt Rogerius das Grauen, das sich wegen der allerorten verübten Massaker im Lande ausbreitete, die Panik der zu Tode geängstigten Opfer und die verzweifelte Not der Überlebenden. Den leidgeprüften Menschen schien das Ende der Welt bevorzustehen, und wer in die Hände der Mongolen fiel, mochte bald glauben, es wäre besser für ihn, wenn er nicht geboren wäre (vgl. S. 140). Nach Rogerius nahmen die Mongolen bei ihren Massakern weder auf Alter noch Geschlecht Rücksicht (cap. 34, 37), sie metzelten vornehme Damen ebenso nieder wie einfache Bauern (cap. 34, 40). Sie gewährten selbst Geistlichen keine Schonung (cap. 30, 34), machten vor Kirchen nicht halt (cap. 30), wo sie die Gräber verwüsteten, Reliquien zertraten und Monstranzen und Kelche zertrümmerten. Schönen Frauen und Mädchen gewährte man nur eine Schonfrist, um sie zu schänden und später zu ermorden (cap. 37), andere zwang man, sich ihren Peinigern hinzugeben, um so das Leben ihrer Väter, Gatten und Brüder auszulösen (cap. 35). Selbst Frauen und Kinder, die den Siegern Geschenke brachten, wurden grausam niedergemetzelt.

Wieder gibt sich Rogerius nicht mit der rein pragmatischen Darstellung der schrecklichen Ereignisse zufrieden. Er sucht nach Gründen für das unmenschliche Wüten der Fremden und findet bald eine Antwort. Nicht nur angeborene Grausamkeit war es, die die Mongolen zu ihren Schlächtereien trieb. Dahinter verbarg sich planvoller, gezielter Terror, der von oben verordnet und rücksichtslos in die Tat umgesetzt wurde. Galt es doch, den besiegten Gegner einzuschüchtern und so zu ängstigen, daß er in panischer Furcht sich als unfähig erwies, künftig auch nur den geringsten Widerstand zu leisten. Daher rührten die Befehle der mongolischen Heerführer, zunächst nur zu morden und zu brandschatzen, aber nicht zu plündern (cap. 30), daher auch das militärisch scheinbar nutzlose Abschlachten von Frauen und Kindern sowie der Brauch, gefangene Gegner gegen feindliche Stadtmauern zu treiben (cap. 37).

Rogerius findet nicht die Muße, wie andere Chronisten vor und nach ihm (vgl. hier Julian und Thomas von Spalato), nach Aussehen und Herkunft der Mongolen zu fragen. Ihn interessiert nicht, welche Verbindung sie zu dem legendären Priesterkönig Johannes, den biblischen Völkern Gog und Magog, dem Tartaros oder dem Ismaeliten hielten, geschweige denn, was sie aßen oder zu welchen Göttern sie beteten. Seine Schilderung der fremden Eindringlinge ist von den bitteren Erfahrungen mit feindlichen Unterdrückern und Schlächtern bestimmt und lehrt den aufmerksamen Leser die Kunst des Überlebens in ähnlicher Notlage. Für ihn steht im Vordergrund die List und Verschlagenheit der mongolischen Heerführer, „die Eurer [des Lesers] sorgfältiger Beachtung bedarf" (cap. 31; vgl. auch cap. 18).

Aufmerksam vermerkt Rogerius, welcher Mittel sich die Mongolen bedienten, um den Gegner zu täuschen und in die Irre zu führen. Die Mongolen verleiten durch scheinbare Flucht ihre Feinde zu regelloser Verfolgung, um sie dann aus dem Hinterhalt zu überfallen (cap. 20, 21). Sie setzen lebensgroße Puppen auf ledige Pferde, um die Zahl ihrer Reiter größer erscheinen zu lassen (cap. 27), sie täuschen die Ungarn durch gefälschte Briefe (cap. 31) oder überqueren das Eis der Donau mittels einer Kriegslist (cap. 38).

Nur bisweilen tauchen Bilder auf, die die Mongolen in einem ganz anderen, günstigeren Licht erscheinen lassen und zu erkennen geben, daß Rogerius bemüht war, selbst seinen Peinigern eine gerechte Beurteilung widerfahren zu lassen. Die Mongolen sind dann für ihn umsichtig und tapfer, sie versuchen, verwundeten Kameraden in der Schlacht zu helfen (cap. 23). Mongolische Heerführer nehmen Ortschaften, die sich ihnen ohne großen Widerstand ergeben, wie das deutsche Dorf Radna, unter ihren Schutz (cap. 20) und erlauben den Überlebenden, ihre Dorfvorsteher aus den Reihen der mongolischen Befehlshaber zu wählen. Manches erscheint sogar widersprüchlich und wie von fremder Hand in den Bericht eingefügt, so wenn Rogerius die Einrichtung der mongolischen Verwaltung in Ungarn beschreibt und mitteilt: „Wir hatten Frieden und geregelte Verhältnisse, jedem wurde sein Recht zuteil" (cap. 35).

Eine Erklärung für eine solche zunächst nur schwer zu verstehende Aussage bietet sich aber bald an, wenn man sie mit den Angaben anderer Quellen vergleicht (dazu S. 218, Anm. 196). Hatten die Mongolen erst ein Land erobert und ihre Machtstellung dort gefestigt, so konnte ihre Herrschaft von den Unterworfenen durchaus als erträglich, ja milde empfunden werden. Das Beispiel der Ortschaft Radna zeigt, daß in manchen Teilen Ungarns zeitweise durchaus so etwas wie eine pax Mongolica herrschte. Rogerius spricht ja selbst von ungarischen Überläufern, die „in ihrer Lebenshaltung schon zu Tataren geworden waren" (cap. 35). Demnach gab es Ungarn, die sich nicht nur mit der Herrschaft der Mongolen abgefunden hatten, sondern offen mit ihnen zusammenarbeiteten und sich in Tracht und Lebenshaltung den Eroberern anglichen. Zwar vermögen die wenigen positiven Züge, die Rogerius an den Mongolen zu entdecken glaubt, sein ungünstiges Bild von ihnen kaum zu verändern, doch spiegeln sie das Bemühen des Autors um eine ausgewogene Darstellung wider. Dieses Streben nach einer unvoreingenommenen Betrachtungsweise im Verein mit einer hervorragenden Beobachtungsgabe und der Eigenart, beharrlich nach Ursachen und Hintergründen der geschilderten Ereignisse zu fragen, machen das Carmen Miserabile zu einer wertvollen und zuverlässigen Geschichtsquelle der Mongolenzeit. Auf literarischem Gebiet genügt die Schrift nicht minder hohen Ansprüchen. Rogerius, der es versteht, seine persönlichen Erlebnisse lebendig und anschaulich zu schildern, schreibt einen mustergültigen Stil und ist ein Meister der rhythmischen Prosa, in der das Werk ursprünglich aufgesetzt war.

Die Handschrift des Rogerius-Briefes ging leider verloren. Auch vielleicht ursprünglich vorhandene Abschriften blieben nicht erhalten. Dennoch muß das Werk in gedruckten Ausgaben, von denen es insgesamt zwölf gab, eine weite Verbreitung gehabt haben. Die Übersetzung folgt der kritischen Textausgabe von László Juhász in: SRH II, S. 543–588. Diese Edition fußt auf dem ältesten Frühdruck (B), der im März 1488 in Brünn erschien und neben dem Rogerius-Text (fol., V, 1–X, 8) die ungarische Chronik des Johannes Thuróczi enthält. Der heute allgemein übliche Titel „Klagelied" (Carmen Miserabile) wurde dem Text von dem Herausgeber der Brünner Ausgabe gegeben. Rogerius selbst hat sein Schreiben in Briefform (epistula) aufgesetzt (vgl. dazu auch

H. Marczali. Ungarns Geschichtsquellen im Zeitalter der Arpaden. Berlin 1882, S. 113; u. T. Turchányi: Rogerius mester Siralmas éneke a tatárjárásról. [Das Klagelied über den Tatareneinfall von Magister Rogerius.] In: Századok 37 [1903], S. 412–430; 493–514).

TEXT

Damit Eurer Herrschaft[1] die Züge der Tartaren offenbar werden, die in Ungarn einfielen, unter Entehrung des Gekreuzigten und zum schrecklichen Verhängnis für das christliche Volk, sei es mir erlaubt, Euch das vorliegende Werk, das über deren Taten unverfälscht verfaßt worden ist, zu übergeben, damit Ihr es mit Sorgfalt lest. Vieles werdet Ihr darin finden, was ich selbst gesehen und zumeist eigenhändig niedergeschrieben habe.[2] Einiges habe ich von vertrauenswürdigen Zeugen erfahren, in deren Anwesenheit sich jene Ereignisse abspielten. Wenn Ihr aber mitunter manches darin entdeckt, das dem Menschenverstand als schrecklich und abstoßend erscheinen mag, dann sollte man sich keinesfalls über den Verfasser und die Ereignisse verwundern, sondern dem König der Könige[3] dafür danken, daß er, seines Mitleides uneingedenk, sein gequältes Volk nicht verschont hat.[4] Denn denen, die königliche Wohnungen verließen, um sich in den Morast des Verderbens zu stürzen, hat er die Augen nicht mit Lehm gesalbt,[5] sondern mit blitzendem Schwert geöffnet.[6] Er ahndete ihre Vergehen nicht mit dem Hirtenstab, sondern mit der Rute,[7] ihre Sünden sühnte er nicht mit lindernden Heilmitteln, sondern mit zürnenden Schlägen. Denn unvermittelt brach das Verhängnis über sie herein, und das einst volkreiche Ungarn verödete.[8] O grausames Schicksal! Frei geworden ist Ungarn erst unter dem Joch. O Schmerz! Es gab niemanden unter allen Freunden Ungarns, der dem Lande im Verderben half.[9] Ich bitte daher angelegentlich darum, daß Ihr oder irgendein Leser, wenn ich die Wahrheit über deren Leben und Sitten und den Kampf schreiben möchte und bei

Beschreibung dieser traurigen und schrecklichen Ereignisse in Tränen ausbreche und gezwungen bin, düstere Weisen anzustimmen, die ehrliche Überzeugung nicht durch falsche Vorstellungen ersetzt, denn blindes Vorurteil öffnet den Zugang für unerlaubte und schädliche Wagnisse. Ich habe diese Untersuchung nicht geführt, um jemandem etwas zu entziehen, sondern um zu unterweisen, damit die Lesenden erkennen[10] und die Erkennenden glauben, die Glaubenden aber begreifen, daß die Tage des Verderbens nahe sind und die Zeiten sich dem Ende zuneigen.[11] Auch sollen alle [Leser] wissen, daß ich dies nicht unüberlegt berichte, denn wer auch immer in die Hände der Tartaren geriete, für den wäre es besser, „wenn er nicht geboren wäre".[12] Denn er wird merken, daß er nicht von den Tartaren, sondern im Tartarus festgehalten wird.[13] Der dies berichtet, hat es auch durchlitten. Denn ich war „eine und eine halbe Zeit"[14] bei ihnen, in der Sterben Trost bedeutet hätte, wie das Leben eine Qual war".

1. Die Absicht König Bélas [IV.].

König Béla von Ungarn[15] war unter den christlichen Fürsten als eifriger Verfechter des katholischen Glaubens bekannt[16] und folgte dem Beispiel seiner Vorfahren, der Könige Stephan,[17] Emmerich,[18] Ladislaus[19] und Koloman,[20] die unter die Heiligen aufgenommen worden waren. Der König widmete sich frommen Werken, die er zum Teil offen übte, um ein gutes Beispiel zu geben, zum Teil insgeheim, um den Mund derer zu schließen,[21] die ihn verleumdeten. So war er unter anderem ständig bemüht, heidnische und fremde Völker in den Schoß der Mutter Kirche zu ziehen,[22] um durch die Gewinnung möglichst vieler Seelen[23] diese desto leichter zu den ewigen Freuden der Seligen zu führen.

2. Wie König Béla den König der Kumanen nach Ungarn brachte.

So kam es im Jahre 1239 dazu, daß Kuthen, der König der Kumanen,[24] eine feierliche Gesandtschaft zu dem erwähnten König [Béla IV.] schickte und berichten ließ, er habe viele Jahre lang mit den Tartaren gekämpft und zweimal[25] über sie den Sieg davongetragen. Beim dritten Mal aber, als er nicht gerüstet war, hätten sie plötzlich sein Land angegriffen.[26] Er habe, da er kein Heer zur Verfügung hatte, fliehen müssen. Die verbrecherischen Tartaren hätten nach Ermordung der Bewohner einen großen Teil seines Landes verwüstet.[27] Wenn aber der König ihn aufnehmen und in Freiheit erhalten wolle, so seien er und die Seinen bereit, sich zu unterwerfen und mit ihren Verwandten, Brüdern und Freunden, mit ihrer Habe und mit allem beweglichen Besitz nach Ungarn zu kommen und dem ungarischen König im katholischen Glauben nachzueifern.[28] Als der König das hörte, wurde er „von großer Freude"[29] erfüllt, einmal darüber, weil ein so bedeutender und ihm gleichsam ebenbürtiger Fürst sich ihm unterwerfen wollte, und zum anderen, weil er seine Pläne durch die Gewinnung so vieler Seelen für Jesus Christus in die Tat umsetzen konnte. So entließ er die Gesandten mit reichen Ehrengeschenken, sandte seine Boten und Dominikanermönche gemeinsam[30] mit deren Gesandten zum genannten König Kuthen mit der Nachricht, er sei bereit, ihn und die Seinen zu empfangen und sich seinen Wünschen geneigt zu zeigen. Was weiter? Nachdem des öfteren Gesandte von hier dorthin beordert worden waren, zog Kuthen mit den Seinen nach Ungarn. Der König aber kam ihm mit großer Machtentfaltung bis zur Landesgrenze entgegen und erwies ihm so außerordentliche Ehrungen, wie sie von den Einwohnern jenes Landes seit undenklichen Zeiten weder erwiesen noch beobachtet wurden.[31] Da sie aber wegen ihrer großen Anzahl nicht gut an Ort und Stelle bleiben konnten – es soll sich um 40.000 Menschen außer ihren Familien gehandelt haben –, die Kumanen aber ein ungestümes, gefährliches und ungebärdiges Volk waren,[32] gab er ihnen, damit sie nicht die Ungarn angriffen oder von diesen belästigt wurden, einen seiner Barone mit, der für ihren Unterhalt[33] Sorge tragen sollte, bis sie das Landesinnere erreicht hätten.

3. Es folgt das Kapitel über den Haß zwischen dem König und den Ungarn und über die erste Ursache für diesen Haß.

Als aber der König der Kumanen mit seinen Vornehmen und seinem Volk durch Ungarn zu ziehen begann, fügten sie, da sie unermeßliche Viehherden[34] besaßen, den Ungarn an Weiden, Gärten, Äckern, Obstgärten, Weinbergen und anderen Gütern schweren Schaden zu. Und was für die Ungarn noch schrecklicher war, weil jene wilde Menschen waren, schändeten sie die Mädchen der armen Leute auf abscheuliche Weise, vergriffen sich sogar, wenn es ging, an den Ehefrauen der Mächtigen, obwohl auch die Frauen der Kumanen von den Ungarn wie Dirnen mißbraucht wurden. Wenn aber ein Ungar einen Kumanen durch einen Angriff auf dessen Besitz oder Person schädigte, so wurde an ihm sogleich der Gerechtigkeit Genüge getan, so daß kein anderer etwas Ähnliches zu unternehmen wagte. Wenn aber ein Ungar von einem Kumanen verletzt wurde, so erhielt ersterer von diesem keine Genugtuung. Bestand der Ungar aber auf seinem Recht, so trug er für seine Klagen auch noch Prügel davon. Und so entstand Haß zwischen dem König und seinen Landsleuten.

4. Die zweite Ursache für den Haß zwischen König Béla und den Ungarn.

Ich möchte zwar etwas vom Bericht abschweifen, doch werde ich, damit alle, die dies lesen und hören, den Grund für die Verwüstung Ungarns erfahren,[35] schleunigst zu meinem anfangs aufgenommenen Bericht zurückkehren. Als König Andreas, Bélas Vater[36] seligen Angedenkens, gestorben war, kam der König sofort mit den Baronen und Vornehmen des Königreichs in die Stadt Stuhlweißenburg[37] und ließ sich dort, dem Brauche gemäß,[38] durch die Hände des Erzbischofs von Gran mit der Königskrone krönen. Dann vertrieb er einige seiner Barone, die seinen Vater gegen ihn unterstützt hatten,[39] andere, derer er habhaft werden konnte, warf er in den Kerker[40] und ließ einen Großen, den Palatin Dionisius, blenden.[41] Er brachte ebendort bestimmte Erlasse in Umlauf, um das Land von schlechten Männern, die es im Überfluß gab, zu säubern. Um die dreiste Unverfrorenheit seiner Barone zu bändigen, befahl er, daß, wenn außer seinen „Großen", Erzbischöfen und Bischöfen, irgendeiner der Barone in seiner Anwesenheit auf einem Sitz Platz zu nehmen versuche, derselbe gebührend bestraft werden sollte.[42] Er ließ dort ferner deren Stühle, soweit sie aufzutreiben waren, verbrennen.[43] So fürchteten auch die Angehörigen der Verbannten und die Freunde der Eingekerkerten Unheil für die Zukunft, und es erhob sich unter ihnen ein Aufruhr.

5. Daraus folgte die dritte Ursache für den Haß.

Außerdem beklagten sich die Vornehmen bitter über folgendes. Wenn sie selbst oder ihre Vorfahren früher von den Königen des öfteren gegen Russen, Kumanen, Polen und andere ins Feld gesandt und manche durch das Schwert umgekommen, andere verhungert, manche eingekerkert und wieder andere verwundet worden seien, so hätten die früher herrschenden Könige den Heimkehrenden oder den Angehörigen der Gefangenen als entsprechenden Ausgleich Dörfer, Besitzungen und Güter zu dauerndem Eigentum verliehen.[44] Dieser König aber habe ihnen nicht nur nichts hinzugefügt, sondern auch die ihnen rechtmäßig vergebenen Güter ohne Verringerung seines eigenen Besitzes wiedereingezogen.[45] Hier ist der Schmerz, hier das Schwert, das die Seelen der Ungarn durchbohrt hat. Denn diejenigen Leute, die früher reich und mächtig waren und eine zügellose Gefolgschaft um sich versammelt hatten, konnten sich jetzt kaum selbst behaupten.

6. Die vierte Ursache für den Haß zwischen König Béla und den Ungarn.

Ebenso beklagten sie sich häufiger, daß der König entgegen dem in seinem Königreich herrschenden Brauch willkürlich anordnete, daß die Vornehmen, welchen Standes auch immer sie seien, ihre Sache nicht an seinem Hofe vertreten noch ihn selbst sprechen könnten, es sei denn, sie reichten ihre Anliegen den Kanzlern ein und warteten dann die Entscheidung darüber ab. Sie beschwerten sich darüber, daß die meisten [von ihnen] aus geringfügigen Anlässen lange am Hof festgehalten würden, für ihre Ausgaben für Pferde und anderen Aufwand selbst aufkommen müßten und oft unverrichteter Dinge zurückkehrten. Denn die Kanzler unterdrückten, so behaupteten jene, manche ihrer Anträge, wenn sie den König nicht sprechen konnten, nach eigenem Gutdünken.[46] Deshalb behauptete man auch allgemein und öffentlich, jene Kanzler seien ihre Könige, da sie keinen anderen König hätten.

7. Daraus ergab sich die fünfte Ursache für den Haß.

Sie berichteten außerdem, der König habe ohne oder gegen ihren Rat und zu ihrer Bedrängnis und Schmach die Kumanen ins Land geholt. Wenn sie selbst, gerufen oder nicht gerufen, an den Hof kämen, hätten sie keine Möglichkeit, den König zu Gesicht zu bekommen, es sei denn, aus der Ferne. Auch könnten sie nur über einen Dritten mit ihm sprechen. Wenn aber der geringste Kumane komme, so werde er sofort vorgelassen.[47] Der Kumane habe Zutritt zu allen Ratssitzungen. Er werde in allen Dingen den Ungarn vorgezogen. Deshalb herrschte unter ihnen eine so große Mißstimmung, daß sie kaum diesen Zustand ertragen konnten. Wenn sie diese Stimmung auch nicht zum Ausdruck brachten, so waren sie dem König doch nicht wohl gesonnen und hegten feindliche Absichten.

8. Antwort auf die erste Ursache des Hasses.

Die Anhänger des Königs suchten ihn in allen Angelegenheiten zu rechtfertigen und antworteten wie folgt auf die einzelnen Vorwürfe: Als dem König nach der Aufnahme der Kumanen durch vertrauenswürdige Boten zu Ohren gekommen war, daß die Ungarn durch die Kumanen belästigt würden, rief er die Großen, Barone und Gespane sowie alle Kumanen in die Umgebung des Klosters Kömonostor[48] an der Theiß.[49] Man beriet in gemeinsamer Ratsversammlung sorgfältig und vereinbarte, daß die Vornehmen der Kumanen mit ihren Gefolgschaften getrennt in einzelne Gebiete geschickt werden sollten. Ein jeder von ihnen müsse sich mit der Niederlassung in der ihm zugewiesenen Gespanschaft Zeit lassen. Da sie infolgedessen nicht gleichzeitig in großer Zahl in Erscheinung traten, konnten sie den Ungarn keinen Schaden zufügen. Wenn ein Kumane einen Ungarn oder ein Ungar einen Kumanen verletzte, war den Gespanen bei Strafe des Verlustes der königlichen Gunst auferlegt, ausgleichende Gerechtigkeit zu üben. Wenn auch den Kumanen sehr mißfiel, daß sie sich trennen mußten, so wanderten sie doch später, ohne jemand zu behelligen, mit ihren Filzjurten und ihrem Vieh durch menschenleere Regionen Ungarns.[50]

Da es viele arme Leute unter ihnen gab, konnten die Ungarn manche von ihnen als Knechte einstellen, die gleichsam ohne Lohn dienten.[51] So gereichte den Ungarn die Lage der Kumanen mehr zum Nutzen als zum Nachteil. So mußte jede Mißgunst der beide Völker gegeneinander aufhören.

9. Antwort auf die zweite Ursache des Hasses.

Wenn der König nach dem Tode seines Vaters und bei Übernahme der Regierungsgewalt[52] über einige der Großen Gerichtsverhandlungen abhalten und sie Folterungen unterwerfen ließ, so darf sich kein vernünftiger Mensch wundern. Denn dieselben hatten oft die Zwietracht zwischen dem König und dessen Vater geschürt, so daß beide häufiger mit Heeresmacht gegeneinander kämpfen wollten. Und nur denen, die sich aus dem Streit heraushielten, war es zu verdanken, wenn die Friedensverträge zwischen Vater und Sohn erneuert wurden. Wenn der König [Béla] persönlich den Hof seines Vaters aufsuchte, so erwiesen diese Großen ihm keinerlei Ehrenbezeigungen, sondern bemühten sich, wo immer sie konnten, ihn mit Worten und Taten zu kränken. Das läßt sich nicht verheimlichen. Sie verschworen sich in nichtswürdiger Weise gegen das Leben des Vaters [Andreas II.] und seiner Söhne [Andreas und Koloman], damit sich nach deren Ermordung ein jeder der Verschwörer um so leichter von Ungarn, das sie von vornherein aufgeteilt hatten, seinen Teil holen konnte. Wenn sie damit erfolglos bleiben sollten, so planten sie eine andere Schandtat. Sie sandten dem Herzog von Österreich[53] einen Brief mit bestimmten Vereinbarungen und versprachen darin, dem Herrn Friedrich, Kaiser der Römer, die Königskrone und Ungarn zu übergeben.[54] Der Bote wurde abgefangen und mit dem Brief dem König vorgeführt. Der schonte ihr Leben und erwies ihnen seine Gnade, die sich weit über jedes Urteil erhebt. Wenn er aber beschloß, das

Land von Übeltätern zu säubern, was ist dann an einem solchen Beschluß unbillig? Wenn er die Stühle der Barone verbrennen ließ, was ist daran so ungerecht? Müssen sie etwa nicht wie alle anderen dem Herrn untertan sein? Demnach hatten die Ungarn in dieser Hinsicht nicht recht.

10. Antwort auf die dritte Ursache des Hasses.

Was die dritte Ursache des Hasses angeht, so entschuldigten sie den König folgendermaßen. Es ist ja allen wohlbekannt, daß Ungarn[55] 72 Komitate hat; die Könige von Ungarn übergaben die Gespanschaften verdienten Männern und entzogen sie diesen wieder, ohne damit den derzeitigen Inhabern ein Unrecht zuzufügen. Aus diesen Gespanschaften gewannen deren Verwalter Vergnügen, Reichtum, Ehre, Macht, eine hohe Rangstellung und Privilegien. Aber durch die Freigebigkeit einiger früherer Könige[56] waren die (königlichen) Rechte an den Komitaten eingeschränkt, weil die Herrscher verdienten und nichtverdienten Leuten ohne Unterschied Besitzungen, Dörfer und Güter auf Dauer verliehen hatten. Infolgedessen hatten die Gespane, wenn sie ins Feld zogen, kaum Männer unter ihren Fahnen und galten als einfache Ritter, da ihre Komitate so sehr verkleinert waren.[57] Die mächtigeren Männer aber, so der Schatzmeister, der auch Kämmerer genannt wird, die Aufseher der Truchsessen, Mundschenken und Agazonen[58] und die anderen Inhaber von Hofämtern, wurden so mächtig, daß sie die Könige geringschätzig behandelten.[59] Béla IV. wollte aber die Macht der Könige, die fast geschwunden war, wiederherstellen.[60] Obwohl das sehr vielen Leuten mißfiel, bemühte er sich gleichwohl darum, entfremdete Güter wieder von seinen Gegnern wie Anhängern zugunsten der Komitate einzuziehen. Obwohl er, um niemandem Unrecht zuzufügen, seine Rechte gegenüber allen zur Anwendung brachte, gewährte er doch denen, die ihm gut und treu dienten, eine angemessene Belohnung aus den königlichen Einkünften. Daher hätte auch die Mißgunst der Ungarn aufhören müssen, da er nur sein Recht in Anspruch nahm.

11. Antwort auf die vierte Ursache des Hasses.

Da fast das ganze Königreich Ungarn durch vielerlei Gegensätze und verschiedene Bräuche verunstaltet war,[61] der König sich mit aller Kraft um dessen Erneuerung bemühte und, da er mit diesen schwierigen Aufgaben befaßt war, kaum Zeit hatte, einzelnen Leuten huldvoll Audienz zu gewähren, faßte er den klugen Entschluß, die Angelegenheiten der Einwohner seines Königreiches nach dem Vorbild der römischen Kurie durch Urkunden an seinem Hofe zu regeln. Er beauftragte seine Kanzler, daß sie von sich aus so schnell wie möglich die leichten und einfachen Angelegenheiten besorgen und die schwierigen und gewichtigen Anliegen ihm zu Gehör bringen sollten. Er machte das deshalb, um die Geschäfte schnell, wie es sich gebührte, abzuwickeln.[61a] Aber Böswillige verdrehten das, was zur Linderung der Leiden gedacht war, zu einer ungerechten Bevorzugung und trachteten verlogen danach, einen Knoten im Werg (stuppa) und ein Haar im Ei zu finden.

12. Antwort auf die fünfte Ursache des Hasses.

Sie [die Anhänger des Königs] versicherten, es sei völlig falsch [wenn man behaupte], daß der König die Kumanen hereingebracht habe, um sie zur Unterdrückung und zum Haß auf die Ungarn zu veranlassen. Vielmehr habe er sie gerufen, damit die Verehrung des göttlichen Namens zu seiner [des Königs] Zeit in Ungarn zunehme. Außerdem könne er, wenn er gegen die Feinde der Krone[62] Krieg führen sollte, im Verband mit jenen tapferer und härter kämpfen. Wenn er aber die Kumanen mehr als die Ungarn ehrte, so könnten und dürften sie sich darüber nicht grämen. Denn der König sagte, er ehre die ins Land gebrachten Gäste besonders, weil er ihnen das unter Eid versprochen habe und sie ihm treu Folge leiste-ten.[63] Wenn aber die Ungarn sie haßten, so bleibe ihnen in Ungarn nur der König als Schutzherr.[64] Denn Kuthen, der König der Kumanen, sei durch den König [als Paten], viele andere aber durch die Großen und Vornehmen des Königreichs getauft worden. Ja, es sei schon zu ehelichen Verbindungen mit den Ungarn gekommen.[65] Wenn der König sie nicht begünstigt hätte, wären sie nicht in Ungarn geblieben. Nach Anhörung dieser Standpunkte will der Verfasser darüber nicht endgültig urteilen. Der Leser mag, wenn er kann, eine gerechte Entscheidung treffen.

13. Einschub, um die Erzählung fortzusetzen.

Nach der Darlegung dieser Fürsprachen wendet sich der Autor wieder der Fortführung seiner anfäng-lichen Aufgabe zu.
Und wenn Verleumder ihn [den Autor] mit der Behauptung angreifen wollen, daß Zwischenreden dieser Art nichts zur Sache beitrügen und man gut ohne sie auskommen könne, so ist das nicht wahr. Denn diese Zwietracht war der Hauptgrund für die schnelle Zerstörung Ungarns.

14. Über die öffentliche Meinung der Ungarn.

Als sich das Jahr 1240 seinem Ende zuneigte und in Ungarn Mißstimmung gegen den König herrschte, verbreitete sich um Weihnachten das Gerücht,[66] daß die Tartaren die Ungarn benachbarten Gebiete Ruß-lands verwüsteten. Und da der König über diese Vorgänge durch seine Boten[67] in Kenntnis gesetzt worden war, entsandte er seinen Palatin[68] mit einem Heer, um das „Russische Tor", das auch „Bergtor" (Montana)[69] genannt wird und das einen Zugang nach Ungarn bot, zu bewachen. Er ließ weiter überall in Ungarn verkünden, daß sowohl die Adeligen als auch die Dienstleute, die man die des Königs nennt, sowie die Burgmannen und die zu den obigen Burgen gehörenden Krieger sich zum Feldzug rüsten sollten,[70] damit sie zur Verfügung ständen, wenn der König seine Boten sende. Als aber dieser Aufruf in ganz Ungarn verkündet wurde, glaubten die Ungarn in großer Freude[71] nicht den vielfältigen Gerüchten über die Tartaren. Denn sooft ein solches Gerücht sich verbreitet hatte, hatten sie gesehen, daß es grundlos gewesen war. Sie behaupteten daher: „Vieles wird auferstehen, was schon gefallen ist."[72] Andere versicherten: Gerüchte dieser Art seien von den höheren Geistlichen in Umlauf gebracht worden und sollten verhindern, daß die Synodalen damals zu dem vom Papst einzuberufenden Konzil[73] reisten. Und tatsächlich war das ihre Absicht. Dennoch wußten alle, daß Ugolinus, der Erzbischof von Kalocsa,[74] für sich und einige seiner Suffraganbischöfe in Venedig Galeeren bestellt hatte, sie aber vom König gegen ihren Willen von der Reise zurückgerufen wurden.

Andere aber bekannten zumeist, sie hätten Grund, den König zu tadeln, weil die Kumanen sich mit den Tartaren verbündet hatten, um gemeinsam gegen die Ungarn zu kämpfen, von denen sie viel Leid erfahren hatten und des öfteren besiegt worden waren. Deshalb sei mehr als ein Jahr vor ihnen [den Tartaren] Kuthen gekommen, um die Lage des Landes zu erkunden, die Sprache zu erlernen und auf die Nachricht von dem Einfall der Tartaren den König anzugreifen.[75] So könnten dann diese sich leichter des Landestores bemächtigen und Kuthen zu Hilfe eilen. Man war schadenfroh und schalt den König, weil er die Kumanen hereingeholt hatte, wie oben schon dargestellt wurde. In dieser Meinung waren sich sehr viele Leute einig.

15. Über den gegen die Tartaren einberufenen Kriegsrat des Königs.

Als er bald darauf vor dem Sonntag Quadragesima[76] seine Reise fortsetzte, nahmen die Gerüchte [über die Ankunft der Tartaren] mehr und mehr zu. Der König eilte zu einer Stadt namens Buda[77] am Donauufer. Er pflegte dort Quadragesima[78] zu feiern, weil der Ort für alle leichter zugänglich war. Der König rief nun die Erzbischöfe, Bischöfe und anderen Großen des Reiches zusammen und beratschlagte ständig mit ihnen, wie er ein so bedeutendes Unternehmen vorbereiten könne. Er ermahnte sie wiederholt, ein jeder solle seine Soldaten gerüstet bereithalten. Kuthen aber, der mit seiner Gemahlin, seinen Söhnen und Töchtern sowie einigen seiner Großen vom König gerufen worden war, wurde gleichsam als verdächtigter Mitwisser eines Verbrechens nach gemeinsamer Beratung in Haft genommen, um eine Flucht zu verhindern.

16. Was König Béla machte, als er durch den Palatin über den Einfall der Tartaren unterrichtet wurde.

In der Mitte der Quadragesima[79] kam einer der Soldaten des Palatins in höchster Eile zum König und berichtete vom Palatin, daß die Tartaren bereits am Russischen Tor angelangt seien und die Grenzverhaue[80] zerstörten. Man glaube nicht, daß der Palatin ihnen Widerstand leisten könne, wenn der König ihm nicht rasche Hilfe sende. Der König, der die Nachricht noch nicht glauben konnte, hatte keine bewaffneten Krieger in seinem Gefolge. Während er noch in Sorge über diese Ereignisse war, kam vier Tage später der Palatin, der Tag und Nacht durchgeritten war, und berichtete, er habe am 12. März einen Zusammenstoß mit den Tartaren gehabt. Seine Leute seien fast alle grausam durch Pfeile und Schwerter hingeschlachtet worden, während er mit nur wenigen entkommen war, um über das Geschehene zu berichten. Obwohl indessen der König nicht wenig erschrocken über diese Unglücksnachrichten war, entließ er dennoch die Erzbischöfe, Bischöfe, seine Großen und Barone. Er befahl ihnen strikt, ihre Soldaten zu sammeln und zu ihm zurückzukehren. Jeder solle sich unverzüglich beeilen, wie es die Not der Stunde und der öffentliche Nutzen geböten. Er trug Stephan, dem Bischof von Waitzen,[81] sowie den Pröpsten von Arad[82] und St. Salvator zu Csanád auf,[83] sich schnell zur Königin[84] zu begeben und zur österreichischen Grenze zu eilen, wo sie das Ende des Unternehmens abwarten sollten. Ebenso bat er brieflich den Herzog von Österreich,[85] zu ihm zu eilen und befahl allen Kumanen, ohne Verzögerung zu ihm zu stoßen.[86] Er selbst sammelte aus den Städten Gran und Stuhlweißenburg, die eine Tagesreise auseinanderlagen, ein Heer, überschritt unverzüglich die Donau und blieb in einer großen und sehr reichen deutschen Stadt namens Pest,[87] die gegenüber von Buda auf der anderen Donauseite liegt, um dort mit seinem Heer seine Großen, Grafen und Barone zu erwarten.

17. Eine weitere Zwischenrede.

Ehrwürdiger Vater und Herr, merkt auf! Da aber, obwohl vieles sich gleichzeitig ereignete, nicht alles auf einmal berichtet werden kann, müssen wir die Ereignisse nacheinander darstellen.

18. Es folgt wieder eine Zwischenrede.

Merkt Euch daher die Namen der Tartarenführer, die Art ihres Einfalls nach Ungarn und ihre Verschlagenheit. Damit kein Abschnitt unerörtert bleibt, soll die gebotene Aufmerksamkeit [auf den Bericht] gelenkt werden.

19. Die Namen der Tartarenkönige, die in Ungarn einfielen.

Der König der Könige und Herrscher der Tartaren, die nach Ungarn einfielen, wurde in ihrer Sprache Batu[88] genannt. Feldherr unter seinem Oberbefehl war der im Krieg bedeutendere Bochetor (Bogutai).[89] Cadan[90] galt als der Tüchtigere.[91] Caacton,[92] Feycan,[93] Peta,[94] Hermeus,[95] Cheb[96] und Ocadar[97] wurden als bedeutendere Könige bei den Tartaren genannt, obwohl es unter den Tartaren zahlreiche andere Könige, Fürsten und Mächtige gab, die mit 500.000[98] Bewaffneten in das Königreich Ungarn eindrangen.

20. Wie die Tartaren Rußland und Kumanien verwüsteten.

Als die Tartaren Rußland und Kumanien völlig verwüstet hatten, zogen sie sich vier oder fünf Tagesreisen zurück und ließen die Ungarn benachbarten Regionen unbehelligt. Denn sie wollten dort bei ihrer Rückkehr Futter für ihre Pferde und Nahrung für sich vorfinden. Auch sollten keine Nachrichten zu den Ungarn gelangen.[99] Als sie freilich die Vorräte der oben genannten Königreiche aufgezehrt hatten und nunmehr planten, Ungarn zu besetzen, entließ Bātū seinen ganzen Hofstaat und begab sich allein mit einem kleinen Heer zum bereits erwähnten Russischen Landestor, das von dem Ort, wo der König sein Heer sammelte, nicht weit entfernt war. Bātū eilte geradewegs zum Landestor, vernichtete das Heer des Palatins, besetzte das Landestor und fiel [in Ungarn] ein.[100] König Peta zog indessen durch Polen, tötete einen der Herzöge Polens,[101] zerstörte Breslau, eine hochberühmte Stadt, und gelangte unter schrecklichem Gemetzel in das Land des Herzogs von Mähren.[102] Da diesem andere Fürsten nicht zu Hilfe eilen konnten, drang das Tartarenheer unter ähnlichen Grausamkeiten bis zum ungarischen Landestor[103] vor. König Cadan aber rückte drei Tage lang durch die Waldgebiete zwischen Rußland und Kumanien[104] vor und erreichte das deutsche Dorf Radna,[105] das zwischen hohen Bergen[106] lag und durch ein königliches Silberbergwerk reich geworden war. Hier hatte sich eine zahlreiche Volksmenge eingefunden. Da es sich aber um kriegstüchtige Männer handelte, die keinen Mangel an Waffen hatten, rückten sie auf die Nachricht von der Ankunft der Tartaren aus ihrem Dorfe aus und zogen dem Feind durch die Wälder und über das Gebirge entgegen. Als Cadan aber die zahlreichen Bewaffneten erblickte, ließ er wenden und täuschte eine Flucht vor.[107] Da kehrten diese Leute siegestrunken heim, legten ihre Waffen ab und begannen sich mit Wein zu betrinken, wie es die deutsche[108] Leidenschaft erfordert. Aber die Tartaren überraschten sie und griffen, da weder Gräben noch Mauern noch sonst irgendwelche Befestigungen vorhanden waren,[109] das Dorf aus vielen Richtungen an. Und da überall ein großes Morden einsetzte, ergab sich die Bevölkerung auf Gnade oder Ungnade, als sie merkte, daß sie ihnen keinen Widerstand mehr leisten konnte. Cadan stellte die Stadt unter seinen Schutz, nahm Ariscaldus,[110] den Grafen der Ortschaft, mit 600 auserlesenen deutschen Soldaten in sein Heer auf und begann mit ihnen in das Land diesseits der Grenzwälder[111] vorzudringen. Bogutai aber überschritt zusammen mit anderen[112] Königen den Sereth. Sie gelangten in das Land des Kumanenbischofs,[113] besiegten die Männer, die sich dort zum Kampf stellten, und besetzten das ganze Land. Ich kehre jetzt zum König von Ungarn, der sich im oben erwähnten Dorf Pest aufhielt, zurück, um dessen weiteres Vorgehen genauer zu beschreiben.

21. Wie die Tartaren vorrückten, nachdem sie das Landestor eingenommen hatten.

Nachdem aber der Großfürst Bātū das Landestor eingenommen hatte, begann er die Dörfer zu brandschatzen und nahm keine Rücksicht auf Geschlecht oder Alter. Er rückte, so rasch es eben ging, gegen den König vor. Als er sich am 15. März bis auf eine halbe Tagesreise Pest genähert hatte,[114] entsandte er einige Kundschafter mit dem Befehl zu brandschatzen und zu morden, wie es ihnen ihre angeborene Bosheit gebot.[115] Am nächsten Tag schickte er andere oder dieselben Leute, die ähnliche oder noch schlimmere Schandtaten begingen. Aber der König gestattete nicht, daß einige seiner Krieger einen Ausfall unternahmen und kämpften. Wenn man aber glaubte, daß jene abzogen, dann tauchten sie wieder auf, und wenn man annahm, daß sie wieder zurückkämen, ritten sie fort.[116] So verbrachten sie den ganzen Tag mit Kampfspielen. Als sie es aber am Sonntag ebenso trieben, litt Ugolinus, der Erzbischof von Kalocsa, sehr darunter, daß jene wie Räuber so viele rechtschaffene Menschen in Verwirrung brachten. Noch mehr aber schmerzte den Erzbischof, daß der König ihm wie den Seinen kleinmütig zu sein schien. Deswegen unternahm er entgegen dem Befehl des Königs mit wenigen Gefolgsleuten einen Ausfall, in der Absicht, mit jenen zu kämpfen. Aber sie wandten sich zur Flucht und zogen sich allmählich zurück. Als der Erzbischof das bemerkte, begann er sie in vollem Galopp zu verfolgen. Als man schließlich auf sumpfiges Gelände geriet, setzten jene schnell darüber hinweg. Der Erzbischof, der den Sumpf nicht bemerkte, drang eilig vor, da er jenen sehr nahe war; da er und die Seinen aber durch das Gewicht ihrer Rüstung niedergedrückt wurden, konnten er und seine Leute weder hinüberkommen noch zurückkehren. Jene aber kehrten eilends zu ihnen zurück, umzingelten den Sumpf, überschütteten sie mit einem

Hagel von Pfeilen und töteten sie fast alle. Der Erzbischof entkam mit nur drei oder vier Leuten und kehrte so beschämt in das Dorf zurück. Er war sehr erzürnt über seine Verluste, aber auch über die Tatsache, daß der König keine Anstalten gemacht hatte, ihm zu Hilfe zu eilen.

22. Wie die Stadt Waitzen zerstört wurde.

Am Passionssonntag[117] kam ein Teil des Heeres des Königs der Könige,[118] Bātū, zur Stadt Waitzen, die am Ufer der Donau liegt, nur eine halbe Tagesreise vom Dorfe Pest entfernt,[119] wo sich der König mit seinem Heere aufhielt. Als die Stadt eingenommen worden war, hatte sich eine zahllose Menge von Menschen, die aus der Stadt wie aus den umliegenden Dörfern stammten, zur Kathedrale und zu den kirchlichen Palästen geflüchtet, die wie eine Burg befestigt waren. Die Tartaren besiegten sie in erbittertem Kampf, bemächtigten sich des Kirchenschatzes und metzelten Domherren und andere Personen, Frauen und Mädchen nieder und verbrannten sie. So sehr litten die Einwohner von Waitzen am Passionssonntag, daß sie es verdienten, am Opfertod des Herrn Jesus Christus teilzunehmen.

23. Wie der Herzog von Österreich einen Angriff auf die Tartaren unternahm.

Es soll nicht übergangen werden, daß der Herzog von Österreich auf Bitten des Königs gekommen war, freilich nur mit wenigen Begleitern, gleichsam ohne Kenntnis von den Ereignissen und ohne Waffen.[120] Als einige Tartaren in gewohnter Weise vor das Dorf Pest gekommen waren, ließ er zu den Waffen greifen und ritt ihnen entgegen. Sobald die Tartaren sahen, daß sie kämpfen mußten, wandten sie sich zur Flucht und ritten, wie gewohnt, davon. Der Herzog aber gab seinem Pferde die Sporen und holte einen Tartaren ein. Er durchbohrte ihn so heftig, daß die Lanze zerbrach und er ihn zu Boden warf. Einem anderen, der seinem gestürzten Knez,[121] d. h. seinem Führer, zu Hilfe eilen wollte,[122] hieb er, noch im Sattel, mit dem sofort gezogenen Schwert mit einem Schlag den Arm ab. Der Getroffene stürzte sofort aus dem Sattel und starb. Man schlug die anderen in die Flucht, fesselte den Gestürzten und brachte ihn wie die erbeuteten Pferde zum Heer zurück. Als die Ungarn das sahen, glaubten sie Grund genug zu haben, um einmütig ihren König zu schmähen, den Herzog aber zu preisen.

24. Wie Kuthen, der König der Kumanen, getötet wurde.

Als sich allgemein das Gerücht verbreitete, Kuthen, der mit seiner Gefolgschaft, wie erwähnt, in der Nähe des Königs in Haft gehalten wurde, sei nicht unschuldig an dem Verbrechen, und man obendrein glaubte, bei den Angriffen handle es sich um Kumanen, nicht um Tartaren,[123] schrie das ganze Volk gegen ihn [Kuthen]: „Er soll sterben, er soll sterben! Er ist es, der schuld ist am Untergang Ungarns."[124] Daher schmählten sie den König häufiger und sagten: „Unser König soll kämpfen, da er die Kumanen, die unseren Haß erregten, ins Land geführt hat." Andere schrien: „Der König soll mit jenen kämpfen, denen unsere Güter verliehen wurden." Der König, der diese Vorwürfe häufig hörte, schickte einen Mann zu Kuthen mit der Aufforderung, unverzüglich zu ihm zu kommen. Doch Kuthen, der wiederholt das Volksgeschrei hörte, fürchtete eine Bestrafung, auch wenn er frei von Schuld sei. Er ließ daher dem König melden, er werde nicht zu ihm kommen, es sei denn, er schicke ihm einen Mann, der mächtig genug sei, ihn unbehelligt vor dem Zugriff des Volkes zum König zu führen. Als der Bote dies dem König meldete, erhob sich im Volk ein gewaltiges Geschrei:

„Er soll sterben, er soll sterben!" Und sogleich drangen Ungarn und Deutsche bewaffnet in den Palast ein, in dem er [Kuthen] sich aufhielt. Sie wollten ihn angreifen, Kuthen aber griff mit seinen Leuten zu Pfeil und Bogen, um sie abzuwehren. Doch überwältigten die Eindringlinge durch ihre zahlenmäßige Überlegenheit die Kumanen, enthaupteten sie sogleich und warfen deren Köpfe durch die Fenster des Palastes dem Volke zu. Nun wollen einige diese Tat dem Herzog von Österreich zuschreiben,[125] während andere behaupten, der Mord sei auf Befehl des Königs erfolgt. Als man aber erfuhr, daß Kuthen schuldlos sei, versicherte man, es sei nicht wahrscheinlich, daß der König, da er ihn [Kuthen] getauft und sich durch Eidesleistung für dessen Sicherheit verbürgt habe, eine solche Tat begangen hätte. Ich will nicht entscheiden, wie das geschah; darüber mag entscheiden, wer die Verhältnisse kennt und zugleich jedem Strafe und Dank für dessen Taten erweisen.

25. Was die Kumanen auf die Nachricht vom Tode ihres Königs machten und wie König Béla gegen die Tartaren zu Felde zog.

Da die Tartaren bei Tag und Nacht die Dörfer im Umkreis einäscherten, bestand der Erzbischof von Kalocsa[126] beim König darauf, daß er mit dem Heere gegen sie ausrücke. Während der Herzog von Österreich wieder heimkehrte,[127] begann der König, als sich der größere Teil des königlichen Heeres eingefunden hatte, mit den Truppen langsam gegen die Tartaren zu ziehen. Als die Kumanen gegen die Tartaren zu Hilfe gerufen, einmütig dem König zu Hilfe kamen,[128] wurden sie durch die Nachricht vom Tode ihres Herrschers Kuthen zutiefst erschüttert und wußten nicht mehr, was sie tun sollten. Sobald sich aber die Kunde von dessen Tod verbreitet hatte, begannen sich die Ungarn überall in den Dörfern voll Haß gegen die Kumanen zu erheben und sie ohne

Gnade auszuplündern und zu töten. Diese erkannten nun, daß sie vernichtet werden sollten, sammelten sich und begannen nicht nur, sich zu verteidigen, sondern auch die Dörfer zu brandschatzen und die Bauern zu erschlagen.

26. Wie der Bischof von Csanád den Händen der Kumanen entrann.

Als aber Bulzo, der Bischof von Csanád,[129] und Nicolaus, der Sohn des Borc,[130] zusammen mit vielen Vornehmen, Frauen, Kinder und das Gesinde nach Norden geleiteten und danach zum Heer des Königs eilten, begegneten sie den Kumanen, wurden in ein heftiges Gefecht mit ihnen verwickelt und, da sie ihnen nicht Widerstand leisten konnten, fast alle erschlagen. Nur der Bischof, der krank mit wenigen anderen in einem Wagen lag, wurde in Sicherheit gebracht, während die Schlacht noch andauerte. Die Kumanen aber verwüsteten das Land wie die Tartaren, überschritten gemeinsam die Donau[131] und zogen, überall Zerstörungen hinterlassend, eilends zur Grenzmark.[132] Als aber die Einwohner der Mark davon Nachricht erhielten, traten sie ihnen entgegen. Es kam an der Grenze der Mark[133] zu einer Schlacht, in der sie (die Bewohner der Mark) besiegt und in die Flucht geschlagen wurden. So eroberten die Kumanen die Mark und rächten dort grausam den Tod ihres Herrschers. Wenn sie die Ungarn töteten, sagten sie dazu: „Empfange diesen Streich für Kuthen!" Sie zerstörten die reichen Dörfer wie Franka villa senatoria,[134] St. Martin[135] u. a. Sie erbeuteten viel Geld, Pferde und Vieh, verwüsteten das Land und zogen hinüber nach Bulgarien.[136]

27. Wie der Bischof von Großwardein von den Tartaren überlistet wurde.

Benedikt, der Bischof von Großwardein,[137] hatte auf Befehl des Königs ein großes Heer aufgestellt und wollte dem König zu Hilfe eilen, als er erfuhr, daß die Tartaren die Stadt Eger [Erlau][138] zerstört, die Einwohner der Stadt und andere Leute, die dort zur Abwehr zusammengekommen waren, zum Teil verbrannt und zum Teil abgeschlachtet hatten und den Schatz des Bischofs und der Kirche fortschleppten. Er schöpfte daher Mut, zumal er erst wenige Tage zuvor aus einem bewaffneten Zusammenstoß mit einigen Tartaren siegreich hervorgegangen war. Er schickte deshalb sein Heer aus und begann sie zu verfolgen, um ihnen die restlichen Gefangenen abzujagen und diese vor der Vernichtung zu bewahren. Als die Tartaren das merkten, täuschten sie einen Weitermarsch vor, machten aber halt. Und weil sie viele Pferde besaßen, selbst aber nur gering an Zahl waren, erfanden sie die folgende List. Sie setzten möglichst viele wie Monster verkleidete Puppen, so als handle es sich um Krieger,[139] auf die reiterlosen Pferde, verbargen diese Pferde hinter einem kleinen Berg und ließen Knechte bei ihnen zurück, denen sie befahlen, in geordneter Schlachtreihe [mit der Gespensterarmee] hervorzubrechen und langsam vorzurücken, wenn sie selbst sich mit den Ungarn in einen Kampf einließen. Sie erwarteten dann die Ungarn in der Ebene. Als diese ankamen und der Gespan Both[140] wie auch andere der besten Ritter Ungarns aus dem Gefolge des Bischofs die Tartaren gesehen hatten, ließen sie ihren Pferden die Zügel schießen und stürzten sich in ein heftiges Gefecht. Da die Tartaren an Zahl aber unterlegen waren, täuschten sie eine Flucht vor und zogen sich allmählich in Richtung auf den Berg zurück. Gleichzeitig kamen jene [die Knechte] mit den Puppen und, wie ihnen aufgetragen war, in geordneter Schlachtreihe hinter dem Berg hervor. Die Ungarn, die das sahen, glaubten, ihnen würde eine Falle gestellt, und gaben rasch Fersengeld. Die Tartaren aber wendeten sogleich, verfolgten jene und schlachteten sie so grausam wie möglich ab. Der Bischof kehrte mit nur wenigen Leuten nach Groß-wardein zurück, legte dort eine kurze Rast ein, sammelte dann einige Ritter um sich und entkam über die Donau.[141]

28. Über den unglücklichen Krieg König Bélas mit den Tartaren.

Der König hatte, wie bereits berichtet, Pest verlassen und war mit seinem Heer gegen die Tartaren vor-gerückt. Da ließen jene von der Einäscherung der Dörfer ab, sammelten sich sogleich und traten auf demselben Wege, den sie gekommen waren, den Rückzug an. Und während die Ungarn die Tartaren nur zögernd verfolgten, gaben diese sich den An-schein, als flöhen sie vor den Ungarn.[142] Als sie aber zu einem Fluß mit Namen Sajó[143] gekommen waren, der nicht weit von Erlau vorbeifließt und in die Theiß mündet, überschritten die Ungarn auf einer Brücke den Fluß und schlugen ein Lager auf. Auf der Brücke aber stellten sie Posten auf, die dort Nachtwache halten sollten. Die Tartaren aber ließen sich nach dem Flußübergang in der Ebene und am Wasser nieder. Und da der Fluß breit und sehr trübe war,[144] glaubten die Ungarn nicht, daß ihn jemand ohne Brücke überschreiten könnte. Inzwischen ermahnte der König die Seinen, sich tapfer auf den Kampf vorzubereiten, und verteilte eigenhändig viele Fahnen unter die Großen.[145] Die Ungarn aber spotteten im Vertrauen auf ihre große Zahl über diese Vorberei-tungen. Zum Kampf zeigten sie dennoch aus den oben angeführten Gründen wenig Mut und Begeiste-rung.[146] Ja, sie wünschten sogar, daß der König die Schlacht verliere, damit sie nachher um so beliebter würden. Denn sie glaubten, daß die Niederlage nur einen Teil von ihnen, nicht aber alle treffen werde. Hatten sie doch gehört, was vorher in Ungarn geschehen war, wo die Kumanen nur einen Teil des Landes verwüsteten, und das beim Rückzug, bevor die Ungarn in Erscheinung treten konnten. Außerdem hätten bisweilen die Ungarn an den Kumanen ebenso gehandelt. Das war aber nicht so, weil die Taten der letzteren denen der Ungarn keineswegs entsprachen. Dennoch wurden in jeder Nacht tausend Posten zur Bewachung des Heeres aufgestellt. Was weiter? Die Tartaren fanden weitab vom Heer [der Ungarn] eine Furt, kamen des Nachts geschlossen herüber, umzingelten im Morgengrauen das ganze Heer des Königs und begannen einen Hagel von Pfeilen über das Heer niedergehen zu lassen. Bei den Ungarn, die solcherart beschäftigt und durch die List der Tartaren überrascht waren, konnten, als sie gerüstet aufs Pferd stiegen, die Ritter nicht ihre Herren und die Herren nicht ihre Ritter finden. Als sie dann schließlich in den Kampf zogen, taten sie das nur lau und matt; so dicht war der Pfeilregen, daß er den Kämpfenden fast Schatten spendete und die Pfeile wie Heuschreckenschwärme durch die Lüfte flogen.[147] Und da die Ungarn in der Umzingelung die Pfeilschüsse kaum aushalten konnten, wichen sie zurück. Der König aber konnte die Schlachtreihen nicht ordnen. Und wenn die Ungarn in buntgemischten Haufen irgendwo zum Kampf anrückten, so traten die Tartaren ihnen mit Pfeilschüssen entgegen und zwangen sie, sich zum Heer zurückzuziehen. Die Ungarn waren daher durch die große Hitze und die Enge so ermattet und verängstigt, daß der König und der Erzbischof von Kalocsa nur wenige mit Drohungen, Schmeicheleien und Ermahnungen zum Kampf treiben konnten. In dieser mißlichen Lage verblieb man vom Morgengrauen bis zum Mittag.[148] Als sie schließlich sahen, daß sie erliegen würden, stürzte sich Herzog Koloman, der Bruder des Königs, mit den Seinen, die er auch in solcher Drangsal beisammenhalten konnte, auf der einen Seite in einen heftigen Kampf mit den Tartaren, den er über einen erheblichen Teil des Tages hinweg fortsetzte. Wenn er aber glaubte, er werde durch den restlichen Teil des Heeres unterstützt, so sah er sich getäuscht. Denn während man noch annahm, daß auf der anderen Seite sehr viele in den Kampf zögen, rückten jene mitnichten ins Gefecht, sondern die Tartaren gaben ihnen sogar, als sie zurückwichen, einen Fluchtweg frei, ohne sie mit Pfeilen zu überschütten.[149] Daher wählten immer mehr Ungarn diesen Ausweg und entflohen. Je mehr durchbrechen konnten, desto breiter war der Fluchtweg, der ihnen von den Tartaren gelassen wurde. Während dieses gewaltigen Kampfes kam es nicht zum Austausch von Nachrichten und Zurufen unter ihnen. Und während der König noch glaubte, daß seine Leute in den Kampf zögen, rückten sie ab, eher zur Flucht als zur Schlacht bereit. Die Tartaren aber lauerten dem Heerhaufen des Königs auf und rührten sich nicht. Als bereits auf vielen Seiten dem königlichen Heer ein Fluchtweg offenstand, nahm der König, von den Tartaren unerkannt, mit wenigen Gefolgsleuten seinen Weg in Richtung Wald.[150] Herzog Koloman aber floh auf der anderen Seite bei Tag und Nacht auf vielen Pferden nach Pest. Er wählte nicht die öffentliche Straße,[151] auf der die Ungarn flohen, sondern flüchtete über abseits gelegene Wege und kam so zum „Donautor" [Pest]. Obwohl ihn die Bürger baten, wenigstens zu bleiben, bis Schiffe bereitgestellt worden seien, um ihre Frauen fortzubringen, konnte er doch nicht veranlaßt werden, zu bleiben, denn er sagte, jeder solle an sich denken. Da er nämlich die Ankunft seiner Verfolger befürchtete, setzte er allein sofort über die Donau und floh ins Komitat Somogy zu einem Platz namens Segesd.[152] Zwar eilten die Bürger von Pest noch mit ihren Familien zum Donauübergang, doch kamen ihnen die Tartaren zuvor. Wer von den Bürgern nicht in der Donau ertrank, ging durch das Schwert zugrunde.

29. Über die Flucht des Bischofs von Fünfkirchen.

Bartholomeus, der Bischof von Fünfkirchen,[153] hatte den Untergang des Heeres mit ansehen und erleben müssen, daß Tartaren in das ungarische Heer einbrachen und große Teile des Lagers verbrannten. Da floh er mit vielen Soldaten, und zwar gleichfalls nicht über die öffentliche Straße, sondern über das freie Feld. Als aber einige Tartaren sie in vollem Galopp verfolgten, eilte der Gespan Ladislaus,[154] der dem König viele Banner gestellt hatte und mit den Ereignissen nicht vertraut war, zu Hilfe. Der Bischof erkannte die ungarischen Fahnen und eilte zum Gespan. Die Tartaren aber sahen, daß es sich um viele Feinde handelte. Sie wendeten daher und machten sich an die Verfolgung anderer Flüchtlinge. So entkamen Gespan und Bischof ihren Händen.

30. Über die Bischöfe und anderen Kleriker, die in diesem Krieg gefallen waren.

Unter denen, die auf der großen Straße nach Pest flohen,[155] und unter den im Heer Verbliebenen wurde ein solches Gemetzel angerichtet und kamen so viele Tausende um, daß eine Schätzung über die Höhe der Verluste kaum möglich ist und man denen, die darüber berichten, wegen des unübersehbaren Gemetzels kaum Glauben schenken darf. Vom höheren Klerus fielen: der Erzbischof Matthias von Gran,[156] den der König wegen seiner Ergebenheit und auf Grund der ihnen gemeinsamen Erziehung liebte und auf dessen Rat er in schwierigen Situationen vertraute; der Erzbischof Ugolinus von Kalocsa, aus sehr vornehmer Familie,[157] der, ohne sich um Kleinigkeiten zu kümmern, große und schwierige Aufgaben übernahm; unter seinem Schutz atmeten die Vornehmen Ungarns auf, die oberen, mittleren und niedrigen Stände vertrauten ihm; der Bischof Georg von Raab,[158] der von vornehmer Lebensart und erlesener Bildung war; Reynold,[159] Bischof von Siebenbürgen, und Jakob,[160] Bischof von Neutra, ein Mann von rühmenswerter Lebensführung und bekannter Ehrenhaftigkeit; Nikolaus,[161] Propst von Hermannstadt, der Vizekanzler des Königs, von adeliger Abstammung, der, bevor er sich dem unausweichlichen Todeslos beugte, einen der Großen mit blutigem Schwert erschlug; Eradius, der Archidiakon von Bács, der Meister Albert, Archidiakon von Gran, der sich als Rechtslehrer auszeichnete. Ihre Leichen waren so verstümmelt, daß man sie nach ihrem Tode trotz eifriger Nachsuche nirgendwo finden konnte. Über die Zahl der adeligen und niedrigen Laien, die in Sümpfen und Gewässern ertrunken, in Flammen umgekommen und mit dem Schwert erschlagen waren, kann keinem Sterblichen Gewißheit werden. Denn auf Feldern und Wegen lagen die Leichen von zahlreichen Gefallenen, hier enthauptet, dort verstreut in Dörfern und in Kirchen eingeäschert, wohin sie vergebens geflohen waren. Diese schrecklichen Leichenhaufen bedeckten die Straßen über eine Entfernung von zwei Tagesreisen,[162] die Erde war dort ganz von Blut gerötet und die Leichen lagen so [zahlreich] am Boden, wie sich Rinder, Schafe und Schweine an Weidestellen in der Wüste und Steine zu Hauf in Steinbrüchen sammeln. Das Wasser barg die Leichen der Ertrunkenen. Sie dienten Fischen, Würmern und Wasservögeln zum Fraß. Die Erde wurde zum Eigentum der Leiber, die durch vergiftete Lanzen, Schwerter und Pfeile gefällt worden waren; blutgierige Vögel und gefräßige Bestien, ob Haustiere oder wilde, verschlangen die Leichen bis auf die Knochen. Das Feuer verzehrte jene Toten, die in Kirchen und Dörfern verbrannten. Manchmal löschte das Fett, das bei den Verbrennungen zutage trat, das Feuer. Die Leichen konnten während eines beschränkten Zeitraums kaum verbrannt werden. Man stieß noch längere Zeit an sehr vielen Orten auf Gebeine, die in schwarz gewordene Haut gehüllt waren und, weil sie von manchen Tieren verschmäht wurden, nicht anders beseitigt werden konnten. Da aber alle Leichen in den Herrschaftsbereich von drei Elementen gelangt waren, wollen wir sehen, was dem vierten Element verblieb. Der Luft, die als viertes Element bezeichnet wird, überließen die anderen drei Elemente den Leichengeruch. Die Luft wurde durch den Gestank so vergiftet und verunreinigt, daß die Menschen, die auf Feldern, Wegen und Wäldern an ihren Wunden halbtot daniederlagen und vielleicht noch hätten überleben können, an der Vergiftung der Atemluft starben. So war selbst die Luft nicht frei von diesem grauenhaften Sterben. Gold, Silber, Pferde, Waffen, Kleidungsstücke und andere Gegenstände, die so vielen Menschen gehörten, lagen auf dem Schlachtfeld und auf den Fluchtwegen umher. Pferde irrten mit Sätteln und Zaumzeug, aber ohne Reiter durch Feld und Wald. Durch den Lärm waren sie so wild geworden, daß sie anscheinend völlig in Raserei verfielen. Scheuend, weil sie ihre Besitzer nicht finden konnten, mußten sie entweder geschlachtet werden oder sich fremden Herren fügen. Ihr Wiehern hätte man für Stöhnen und Weinen halten können. Silberne und goldene Gefäße, seidene Gewänder und andere Luxuswaren waren von den Fliehenden, die sich so schneller vor ihren Verfolgern in Sicherheit zu bringen trachteten, in Feld und Wald fortgeworfen worden und fanden keine neuen Besitzer. Denn die Tartaren, denen nur am Morden lag, schienen sich um Beute nicht zu kümmern.[163]

31. Wie die Tartaren nach errungenem Sieg die Beute verteilten und wie sie mit dem vorgefundenen Siegel des Königs gefälschte Briefe schrieben.

Nach dem Sieg und Triumph über ein so großes Heer setzte eine entsprechende Plünderung ein. Man brachte zur Verteilung gleichermaßen blutbefleckte Kleidungsstücke, Pferde, mit Rost überzogenes Gold und Silber, edle Steine und Feldfrüchte zusammen.

Bei der Aufteilung, zu der der Herrscher und die Vornehmen der Tartaren zusammenkamen,[164] fand man das königliche Siegel im Besitz des Kanzlers [Vizekanzler], den man enthauptet hatte, da die Führer der Tartaren sich des Landes sicher zu sein glaubten und fürchteten, die Bevölkerung werde auf die Kunde von der Niederlage des Königs hin vor ihnen fliehen, griffen sie zu einer List, die Eurer sorgfältigen Beachtung bedarf. Sie verschonten zunächst das gesamte Ungarn jenseits der Donau,[165] wiesen allen tartarischen Großfürsten, die Ungarn noch nicht betreten hatten, deren Herrschaftsbereich zu, übermittelten ihnen Nachrichten und forderten sie auf, sich zu beeilen, da ja alle Hindernisse bereits beseitigt seien. Und sie ließen von einigen ungarischen Geistlichen, die sie bislang am Leben gelassen hatten, an alle Vornehmen und das Volk in ganz Ungarn im Namen des Königs verschiedene gefälschte Briefe mit folgendem Inhalt schreiben: „Fürchtet Euch nicht vor der wilden Wut der Hunde[166] und untersteht Euch nicht, Eure Häuser zu verlassen; denn obwohl wir wegen unvorhergesehener Ereignisse unser Lager und unsere Zelte verloren haben, wollen wir sie doch mit Gottes Hilfe auf die Dauer zurückgewinnen und uns zu einem neuen mutigen Kampf gegen jene rüsten. Betet daher, daß der barmherzige Gott uns erlauben möge, unsere Feinde zu schlagen."[167] Diese Briefe wurden durch einige Ungarn überbracht, die bereits zu deren Anhängern geworden waren[168] und mich und ganz Ungarn ins Verderben stürzten. Denn wir vertrauten so sehr auf die Glaubwürdigkeit jener Briefe, obwohl man jeden Tag das Entgegengesetzte vernahm, weil das Land von Kriegswirren heimgesucht war und wir keine Boten entsenden konnten, um die Nachrichten zu überprüfen, Gegenteiliges aber nicht zu glauben vermochten. So hatte das besetzte Ungarn keinen Fluchtweg offen. Aber da wir ja das weitere Schicksal des Königs unerörtert ließen, kehren wir zur Darstellung seines Vorgehens oder besser seiner Flucht zurück.

32. Was König Béla nach der Niederlage seines Heeres unternahm und wie er durch den Herzog von Österreich gefangengenommen und beraubt wurde.

Der König ritt nach seiner Flucht vom Heere bei Tag und Nacht mit wenigen Begleitern in Richtung auf das polnische Grenzgebiet[169] und eilte von dort, so schnell er nur konnte, auf direktem Wege zur Königin, die in der Grenzregion Österreichs weilte.[170] Der Herzog von Österreich kam ihm auf diese Nachricht hin, Arges im Herzen erwägend, aber unter dem Schein der Freundschaft entgegen.[171] Der König hatte gerade seine Waffen abgelegt und sich, während das Frühstück bereitet wurde, am Ufer eines Gewässers zum Schlafen niedergelegt, nachdem er allein durch Gottes Fügung so vielen schrecklichen Pfeilen und Schwertern in langer Flucht entkommen war, als er wieder geweckt wurde. Sobald er des Herzogs ansichtig wurde, freute er sich sehr. Der Herzog indes bat den König unter anderen trostreichen Worten, er solle die Donau überschreiten, um sich auf dem jenseitigen Ufer in größerer Sicherheit auszuruhen.[172] Als der König das hörte, stimmte er nichts Böses ahnend den Worten des Herzogs zu. Denn der Herzog betonte, er habe drüben eine Burg[173] und könne dort den König ehrenvoller bewirten. Doch hatte er nicht vor, ihn zu bewirten, sondern plante, jenen zu vernichten. Während der König noch glaubte, der Scylla entkommen zu können, fiel er der Charybdis zum Opfer. Und wie der Fisch, der dem Eisbehälter entgehen will, um nicht zu erfrieren, in die Glut springt und gebraten wird, so fand er sich im Glauben, er sei dem Unglück entronnen, in einer noch mißlicheren Lage. Denn der Herzog von Österreich bemächtigte sich seiner durch List und verfuhr mit ihm nach seinem Belieben. Er forderte von ihm eine

Geldsumme, die, wie er behauptete, ihm selbst einst vom König abgepreßt worden sei.[174] Was weiter? Der König konnte ihm nicht eher entkommen, als bis er ihm einen Teil desselben Geldes in bar, einen Teil in goldenen und silbernen Gefäßen ausgezahlt und für den Rest ihm schließlich drei benachbarte Komitate seines Königreichs[175] verpfändet hatte. Und obwohl die goldenen und silbernen Gefäße mehr kosteten, war der Herzog nur bereit, sie zusammen mit Juwelen als Gegenwert für zweitausend Mark in Empfang zu nehmen. Der Herzog aber setzte sich dort persönlich in den Besitz jener Komitatsburgen und ließ sie aus eigenen Mitteln zur Abwehr gegen die Tartaren instand setzen. Wenn man aber die Frage stellt, wie hoch die Geldsumme zu veranschlagen ist [die der österreichische Herzog empfing], so herrscht hier Unklarheit. Denn die einen sprachen von siebentausend, die anderen von neuntausend, wieder andere von zehntausend Mark. Aber die Wahrheit läßt sich nicht klären, weil sie geheime Vereinbarungen getroffen und sie mit eigenem Eid bekräftigt hatten. Nach diesen Geschehnissen eilte der König so schnell wie möglich zur Königin, die sich in der Nähe aufhielt.[176] Gemeinsam mit ihr entsandte er unverzüglich den Bischof Stephan von Waitzen mit einem Hilfsersuchen an den kaiserlichen Hof und an die römische Kurie.[177] Unterdessen hielt er sich selbst bei Segesd[178] mit den Großen auf, die er dort versammeln konnte.

33. Wie der Herzog von Österreich die ungarischen Flüchtlinge ausplünderte und die Deutschen in Ungarn einfielen.

Als der Herzog sah, daß die Ungarn allesamt auf der Flucht waren, sammelte er viele Soldaten und sandte sie gegen die Ungarn in deren Land. So verwüsteten die Tartaren den jenseits der Donau liegenden Reichsteil, die Deutschen aber den diesseitigen; sie [die Deutschen] brandschatzten alle in ihrer

Reichweite liegenden Dörfer, drangen in die Stadt Raab ein, eroberten die Burg und trachteten danach, sich dort mit Gewalt festzusetzen. Die Ungarn aus jener Gegend aber kamen bewaffnet bei der Stadt zusammen, eroberten diese und verbrannten alle Deutschen in der Burg. Der Herzog entbrannte daher in rasendem Zorn gegen die Ungarn, die vor den Tartaren geflohen waren und die er mit einem Schutzversprechen in Österreich zusammengeholt hatte. Nicht zufrieden mit dem, was er dem König abgepreßt hatte, verlangte er von ihnen Geld für die Verteidigung ihrer Burgen und Städte. Jetzt bot sich für ihn eine Gelegenheit, die an Vermögen und Besitz wohlhabenden Deutschen wie Ungarn zu schröpfen. Er plünderte sie in schändlicher Weise bis auf den letzten Heller aus. Die unglücklichen Ungarn wurden von den wilden reißenden Tieren überall „mit scharfem Biß" zerrissen und dann nackt in die Einöde geworfen.[179] Nach diesen Ereignissen aber wollen wir über die Könige der Tartaren berichten, die später in Ungarn eindrangen.

34. Wie die Tartaren die Stadt Großwardein eroberten und weiter zur Thomasbrücke und anderen Orten zogen.

Der König Cadan[180] hatte, wie an anderer Stelle berichtet, Radna[181] erobert, den Grafen Aristaldus gefangengenommen und 600 deutsche Krieger ausgewählt, die unter dem Befehl des genannten Grafen standen. Unter deren Führung gelangten die Tartaren durch Wälder, über Berge und Abgründe hinweg, plötzlich in die Nähe der Stadt Großwardein. Da aber diese Stadt in Ungarn sehr bekannt war, hatten sich dort in zahlloser Menge vornehme Damen wie Frauen aus dem Volke eingefunden. Und wenn auch der Bischof mit einigen Domherren von dort den Rückzug angetreten hatte,[182] so war ich doch mit den Verbliebenen dort. Da wir sahen, daß die Burg auf einer Seite verfallen war, erneuerten wir sie durch den Bau einer Doppelmauer, um eine Zuflucht in der Burg zu finden, wenn wir die Stadt nicht verteidigen könnten. Als aber die Tartaren überraschend eintrafen und mir Zweifel an meinem weiteren Verbleiben in der Stadt kamen, wollte ich mich nicht in die Burg begeben, sondern floh in den Wald; dort versteckte ich mich, solange ich konnte. Doch nahmen sie [die Tartaren] alsbald die Stadt ein und verbrannten sie zum größten Teil. Sie verschonten außerhalb der Burgmauern nichts, plünderten und erschlugen auf den Straßen, in den Häusern und auf den Feldern Männer und Frauen von vornehmer wie niedriger Abkunft. Was weiter? Sie nahmen keine Rücksicht auf Geschlecht oder Alter.[183] Als sie diese Untaten verübt hatten, zogen sie sich plötzlich mit ihrer Beute in eine abgelegene Gegend zurück und lagerten fünf Wegstunden von der Burg entfernt. Viele Tage lang ließen sie sich nicht in der Nähe der Burg blicken, so daß die Verteidiger in der Burg glaubten, sie hätten sich wegen der Stärke der Befestigungen zurückgezogen. Denn die Burg war durch große Gräben und hölzerne Türme auf den Mauern geschützt. Viele gepanzerte Krieger standen dort, so daß die ungarischen Soldaten, wenn die Tartaren bisweilen zur Erkundung näherkamen, sie in schnellem Ritt verfolgten. Als sie [die Tartaren] aber viele Tage lang nicht mehr erschienen und man glaubte, daß sie sich ganz zurückgezogen hätten, verließen die Krieger und andere Leute in großer Zahl die Burg im Vertrauen auf deren Abzug und begannen allgemein die Häuser außerhalb der Burg zu beziehen. Und so griffen die Tartaren, deren Aufenthaltsort man nicht kannte, sie im Morgengrauen an, töteten einen großen Teil derer, die nicht mehr zur Burg fliehen konnten, und umzingelten die Burg.[184] Sie stellten an der Burg sieben Belagerungsmaschinen auf und schleuderten mit ihnen Tag und Nacht ununterbrochen Steine, bis die neu errichtete Mauer völlig zerstört war. Nach-

171

dem Türme und Mauern vernichtet waren, eröffneten sie sofort den Kampf, erstürmten die Burg und nahmen Ritter, Geistliche und andere, die nicht bei der Eroberung der Burg durch das Schwert umgekommen waren, gefangen. Aber Herr, die adligen Damen wollten Zuflucht im Dom suchen. Unterdessen entwaffneten die Tartaren die Ritter und zwangen die Geistlichen unter grausamen Foltern zur Herausgabe ihrer Habe. Da sie die Kathedrale nicht sogleich stürmen konnten, legten sie Feuer, verbrannten die Kirche mitsamt den Damen und allem, was darin war. In anderen Kirchen aber begingen sie so viel Verbrechen an den Frauen, daß es besser ist, darüber zu schweigen, um den Menschen nicht Anreiz zu den verworfensten Schandtaten zu geben. Adlige, Bürger, Soldaten und Geistliche wurden außerhalb der Stadt auf freiem Feld skrupellos ermordet. Danach verwüstete man die Gräber der Heiligen, zertrat verbrecherisch die Reliquien und zertrümmerte Monstranzen, Kreuze, goldene Kelche, Gefäße und andere Gegenstände, die für den Altardienst bestimmt waren. Man führte Männer und Frauen in die Kirchen, schändete sie dort und schlachtete sie an Ort und Stelle ab. Nachdem aber alles zerstört worden war und sich ein unerträglicher Verwesungsgestank von den Leichen der Erschlagenen erhob, zogen sie ab, und die Stätte blieb wüst zurück. Die Menschen, die sich ringsum in den Wäldern verborgen hielten, strömten nun ebendort zusammen, um etwas Eßbares zu ergattern. Als sie aber Trümmer, Steine und Leichen wendeten, kamen die Tartaren plötzlich zurück und ließen von den Lebenden, die sie dort fanden, niemanden am Leben. So fanden bis zuletzt täglich neue Gemetzel statt. Da sie [die Tartaren] keine Opfer mehr fanden, rückten sie endgültig ab. Wir aber, die wir in den Wäldern inmitten von Verhauen[185] ausharrten, flohen bei Nacht nach Thomasbrücke,[186] einem großen Dorf der Deutschen am Körös-Fluß. Die Deutschen ließen uns aber keineswegs über die Brücke hinaus, sondern bestanden darauf, daß wir gemeinsam mit ihnen ihr gut befestigtes Dorf verteidigen sollten. Das mißfiel uns zutiefst. Doch gelangten wir zu einer Insel,[187] die von den Leuten von Ágya,[188] dem Vojevoden[189] von Gyarmat[190] und mehreren anderen Dörfern der Umgebung zum mutigen Widerstand gegen die Tartaren befestigt wurde. Da ich nicht weiterzuziehen wagte, beschloß ich auf Drangen des Vojevoden und aller Anwesenden dort mit ihnen zu bleiben. Denn man konnte die Insel nur über einen schmalen Pfad erreichen, auf dem über eine Strecke von einer Wegstunde drei Tore mit Türmen errichtet waren. Darüber hinaus waren eine Wegstunde ringsum stark befestigte Verhaue vorhanden. Als ich des so befestigten Platzes ansichtig wurde, gefiel er mir, und ich blieb. Aber die Eigenart der Insel bestand darin, daß sie nur einzelnen Leuten Zugang bot, allen aber einen Rückzug unmöglich machte. Ich hielt mich dort einige Tage mit meinem Gesinde auf. Da erfuhren wir durch unsere Kundschafter, daß die Tartaren sich näherten. Ich verließ heimlich die Insel, um nachzusehen, wie wir die Pferde retten könnten, und eilte in Begleitung eines Führers und eines Knechtes – jeder von uns hatte drei Pferde bei sich – bei Nacht zur Stadt Csanád, die am Maros-Fluß liegt und von jenem Platz acht Wegstunden entfernt ist. Wir ritten die ganze Nacht über, soweit die Pferde uns tragen konnten, und gelangten im Morgengrauen nach Csanád. Aber am Tage zuvor war die Stadt von Tartaren, die aus einer anderen Richtung in Ungarn eingedrungen waren, eingenommen und zerstört worden; sie hatten jene Gegend so vollständig unter Kontrolle, daß wir nicht den Fluß überschreiten konnten. Und da unsere Pferde erschöpft waren und die Menschen aus jener Gegend sich hier und dort versteckten, konnten wir auf keinen Fall zurückkehren. So mußten wir uns an jenem Tage in irgendwelchen Hütten und nach Freilassung der Pferde in

Erdlöchern verbergen. Bei Einbruch der Nacht machten wir uns nicht ohne große Schwierigkeiten und voller Angst auf den Weg, um mitten durch die Tartaren zu ziehen und mit gesenkten Augen und schamerfüllt zu unserem früheren Aufenthaltsort zurückzukehren. Während wir noch in solcher Gefahr schwebten, flohen meine Knechte, die draußen die Pferde hüteten, und andere Begleiter mit meinem Geld und meiner Kleidung von der Insel. Sie wurden auf der Flucht von den Tartaren entdeckt und niedergemetzelt. Ich aber blieb mit nur einem Diener mittellos auf der Insel zurück. Danach verstärkten sich bald die Gerüchte, daß die Tartaren im Morgengrauen das oben genannte deutsche Dorf Thomasbrücke besetzt und alle, die sie nicht gefangen nehmen wollten, grausam abgeschlachtet hatten. Als ich das hörte, sträubten sich mir die Haare, ich zitterte am ganzen Leibe, und die Zunge versagte mir ihren Dienst, da ich erkannte, daß mir ein unvermeidlicher und schrecklicher Tod bevorstand. Ich stellte mir vor meinem inneren Auge die Schlächter vor, und mein Körper wurde kalt vom Todesschweiß. Ich sah Menschen, die den Tod erwarteten und weder die Hände und Waffen ruhig halten noch die Arme heben, zur Verteidigung schreiten und zu Boden blicken konnten. Und was weiter? Ich erblickte Menschen, die vor panischer Furcht halbtot waren. Als ich vor Angst außer mir war, half mir das Erbarmen Christi, und ich rief wie einer der Vornehmen die Bevölkerung der Insel zusammen, um uns besser und auf italische Weise[191] [d. h. durch die Flucht] zu schützen. Bei dieser Gelegenheit verließ ich mit der Bevölkerung die Insel, ich nahm noch zwei Söhne des Prokurators mit und den einzigen Knecht, der mir verblieben war. Ich gab mir den Anschein, als ziehe ich länger im Walde umher, und versteckte mich in den Verhauen. Dem Vater der Knaben ließ ich melden, daß ich aus Angst nicht zur Insel zurückkehren wollte. Ich sei im übrigen der Ansicht,

wenn ich seine Söhne bei mir verbergen sollte, möge
er mir Lebensmittel schicken. Als diese bei Tagesan-
bruch überbracht wurden, tauchten die Tartaren auf
und umzingelten die Insel. Und da sie zu erkennen
gaben, daß sie mit einem Angriff vom Wasser her die
Insel erobern wollten, ließ sich die Bevölkerung der
Insel täuschen und wandte sich dorthin, um diese
Seite zu verteidigen. Die Tartaren aber erstürmten
auf der anderen Seite die Tore, die von ihren
Besatzungen verlassen worden waren, und sie fanden
niemanden von den Unsrigen, der einen Pfeil gegen
sie abgeschossen oder sich ihnen zu Pferd oder zu Fuß
entgegengeworfen hätte. Was, wie oft und in welchem Umfang unsere Leute an Grausamkeiten erdul-
deten, das wäre nicht nur schrecklich zu sehen,
sondern müßte auch Menschen zutiefst erschrecken,
die davon hören würden. Als man die Beute fort
geschleppt hatte, blieben nur die entblößten Leichen
von Frauen und Männern auf dem Platz, die einen
zum Hohn zerstückelt, andere noch ganz unversehrt.
Viele Leute, die sich verborgen gehalten hatten,
glaubten, daß sie [die Tartaren] nach drei Tagen
abgezogen seien, und kehrten zur Insel zurück, um
Lebensmittel zu beschaffen. Sie wurden von den
Tartaren, die sich dort versteckt hatten, überrascht.
Nur wenige entkamen.[192] Ich selbst irrte durch die
Wälder und bettelte, ohne daß mir geholfen wurde.
Wem ich viel geschenkt hatte, der gewährte mir kaum
Almosen. Da mich Hunger und Durst immer ärger
quälten, sah ich mich genötigt, bei Nacht die Insel zu
betreten und die Leichen der Erschlagenen zu wenden, um vergrabenes Mehl und Fleisch oder etwas
anderes Eßbares zu finden. Was ich bei Nacht
entdeckte, das schleppte ich in die Wälder fort. O,
„hört und seht", wie elend jenes Leben war. Nach
zehn oder zwanzig Tagen betrat ich die Insel, um die
Leichen der Erschlagenen zu wenden. Hört nur, wie
groß die Trauer, der Leichengeruch und die Furcht
sein konnten. Es gibt wohl keinen Menschen, der

durch eine solche Art von Bestrafung nicht erschreckt würde, wenn sie ihm erst bewußt wurde. Ich sah mich gezwungen, Höhlen aufzusuchen, Gruben auszuheben oder hohle Bäume ausfindig zu machen, in denen ich mich verbergen konnte, da jene das dichte Unterholz, die dunklen Wälder, tiefen Gewässer und abgelegenen Einöden zu durchforschen schienen, wie Hunde, die Hasen und Eber aufspüren. Sie durchsuchten die Wälder einen Monat und länger. Weil sie selbst dort nicht alle töten konnten, wandten sie sich einer neuen betrügerischen List zu.

35. Wie die Tartaren jene überlisteten, die sich in den Wäldern verborgen hatten.

Sie fingen einige, die sich in den Wäldern versteckt hielten, und entließen sie wieder, um zu verkünden, daß allen, die sich ihnen ergeben wollten, innerhalb einer bestimmten Frist freies Geleit gegeben werde, um zu ihren Besitzungen zurückzukehren. Die Flüchtlinge vertrauten deren Versicherungen, da sie bereits aus Mangel an Lebensmitteln starben. So kehrten alle, die noch [in den Wäldern] verblieben waren, zu ihren Behausungen zurück. Und da die Wälder sehr ausgedehnt waren, handelte es sich immer noch um eine zahllose Menge, die sich verborgen hielt, so daß jetzt das Land wieder auf eine Entfernung von drei Tagereisen bevölkert wurde. Jedes Dorf aber wählte sich von den Tartaren einen Vorsteher, den es wollte. Zur Erntezeit sammelten alle die Feldfrüchte ein und brachten sie wie Stroh und Heu und anderes in die Scheunen ein. Die Tartaren und Kumanen lebten mit uns zusammen, und viele von ihnen freuten sich, wenn sie sahen, daß die Väter durch ihre Töchter, die Männer durch ihre Frauen, die Brüder durch ihre schönen Schwestern ihr Leben retteten und ihnen die Frauen zu ihrer Lust übergaben. Es befriedigte sie [die Tartaren], wenn sie die Tochter in Gegenwart des Vaters oder die Ehefrau in Anwesenheit des Mannes mißbrauchten.[193] Sie setzten Kneze,[194] d. h. Verwalter ein, die Recht sprechen und ihnen Pferde, Vieh, Waffen, Geschenke und nützliche Kleidungsstücke beschaffen sollten. So war auch mein Amtsträger einer von jenen Herren. Er regierte über fast tausend Dörfer. Es gab insgesamt etwa[195] hundert Kneze. Wir hatten Frieden und geregelte Verhältnisse, jedem wurde sein Recht zuteil.[196] Man sandte den Vorstehern die schönsten Mädchen,[197] und die Überbringer erhielten für solche Geschenke Schafe, Ochsen oder Pferde. Die Vorsteher kamen fast jede Woche zusammen.[198] Ich aber reiste mit meinem Vorsteher häufiger zu ihnen. Denn ich wollte etwas über ihr Leben erfahren und einige ihrer Vornehmen kennenlernen, um zu erkunden, ob sich kein Weg zur Rettung böte. Eines Tages ordneten alle Vorsteher an, daß Männer, Frauen und Kinder aus bestimmten Dörfern mit Geschenken vor ihnen erscheinen sollten. Wir ängstigten uns sehr, als wir die Nachricht vernahmen. Kannten wir doch nicht den Grund für diese Maßnahmen. Ich zog es daher vor, mit den Vorstehern zum Heer zu gehen, als unter so unsicheren Umständen im Dorf zurückzubleiben. Wir blieben daher mittellos und barfüßig zur Bewachung der Troßwagen[199] in den Zelten von Ungarn zurück, die in ihrer Lebenshaltung schon zu Tartaren geworden waren.[200] Die Vorsteher erschienen aber, um die Geschenke entgegenzunehmen. Dann führten sie die Vorgeladenen in ein Tal, beraubten sie, nahmen ihnen die Kleider fort und ermordeten sie an Ort und Stelle.

36. Wie der Autor dieses Liedes in die Hände der Tartaren geriet.

Als solche Nachrichten bei mir eintrafen, unterstellte ich mich einem Ungarn, der durch sein Verhalten, wie bereits geschildert, zum Tartaren geworden war. Er hielt mich gnädig für wert, in seine Dienste zu treten. Ich blieb einige Tage bei ihm und hatte ständig den Tod vor Augen. Ich sah, daß unzählige Kumanen und Tartaren mit beutebeladenen Wagen, Vieh, Zugtieren und anderen Vorräten aus allen Richtungen zurückströmten. Als ich mich erkundigte, was das zu bedeuten habe, wurde mir geantwortet, jene hätten in einer Nacht alle bislang verschont gebliebenen Dörfer umzingelt und die Einwohner niedergemetzelt. In all jenen Dörfern entkamen nur sehr wenige, die sich in Wäldern und Höhlen verbergen konnten. So verödete diese Gegend völlig.[201] Doch verbrannten sie weder Getreide noch Strohballen oder Häuser, sondern veranlaßten all das, damit wir am Leben verzweifeln sollten.[202] Deshalb war ich im festen Glauben, daß sie in jener Gegend überwintern oder zumindest ihr Gesinde dorthin schicken wollten, um für ihre Pferde Unterstände und Lebensmittel zu finden. Ich erfuhr später, daß sich alles noch bewahrheiten sollte. Denn sie hatten die Bevölkerung noch eine Zeitlang leben lassen, in der klugen Überlegung, daß sie die Ernten einbringen und die Weinlese vornehmen sollten. Doch wünschte man nicht, daß die Bauern die gesammelten Vorräte aufzehrten.

37. Über die Zerstörung des neuen Dorfes und des Klosters von Egres.

Was weiter? Wir machten uns auf die Reise in Richtung Arad und Csanád. In der Mitte zwischen beiden Städten lag ein großes, bislang von den Tartaren verschontes Dorf mit Namen Pereg,[203] in dem sich die Einwohner von 70 Dörfern[204] zusammengefunden hatten. Gleichfalls verschont war das Zisterzienserkloster Egres,[205] in das sich wie in eine befestigte Burg Ritter und zahlreiche adlige Frauen zurückgezogen hatten. Doch wollten die Tartaren diese Örtlichkeiten nicht eher angreifen, als bis sie das umliegende Land völlig in eine Einöde verwandelt hatten. Nur bisweilen ließen sich einige von

ihnen blicken und wurden von den Ungarn über weite
Strecken verfolgt, so daß sich letztere in dem Glauben
wiegen konnten, sie seien auf Grund ihrer militärischen Stärke unbelästigt geblieben. Schließlich sammelten die Tartaren nach der Verwüstung jenes
ganzen Landstriches russische, kumanische und ungarische Gefangene sowie einige wenige Tartaren,
schlossen das Dorf von allen Seiten ein und schickten
die ungarischen Gefangenen zum Kampf vor.[206]
Nachdem diese gefallen waren, griffen Russen,[207]
Ismaeliten[208] und Kumanen[209] an. Die Tartaren aber
standen hinter allen und machten sich über den Fall
und Untergang jener lustig, die Zurückweichenden
aber erschlugen sie. So kämpften sie eine Woche lang
bei Tag und Nacht, bis sie die Gräben gefüllt hatten
und das Dorf einnahmen. Die Ritter und die adligen
Damen, die in großer Zahl vertreten waren, brachte
man aus dem Dorf auf ein freies Feld, die Bauern auf
ein anderes. Man beraubte sie ihres Geldes, der
Waffen, Kleider und sonstiger Besitztümer und mor-
dete sie grausam mit Beilen und Schwertern. Nur
einige Frauen und Mädchen ließ man am Leben, um
sie zu mißbrauchen. Nur jene überlebten von den
anderen, die sich, vom Blut anderer Opfer bespritzt,
hatten hinfallen lassen und sich so verbergen können.
O welch Schmerz, Grausamkeit und unermeßliches
Wüten! Wer hätte als vernunftbegabter Mensch die
Abschlachtung einer Volksmenge mitansehen können, ohne diesen Ort zu Recht als Blutacker[210] zu
bezeichnen. Schließlich belagerten sie einige Tage
später das Kloster Egres und brachten dort viele
Belagerungsmaschinen in Stellung. Da aber die im
Kloster Versammelten keinen Widerstand leisten
konnten, ergaben sie sich, um ihr Leben zu retten.
Doch wurde ihnen dasselbe Schicksal zuteil wie den
anderen, mit Ausnahme einiger Mönche, die sie
unbehelligt ziehen ließen,[211] und einiger vornehmer
Frauen und schöner Mädchen, die sie zurückhielten,
um sie zu schänden. Was weiter! Wenn man die

Kämpfe und Grausamkeiten, die sich abspielten, in Einzelheiten schildern wollte, würde man das Gemüt der Leser in zu großen Schrecken versetzen[212] und die Ohren mit entsetzlichem Lärm erfüllen.[213] Wenn solch schreckliche Nachrichten in der Welt Verbreitung fänden, so möchten die Fürsten der Erde anders denken. Denn siehe, in jenem Sommer verwüsteten sie alles Land bis zu den Grenzen Österreichs, Böhmen, Mähren, Polen, Schlesien und Kumanien bis zur Donau hin.

38. Über die List, mit der die Tartaren die Donau überschritten.

Da aber Gran in Ungarn alle Städte überragte, dachten sie [die Tartaren] begierig daran, die Donau zu überqueren und dort ihre Lager aufzuschlagen. Nun hatte es in jenem Winter sehr viel Schnee und Eis gegeben, so daß die Donau zufror, was seit langem nicht mehr geschehen war. Aber die Ungarn brachen an ihrem Ufer das Eis täglich auf und überwachten die Donau so eifrig, daß es ständig auf dem Eis zu Kämpfen zwischen Fußsoldaten kam. Als aber starker Frost eintrat, fror die ganze Donau zu. Gleichwohl versuchten die Tartaren nicht, beritten herüberzukommen. Vernehmt also, was sie unternahmen. Sie brachten zahlreiche Pferde und Viehherden ans Donauufer und ließen sie drei Tage lang, wie es schien, unbeaufsichtigt laufen; niemand von ihnen ließ sich dort blicken. Da gingen die Ungarn im Glauben, die Tartaren seien abgezogen, plötzlich über den Fluß und brachten all jene Viehherden herüber. Als die Tartaren das sahen, glaubten sie das Eis unbehindert zu Pferde überschreiten zu können. Das geschah auch, und sie kamen in so mächtigen Angriffswellen herüber, daß sie an jenem Donauabschnitt das ganze jenseitige Ufer bedeckten.[214] König Cadan aber verfolgte den ungarischen König, der keine Zufluchtsstätte fand und sich in Slawonien aufhielt. Seiner verzweifelten Lage bewußt, floh dieser weiter. Da er aber die Burgen an der Küste nicht für sicher genug hielt, setzte er auf die Inseln über, wo er bis zum Rückzug der Tartaren verblieb.[215] Cadan, der nun erkannte, daß er seiner nicht habhaft werden könne, verwüstete Bosnien und das Königreich Raszien[216] [Serbien] und zog von dort weiter nach Bulgarien.

39. Wie die Tartaren Gran zerstörten.

Der andere Teil des Heeres wandte sich gegen Gran. In die unmittelbare Nähe der Stadt gelangten nur sehr wenige. Sie lagerten vielmehr in größerer Entfernung und errichteten dort dreißig Belagerungsmaschinen.[217] Die Graner hatten sich inzwischen durch die Anlage von Gräben, Mauern und hölzernen Türmen umfassend gesichert. In der Stadt befand sich eine zahllose Volksmenge, reiche Bürger, Ritter, Vornehme und adlige Damen, die an dieser einzigartigen Zufluchtsstätte schutzsuchend zusammengeströmt waren. Doch war ihre Überheblichkeit so groß, daß sie sich vermaßen, der ganzen Welt Widerstand leisten zu können. Aber siehe, eines Tages umzingelten die Tartaren die Stadt. Die Kriegsgefangenen, die bei ihnen waren, brachten soviel Reisigbündel herbei, daß sie auf einer Seite der Stadt mit ihnen den Graben füllten und zugleich einen Wall aus diesen Bündeln aufrichteten. Hinter jenem Wall stellte man alsbald die oben erwähnten dreißig Belagerungsmaschinen auf, die bei Tag und Nacht Steine auf die Stadt und die hölzernen Türme schleuderten. Man geriet deshalb in der Stadt in derartige Aufregung und Verblendung, daß die Leute den Gedanken an Verteidigung aufgegeben hatten und wie Blinde und Narren einander behinderten. Die Tartaren zerstörten die hölzernen Befestigungen und schleuderten mit den Wurfmaschinen[218] Säcke voll Erde, um mit ihnen die Gräben aufzufüllen. Keiner von den Ungarn oder anderen [Nationen] wagte sich wegen der Steine und Pfeile am Graben sehen zu lassen. Sobald die Ungarn, Franzosen und Lombarden,[219] die gleichsam Herren der Stadt waren, bemerkten, daß sie sich nicht verteidigen konnten, zündeten sie die Vorstädte und die zahlreichen Holzhäuser außer den Stadtpalästen an.[220] Sie verbrannten in den Häusern zahllose Decken und Kleider, töteten die Pferde, vergruben Gold und Silber in der Erde, versteckten Wertsachen[221] und zogen sich in die Paläste zurück, um sich dort zu verteidigen. Als aber die Tartaren in Erfahrung brachten, daß alle Güter, mit denen sie sich bereichern wollten, eingeäschert worden seien, entbrannten sie in gewaltigem Zorn gegen sie [die Graner Bürger]. Sie schlossen die Stadt ringsum mit hölzernen Befestigungen ein, damit niemand entkomme, der dem Gemetzel entgehen könne. Danach machten sie sich daran, die Paläste zu erobern. Sie nahmen diese schnell ein. Ehrlich gesagt, glaube ich nicht, daß fünfzehn Menschen aus der ganzen Stadt übrig geblieben sind, die innen wie außen nicht irgendwo ermordet worden sind.[222] Sie [die Tartaren] berauschten sich am Gemetzel und brieten in ihrer Wut gegen sie lebende Menschen wie Schweine zu Tode.

40. Wie die Tartaren später nach der Zerstörung fast ganz Ungarns in ihr Land zurückkehrten.

Vornehme Damen aber hatten sich, um sich besser schmücken zu können, in einem Palast versammelt und riefen den Großfürsten an, weil sie fürchten mußten, gefangen und getötet zu werden. Sie wurden alle, ungefähr 300 an der Zahl, aus der Stadt heraus zum Fürsten geführt, den sie um Gnade baten, damit er unter seiner Herrschaft ihr Leben schone. Doch befahl er, zornig darüber, daß seine Leute nichts erbeutet hatten, ihnen die Wertsachen abzunehmen und sie zu enthaupten. Das geschah auch sogleich. Die Burg wurde nicht erobert. Dort hielt sich der Graf

Symeon Hispanus[223] mit zahlreichen Armbrustschützen, die sich mannhaft zur Wehr setzten. Auch die Stadt Stuhlweißenburg, die von Sümpfen umgeben ist, konnten sie nicht einnehmen, da Tauwetter eingetreten war. Als sie die Burg des hl. Martin von Pannonien[224] zu erobern versuchten und der Abt[225] sich tapfer verteidigte, wurden sie plötzlich zurückgerufen.[226] So blieben in jener Gegend [Pannonien] nur diese drei Örtlichkeiten unbesetzt. Sie [die Tartaren] hatten das Land jenseits wie diesseits der Donau in ihrer Gewalt, aber diesseits war das Land nicht so vollständig verödet, weil sie ihre Zeltlager dort nicht aufgeschlagen hatten, sondern nur auf dem Durchzug alles, was sie fanden, verwüsteten.[227] Als Nachrichten laut wurden, nach denen die Tartaren auf eine Eroberung Deutschlands verzichteten, bedauerte ich das sehr, denn ich hatte gehofft, dort den Händen der Mörder zu entkommen. Doch freute ich mich nicht wenig, weil die Vernichtung der Christenheit vermieden wurde. Aber auf Befehl der Großkönige traten wir den Rückmarsch durch das entvölkerte Land an, mit beutebeladenen Wagen, mit Gerätschaften, Pferde- und Rinderherden, Schritt für Schritt vorwärtsdringend und die Schlupfwinkel und Wälder durchsuchend, um beim Rückzug aufzuspüren, was beim Vormarsch nicht entdeckt worden war. So gelangten wir allmählich nach Transsilvanien, wo eine zahlreiche Bevölkerung zurückgeblieben war. Dort hatte man nach dem Durchzug der Tartaren viele Burgen errichtet. Was weiter? Mit Ausnahme einiger Burgen besetzten sie [die Tartaren] das ganze Land und ließen es beim weiteren Vormarsch verwüstet und verödet hinter sich. Schon verließen sie Ungarn und fielen in Kumanien[228] ein. Vorher ließen sie nicht zu, daß für die Gefangenen irgendwelche Tiere geschlachtet wurden, und gaben ihnen lediglich die Innereien, die Klauen und Köpfe zum Verzehr. Damals begannen wir uns darüber Gedanken zu machen, was uns die Dolmetscher berichteten, daß sie [die Tartaren] planten, uns alle beim Verlassen Ungarns niederzumachen. Da ich aber nicht hoffte, noch weiterleben zu können und ein schrecklicher und grausamer Tod auf mich wartete, wollte ich lieber dort sterben als auf dem Weitermarsch ständig gequält werden. So verließ ich die Straße, gab mir den Anschein, als müsse ich meine Notdurft verrichten, eilte mit meinem Diener in das Waldesdickicht und suchte im Bett eines Baches unter Zweigen und Blättern Zuflucht. Mein Diener versteckte sich in größerer Entfernung, damit nicht die überraschende Entdeckung des einen zur traurigen Gefangennahme des anderen führe. So lagen wir zwei Tage lang, ohne unser Haupt aufrichten zu können, wie im Grabe, und hörten in der Nähe die schrecklichen Rufe jener, die verirrtem Vieh nachspürten und zugleich immer wieder nach verborgenen Gefangenen riefen. Da wir den Hunger in der Abgeschiedenheit und Stille nicht länger ertragen konnten, erhoben wir uns vorsichtig und krochen wie Schlangen auf Händen und Füßen über den Boden. Schließlich trafen wir uns und klagten uns gegenseitig mit schwacher und unterdrückter Stimme unseren quälenden Hunger und jammerten unter Stöhnen und Weinen darüber, daß es weniger schlimm gewesen wäre, unter dem Schwert zu enden als durch Hunger den Gebrauch der Glieder und den Zusammenhalt von Körper und Seele zu verlieren. Während wir noch mitleidige Gespräche dieser Art führten, begegnete uns ein Mann, vor dem wir ängstlich flohen, als wir seiner ansichtig wurden. Wir wagten nicht zurückzublicken, um zu erfahren, ob er uns führen oder auf der Flucht behilflich sein könne. Aber wir sahen, daß er ebenso floh. Glaubte er doch, daß wir sehr mutig sein und ihm eine Falle stellen könnten. Weil aber Gott fügte, daß die Fliehenden den anderen als Flüchtling sahen und sie keine Waffen bei sich hatten, blieben wir stehen und riefen uns gegenseitig mit Gebärden und Zeichen heran. Wir machten uns miteinander

bekannt und überlegten in ausführlichen und mit-
fühlsamen Gesprächen, was wir tun müßten. Doch
wurden wir durch doppelte Not, schrecklichen Hunger und Todesfurcht so gequält, daß es aussah, als
verlören wir völlig unser Augenlicht. Denn wir
konnten weder den Saft der Waldkräuter noch diese
selbst so verzehren, wie es die Tiere tun. Und obwohl
uns solcher Hunger bedrängte und ein schreckliches
Ende bedrohte, so gaben uns doch der Lebenswille
und die Hoffnung davonzukommen neuen Mut. So
faßten wir Gottvertrauen,[229] kamen erschöpft am
Waldrand an, bestiegen einen hohen Baum und sahen
das von den Tartaren verwüstete Land, das sie bei
ihrem ersten Eintreffen noch verschont hatten. Welch
ein Schmerz! Wir durchwanderten ein entvölkertes
und verödetes Land, das sie bei ihrem Abzug hinterlassen hatten. Die Kirchtürme waren uns von Ort zu
Ort die Wegzeichen. Sie kennzeichneten einen Weg,
der für uns schrecklich genug war. Denn die Wege
und Saumpfade waren verlassen und von Unkraut
und Gesträuch völlig bedeckt. In den Gärten der
Bauern waren Porree, Portulace, Zwiebeln und Knob-
lauch zurückgeblieben; wenn man sie finden konnte,
so wurden sie mir zum größten Genuß überbracht;
die anderen nährten sich von Malven, Himbeeren
und den Wurzeln des Schierlings. Damit stillte man
den Hunger, und Lebensgeister wurden im kraftlosen
Körper so wieder geweckt. Den Erschöpften wurde
keine Ruhe gewährt, da wir kein Dach und keine
Decken hatten, um unser Haupt damit zu bedecken,
wenn wir bei Nacht ruhten. Wir verließen schließlich
den Wald und kamen nach acht Tagen zur Stadt
Weißenburg (Alba), wo wir nur die Gebeine und
Köpfe von Erschlagenen, die Ruinen der Kirchen und
Paläste fanden, die das reichlich vergossene Blut von
Christen benetzt hatte. Und wenn auch die Erde das
unschuldig vergossene Blut, das sie unersättlich auf-
gesaugt hatte, nicht zeigte, so waren doch die Steine
vom rosenfarbenen Blut gerötet, und wir konnten

nur unter ständigem Jammern und bitteren Seufzern hindurcheilen. Zehn Wegstunden von dort lag am Walde ein Dorf, das in der Volkssprache Frata[230] genannt wird, vier Stunden weiter erhob sich im Walde ein hoher Berg und auf dessen Spitze ein schrecklicher Felsen; dorthin hatte sich eine Menge Männer und Frauen geflüchtet, die uns unter Tränen willkommen hießen und uns nach den durchlittenen Gefahren befragten, die wir in wenigen Worten gar nicht berichten konnten. Schließlich boten sie uns Schwarzbrot und aus geriebener Eichenrinde angefertigtes Gebäck. Uns aber schien das schmackhafter als alles, was wir jemals gegessen hatten. Wir blieben dort einen Monat lang und wagten nicht fortzugehen von den einfachen Leuten, entsandten aber ständig Kundschafter, die beobachten und in Erfahrung bringen sollten, ob noch ein Teil der Tartaren in Ungarn zurückgeblieben sei oder ob sie wie früher listig zurückkehrten, um diejenigen, die ihnen entronnen seien, zu fangen. Und obwohl wir häufig durch den Zwang, uns mit Lebensmitteln zu versorgen, gezwungen waren, früher bewohnte Orte aufzusuchen, so erwies sich doch unser Abstieg nie als ganz sicher, bis König Béla durch Kreuzritter von der Insel Rhodos[231] und die Herren von Frangepani[232] mit vielen Truppen verstärkt von der Meeresküste zurückkam, nachdem er vorher von den Ungarn über den Abzug der Tartaren benachrichtigt worden war. Ich habe Euch, Ehrwürdiger Vater, dies ohne Beimischung falscher Nachrichten geschrieben, damit Ihr wißt, welches Glück mich am Leben hielt und was an Widrigkeiten und Gefahren zu bestehen war. Seid gegrüßt.

ANMERKUNGEN

1 Der Adressat des Schreibens ist der päpstliche Legat, Jakob Pecorarius, Bischof von Praeneste (L. Juhász in SRH II, S. 545–550, vgl. besonders S. 546, Anm. 1).

2 Rogerius schrieb vor allem die Kapitel 34–40 als Augenzeuge nieder (L. Juhász in SRH II, S. 551, Anm. 2).

3 1 Tim 6,15; Offb. 19,16.

4 2 Chr (Paralipomenon) 36,15.

5 Joh 9,6.

6 Dtn 32,41.

7 Rogerius verwendet mehrere symbolische Gegensatzpaare, um deutlich zu machen, daß Gott sich dem ungarischen Volke nicht als liebender Erlöser geoffenbart hat, sondern als strafender Sühnegott, der die Christenheit um ihrer Sünden willen durch die Tataren heimgesucht hat. Besonders symbolträchtig sind Stab und Rute bzw. Geißel *(virga)*. Der Stab kann gedeutet werden als Hirtenstab, mit dem Christus als der gute Hirte seine Schafe beisammen hält (vgl. Mt 9,36; Mk 6,34; Joh 10,1–17) oder als Kreuz des Erlösers, die Rute hingegen als Sühnewerkzeug, mit dem Gott die Sünden der Menschheit straft (Ps 88,33). Der Gedanke an die Tataren als Geißel Gottes liegt auch hier nahe (vgl. oben S. 123, Anm. 56).

8 Klgl 1,1.

9 Eine deutliche Anspielung darauf, daß die abendländischen Fürsten ebenso wie Kaiser und Papst dem Königreich Ungarn ihren Beistand gegen die Mongolen versagt hatten. Vgl. die Vorwürfe, die König Béla IV. noch 1250 in einem Brief an Papst Innozenz IV. an die Adresse der christlichen Fürsten und Völker Europas erhebt (vgl. unten S. 307).

10 Mt 24,15.

11 Jes 13,6; Ez 7,7.

12 Mt 26,24.

13 Die Vorstellung, die Mongolen seien der Unterwelt, dem Tartarus, dem sie auch ihren Namen Tartari, Tartarei entliehen hätten, entstiegen, um der Menschheit das nahe bevorstehende Weltenende anzukündigen, war bei den abendländischen Chronisten weit verbreitet. So betont etwa Matthaeus Parisiensis: „... in demselben Jahre brach das verabscheuenswerte Volk Satans, das unermeßliche Heer der Tartaren, aus ihrem von Bergen umgebenen Land hervor ... sie stürmten wie entfesselte Dämonen aus dem Tartarus, wonach sie wohl (auch) als Tartaren, gleichsam als Mächte des Tartarus benannt werden ...“ (CM IV, S. 76. Vgl. Carmina de regno

Ungariae destructo per Tartaros. MGH SS XXIX [1892], S. 601. Weitere Belege bei Bezzola: Mongolen, S. 98 f.).

14 Dan 7,25.

15 Béla IV., geboren im Jahre 1206, seit 1208 als *rex iunior* Mitregent seines Vaters Andreas II., hatte nach dessen Tod 1235 die Alleinherrschaft übernommen und regierte Ungarn bis zum Jahre 1270.

16 Schon Papst Gregor IX. hatte 1229 dem jungen Herrscher ausdrücklich für dessen Bemühungen um die Bekehrung der Kumanen gedankt (Fejér CD III/2, S. 151).

17 Stephan der Heilige, Großfürst 997–1001, König 1001–1038, Heiligsprechung 1083 (zu Stephan dem Heiligen und seinen unmittelbaren Nachfolgern vgl. Th. v. Bogyay, J. Bak, G. Silagi: Die heiligen Könige [Ungarns Geschichtsschreiber I]. Graz, Wien, Köln 1976; ferner Th. v. Bogyay: Stephanus rex. Versuch einer Biographie. Wien 1976 und neuerdings das umfassende Werk von Gy. Györffy: István király és műve [König Stephan und sein Werk]. Budapest 1977).

18 Emmerich, Sohn und Thronerbe Stephans des Heiligen, war 1031 bei einem Jagdunfall ums Leben gekommen. Seine Kanonisation erfolgte ebenfalls im Jahre 1083.

19 Ladislaus I., der Heilige, König 1077–1095. Er wurde 1192 heiliggesprochen.

20 Von einer kirchlichen Heiligsprechung König Kolomans (1095–1116) wissen andere Quellen nichts zu berichten. Er hatte es wohl vor allem seiner Bedeutung als Herrscher zu verdanken, wenn Rogerius ihn in eine Reihe mit den heiligen Königen aus dem Hause der Árpáden stellt.

21 Ps 63,12.

22 König Béla förderte die Missionsreisen der Dominikaner nach „Groß-Ungarn" ebenso tatkräftig „cum ducatu et expensis" (H. Dörrie: Drei Texte, S. 152) wie die Christianisierung der Kumanen.

23 I Kor 9, 19.

24 Im 11. Jahrhundert hatte das türkische Volk der Kumanen (türk.: *Qibğaq, Qypčaq;* russ.: *Polovcy;* mhd. *Falwen, Valben)* seine Sitze am mittleren Irtyš verlassen, die stammverwandten Uzen und Pečenegen nach Westen verdrängt und seine Herrschaft über die pontischen Steppen bis zum Unterlauf der Donau ausgeweitet (einen gediegenen Abriß zur Geschichte und Sprache der Kumanen gibt jetzt Rásonyi: Les Turcs non islamisés, S. 1–26). Im Jahre 1054 finden die Kumanen zum ersten Male Erwähnung in den Aufzeichnungen russischer Chronisten. In den folgenden 170 Jahren kamen sie als Feinde wie als Verbündete in enge Berührung mit den benachbarten ostslavischen, alanischen und georgischen Fürstentümern. Auf dem Höhepunkt kumanischer Machtentfaltung erstreckte sich das *Dašt-i Qypčaq,* das Reich der Kumanen, von der Donau und den Karpaten im Westen über den südrussischen Steppen-

raum bis zum Irtyš und Balchaš-See im Osten. Mithin beherrschten die Kumanen ein riesiges Territorium, das an Ausdehnung in der eurasischen Steppenregion nur vom Weltreich der Mongolen übertroffen wurde. Anders als die Mongolen brachten die Kumanen es aber nie zu einem straff gelenkten Weltreich, das einem Großkhan als universalem Herrscher unterstand. Auch Fürst Kuthen, der spätere Verbündete König Bélas, besaß keineswegs Befehlsgewalt über alle Kumanenverbände. In den Kämpfen gegen die Mongolen tritt Kuthen stets nur als einer unter mehreren kumanischen Fürsten in Erscheinung (PSRL XV, S. 335 ff.; vgl. auch Marquart: Volkstum, S. 115, 138–139, 148), wenngleich nicht geleugnet werden soll, daß Kuthen über eine besonders zahlreiche Gefolgschaft verfügte – Rogerius beziffert diese auf 40.000 Krieger – und zeitweise als Sprecher der anderen kumanischen Häuptlinge auftrat, so 1223, als er die russischen Fürsten um Hilfe gegen die Tataren bat (Marquart: Volkstum, S. 148).

25 Ob Kuthen bereits an den Kämpfen beteiligt war, in denen ein alanisch-kumanisches Aufgebot 1222 in Dagestan dem Angriff der Mongolen erlegen war (d'Ohsson: Histoire I, S. 336–340, Marquart: Volkstum, S. 141–143), muß dahingestellt bleiben. Verbürgt ist hingegen, daß Kuthen und andere kumanische Fürsten sich, aufgeschreckt durch diese erste Niederlage ihres Volkes, hilfesuchend an die russischen Nachbarn wandten und gemeinsam mit ihnen an der Kalka 1223 gegen die Mongolen fochten (Marquart: Volkstum, S. 142–153). Auch in den folgenden Jahren könnte Kuthen an Zusammenstößen mit mongolischen Streifscharen beteiligt gewesen sein. So scheint zuverlässigen Berichten zufolge ein erneuter mongolischer Vorstoß, der sich gegen die am Unterlauf der Volga streifenden Kumanen richtete, 1229 erfolgt zu sein (Bretschneider: Mediaeval Researches I, S. 300; Spuler: Goldene Horde, S. 15). Von kumanischen Siegen ist indessen nirgends die Rede. Kuthens Behauptung, er habe die Mongolen zweimal besiegt, muß daher mit Zurückhaltung aufgenommen und als Versuch des Khans gewertet werden, sich und seine Gefolgsleute dem ungarischen König als kampferprobte und sieggewohnte Verbündete zu empfehlen.

26 Der letzte vernichtende Stoß, der von mongolischer Seite gegen die Kumanen geführt wurde, war auf dem mongolischen Reichstag des Jahres 1235 beschlossen worden, als Auftakt zu einem umfassenden Westfeldzug, der sich gegen das abendländische Europa richten sollte (Spuler: Goldene Horde, S. 16). Dem Angriff des Mongolenheeres unter Bātū erlagen als erste die Volgabulgaren im Herbst des Jahres 1237 (Spuler: Goldene Horde, S. 16). Wenig später traf es den Kumanenfürsten Bačman, der den Angreifern in den Uferwäldern und Sümpfen an der unteren Volga mutig Widerstand geleistet hatte, bis er in deren Hände fiel und auf Befehl des Großkhans Möngke

hingerichtet wurde (ausführlicher Bericht bei Juvaini: History III, S. 553 f.; vgl. dazu Pelliot: À propos des Comans, S. 165–167). Bis zum Herbst des Jahres 1238 war die Unterwerfung der Kumanen zum Abschluß gebracht (PSRL II / Hypatius Chronik / S. 176; Bretschneider: Mediaeval Researches I, S. 316–317). Die versprengten Reste des Volkes, die sich nicht dem Joch der Mongolenherrschaft unterstellen wollten, wandten sich nun zu regelloser Flucht nach Westen. Während ein Teil auf der Krim oder jenseits der Donau auf bulgarischem Gebiet eine wenn auch unsichere vorläufige Bleibe fand, suchte das Gros unter Führung Kuthens im Herbst 1239 Zuflucht im Königreich Ungarn (SRH. II, S. 553, Anm. 2).

27 Acht Jahre später reist Giovanni de Plano Carpini auf seinem Weg nach Karakorum durch das Land der Kumanen. Er berichtet: „Die Kumanen wurden von den Tataren aufgerieben, einige der am Leben Gebliebenen flohen vor ihnen, während andere von ihnen versklavt wurden" (SF I, S. 112). Nur wenig später, beim Eintritt in das Gebiet der Kangly, eines stammverwandten Nachbarvolkes der Kumanen, vermerkt derselbe Autor: „In diesem Lande ebenso wie in Kumanien fanden wir eine Menge Schädel und Gebeine toter Menschen wie Dunghaufen auf dem Boden herumliegen" (SF I, S. 112).

28 Mit dem Angebot, sich und die Seinen der Herrschaft des ungarischen Königs zu unterstellen und zum Christentum überzutreten, kam der Kumanenfürst langgehegten Erwartungen und Plänen Bélas zu einem denkbar günstigen Zeitpunkt entgegen. Béla hatte früh, noch als Kronprinz und „rex iunior", die Kumanen in seine Pläne einbezogen. Bereits im Sommer 1227 war er, dem erst ein Jahr zuvor als Mitregent die Verwaltung Siebenbürgens von seinem Vater Andreas II. übertragen worden war, anwesend, als Erzbischof Robert von Gran (Esztergom) und drei andere ungarische Bischöfe den Kumanenfürsten Barc und dessen Gefolgschaft tauften (vgl. dazu Pfeiffer: Dominikaner, S. 78–80; B. Altaner: Die Dominikanermissionen des 13. Jahrhunderts [Breslauer Studien zur historischen Theologie 3]. Habelschwerdt 1924, S. 143–145), die Zuflucht im Bergland zwischen den Ostkarpaten und dem Sereth-Fluß gefunden hatten (zur Ausdehnung des Kumanenlandes bzw. des exemten Kumanenbistums vgl. die Angabe des Rogerius: „[Tartari] fluvium, qui Zerech [= Sereth] dicitur, transeuntes pervenerunt ad terram episcopi Comanorum" SRH II, S. 564).
Béla scheint nicht nur persönlich an der Bekehrungsarbeit mitgewirkt und die Patenschaft für Barc übernommen zu haben (Pfeiffer: Dominikaner, S. 79). Er ließ sich schon 1229, beim Feldzug gegen Galič, von den neubekehrten Kumanen Heeresfolge leisten (Pauler: A magyar nemzet története, II, S. 106) und erhob seit 1235, als er die Nachfolge seines Vaters Andreas II. auf dem ungarischen Thron antrat, auch Anspruch

190

auf den Titel eines „Königs von Kumanien" (Fejér CD III/2,
S. 109, 151–155, 201, 216, 238, 398–401. Vgl. M. Wertner:
Negyedik Béla király története [Geschichte König Bélas IV].
Temesvár 1893, S. 43). Gegen die Bestrebungen Bélas, die
Kumanen seiner Herrschaft zu unterstellen, wandte sich
freilich alsbald die Kurie. So nahm Gregor IX. schon am
1. Oktober 1229 die neubekehrten Kumanen „unter seinen und
des hl. Petrus Schutz" und verkündete, niemand dürfe wagen,
die christlichen Kumanen zu unterjochen oder zu versklaven
(Theiner I, Nr. 162).

29 Mt 2,10.

30 Daß Predigermönche bei den Verhandlungen zwischen König
Béla und dem Kumanenfürsten eine bedeutsame Rolle als
Dolmetscher und Vermittler spielten, bezeugt auch eine andere
Quelle. So berichtet der gewöhnlich gut unterrichtete zeitgenössische Fortsetzer der Annalen des Klosters Heiligenkreuz
(bei Wien), König Béla habe die Kumanen auf Anraten der
ungarischen Dominikaner aufgenommen (Continuatio Sancrucensis II. MGH SS IX. S. 640). Diese hatten bereits im Jahre
1227 die Gesandtschaft des Kumanenfürsten Borc begleitet, die
den Erzbischof von Gran um die Entsendung von Missionaren
bitten sollte (Theiner I, S. 86–87, Nr. 154).

31 Die gastfreundliche Aufnahme fremder Flüchtlinge entsprach
im Arpadenreich einer seit Anbeginn gern geübten Tradition.
Schon Stephan der Heilige hatte seinen Hof zum Hort für
zahlreiche Asylsuchende aus benachbarten Ländern gemacht
(vgl. E. Fügedi: Das mittelalterliche Königreich Ungarn als
Gastland. In: Die deutsche Ostsiedlung des Mittelalters als
Problem der europäischen Geschichte. Hrsg. v. W. Schlesinger
[Vorträge und Forschungen, Bd. XVIII], Sigmaringen 1975,
S. 471–507). Béla IV. selbst kam den fremden Gästen in viel-
facher Hinsicht entgegen (Göckenjan: Hilfsvölker, S. 76–82).
Das besondere Wohlwollen des Herrschers galt noch in dessen
späteren Regierungsjahren den Kumanen. Schon bald nach
dem Tatareneinfall holt er sie ungeachtet der Schwierigkeiten,
die deren Einwanderung ihm 1239 und 1241 gebracht hatte,
erneut ins Land. Seit 1246 begegnen sie uns als Hilfstruppen
immer wieder im königlichen Heerbann (so 1253, 1260, 1270,
1271, 1273, 1276, 1278. Györffy: A kunok feudalizálódása,
S. 252; vgl. auch Hóman: Geschichte II, S. 161–164). Mehr
noch, er verheiratet 1254 den Thronfolger Stephan mit einer
kumanischen Prinzessin, um, wie er ausdrücklich in einem
Brief an den Papst betonte, „noch schlimmere Dinge zu
verhüten und Gelegenheit zur Bekehrung der Kumanen zu
gewinnen".

32 Die Kumanen als „gefährliches und ungebärdiges Volk"!
Dieser Topos kehrt in westlichen wie östlichen Quellen häufig
wieder. Für die abendländischen Quellen vgl. die Belege bei
Gombos: Catalogus I, S. 23, 34, 88, 162, 165, 184, 270, 276, 777.

Auch die russischen Chroniken bezeichnen die Kumanen als „heidnische und gottlose Feinde". Vgl. z. B. PVL, ed. D. S. Lichačev, S. 109. Ganz ähnlich beschreiben die Chronisten auch andere reiternomadische Völker als grausam und gottlos (Bezzola: Mongolen, S. 65, 92–97; Marquart: Volkstum, S. 147).

33 Die Zahl von 40.000 Familien, d. h. etwa 200.000 Menschen, auf die Rogerius, sich auf die vagen Berichte Dritter stützend, die Kopfstärke der Kumanen veranschlagte, sollte beim Leser wohl eher den Eindruck einer zahllosen Menge hervorrufen, als ihm konkrete Vorstellungen von einer bestimmten Zahl von Einwanderern vermitteln. Hat doch ein anderer, über ungarische Angelegenheiten gut informierter zeitgenössischer Autor, Matthaeus Parisiensis, die Zahl der Flüchtlinge auf nur 20.000 Menschen beziffert (CM VI, S. 77; vgl. L. Juhász in: SRH II, S. 554, Anm. 1). Die Masse der Kumanen hat Ungarn bereits im Jahre 1241 wieder verlassen, und nur ein Teil ist später zurückgekehrt, um sich erneut in der Großen Tiefebene, zwischen Donau, Theiß und Körös, niederzulassen. Im 15. Jahrhundert zählt man in dieser Region 130 Ortschaften, die ihre Entstehung der Ansiedlung von Kumanen und ihren verbündeten Jassen (= Alanen) verdankten (St. Szabó: Ungarisches Volk. Geschichte und Wandlungen. Budapest, Leipzig 1944, S. 42). Zieht man in Betracht, daß die Dörfer der Tiefebene bereits im Hochmittelalter durchschnittlich mehr als je dreihundert Einwohner zählten (Györffy: Einwohnerzahl, S. 13), so ist als Ergebnis festzuhalten, daß etwa 40.000 Kumanen und Alanen endgültig im Alföld seßhaft wurden (zu ähnlichen Resultaten gelangt auch Györffy: Einwohnerzahl, S. 27). Hinzu kommt eine unbestimmte Zahl von Familien, die über das ganze Land verstreut angesiedelt wurden.

34 Man hat berechnet, daß zur Existenzsicherung einer Nomadenfamilie jährlich 40–50 Schafe erforderlich waren (E. Werner: Die Geburt einer Großmacht. Die Osmanen. Berlin 1966, S. 39). Auf die Kumanen übertragen ergibt diese Berechnung, daß die Flüchtlinge Hunderttausende von Schafen mitführten, nicht gerechnet jene riesigen Herden, die sich im Besitz des Stammesadels befanden und meist nach Tausenden, mitunter auch nach Hunderttausenden von Tieren zählten. So berichtet der arabische Reisende Ibn Faḍlān im 10. Jahrhundert, er „habe unter den Oguzen Leute gesehen, welche zehntausend Pferde und hunderttausend Schafe besitzen" (A. Z. V. Togan: Ibn Fadlāns Reisebericht, S. 33). Hinzu kamen einige zehntausend Pferde und vielleicht zahlreiche Rinder und Kamele, Herden also, deren Durchzug die Felder, Gärten und Weinberge der seßhaften ungarischen Bevölkerung zwangsläufig stark in Mitleidenschaft ziehen mußte (zur Nomadenwirtschaft vgl. auch W. König: Die Achal-Teke. Berlin 1962, S. 86 f.).

35 Mt 24,15.

36 König Andreas II. (1205–1235).

37 Am 21. September 1235.

38 Rogerius nennt hier die drei unerläßlichen Voraussetzungen für die gültige Erhebung zum rechtmäßigen König von Ungarn: 1. die Inthronisierung in der Marienkirche zu Stuhlweißenburg (J. Deér: Die Heilige Krone Ungarns. Graz, Wien, Köln 1966, S. 189–192); 2. die Vornahme der Weihehandlungen (Salbung und Krönung) durch den Erzbischof von Gran (Esztergom), die diesem im Jahre 1212 vom Papst noch einmal ausdrücklich zugesichert worden war (J. Deér: Heilige Krone, S. 194) und die Krönung mit der Königskrone, die allerdings erst seit dem letzten Drittel des 12. Jahrhunderts sein kann mit der heutigen „Sankt-Stephans-Krone" (J. Deér: op. cit. S. 188–192; vgl. dazu auch Th. v. Bogyay: Ungarns Heilige Krone. Ein kritischer Forschungsbericht. In: Ungarn-Jahrbuch IX [1978], S. 207–235).

39 Der Streit zwischen dem Kronprinzen Béla und König Andreas II. hatte sich vor allem an der durch Andreas vorgenommenen Verschleuderung des Königsgutes und der Duldung einer Günstlingswirtschaft entzündet (Hóman: Geschichte II, S. 76–105). Hatte Béla noch zu Lebzeiten seines Vaters damit begonnen, dessen Erbdonationen mit kirchlicher Hilfe wieder rückgängig zu machen, so ging er nach seiner Thronbesteigung auch gegen die Berater Andreas' II. vor. Zu denen, die er in die Verbannung schickte, gehörten Nikolaus, Sohn des Barc aus dem Geschlecht Szák, der 1213/14 und 1222–1226 das Amt des Palatins bekleidet hatte, erst nach dem Tatareneinfall wieder begnadigt wurde und später im Kampf gegen die Kumanen fiel; ferner dessen Sohn Nikolaus, 1231–1235 königlicher Schatzmeister *(magister tavernicorum);* schließlich Ladislaus, Sohn Gyulas des Älteren aus dem Geschlechte Kán, der unter Andreas II. als königlicher Stallmeister (1217–1222) und Hofrichter tätig gewesen war und der nach seiner Begnadigung durch Béla 1242–1245 zum Palatin und 1245 zum Ban von Slavonien ernannt wurde (L. Juhász in: SRH II, S. 555, Anm. 3).

40 Unter den Baronen, die Béla IV. nach seiner Thronbesteigung einkerkern ließ, ragte besonders Gyula der Ältere aus dem Kán-Geschlecht hervor. Er hatte schon während der Regierungszeit König Emmerichs (1196–1204) die Würde eines Hofgrafen *(comes curialis)* und 1215/16, dann erneut 1222–1226 das Amt des Palatins bekleidet. Er starb 1237 im Kerker (L. Juhász in SRH II, S. 555, Anm. 4).

41 Als eigentlicher Anführer dieser Adelsfronde galt Dionysius, Sohn des Apod, Schatzmeister 1215–1222, 1222–1224; Palatin 1227–1229, 1231–1234. Als es 1233 zu einer Aussöhnung zwischen Andreas II. und der Kirche kam, hatte der päpstliche Gesandte darauf bestanden, daß Dionysius das Abkommen gesondert beeidete (Hóman: Geschichte, S. 74). Auch Béla hielt

ihn offensichtlich für den gefährlichsten seiner Gegner und ließ
ihn deshalb blenden (SRH II, S. 555).

42 Nur die königlichen Prinzen und die Bischöfe bleiben von den
einschränkenden Maßnahmen, die der König gegen seine
Barone ergreift, verschont.

43 Schon Otto von Freising berichtet im 12. Jahrhundert: „Die
Ungarn ahmen die Klugheit der Griechen darin nach, daß sie
nichts von Bedeutung ohne häufige und langwierige Beratungen unternehmen ... Die Vornehmen kommen an den Königshof, bringen ihre Stühle mit und versäumen nicht, über den
Zustand ihres Landes zu beratschlagen" (Otto Frisingensis
episcopus: Gesta Friderici I. imperatoris. A. 1074–1156. Libri II.
MGH SS XX, S. 369). Béla befolgte offensichtlich die byzantinische Hofetikette – er war ja mit der griechischen Kaisertochter
Maria Laskaris vermählt –, wenn er die Stühle seiner Großen
verbrennen ließ. Wie in Byzanz, so durfte auch fortan in
Ungarn niemand mehr in Anwesenheit des Herrschers sitzen.

44 Ein Lehenswesen im klassischen Sinne hat sich im Ungarn der
Árpádenkönige nie einbürgern können. Landverleihungen bildeten die Ausnahme und wurden nur vereinzelt in den
Randgebieten des Stephansreiches getätigt. Die erste bekannte
stammt aus dem Jahre 1193 und wurde von Béla III. in Kroatien
vorgenommen (I. Szentpétery: Regesta I, 1, S. 49, Nr. 154).
Auch die vom König zu ewigem Besitz *(in proprium)* vergebenen Schenkungen waren nicht an bestimmte Dienstleistungen
des Empfängers gebunden. Sie galten als nachträgliche Belohnung *(remuneratio)* für früher erwiesene Dienste (J. Deér: Der
Weg zur Goldenen Bulle Andreas' II. In: Schweizer Beiträge zur
Allgemeinen Geschichte. X [1952], S. 109).

45 Vgl. die Verfügungen Bélas IV. In: Fejér CD IV/1, S. 71, 105;
Wenzel AUO. VII, S. 21.

46 Tatsächlich hatte der König durch eine Reform des Kanzlei-
wesens, wie Rogerius selbst an anderer Stelle betont (siehe oben
cap. 11) den Versuch unternommen, den Bittstellern den Weg
zum Hofe zu erleichtern.

47 Béla selbst hat noch 1250 in einem Brief an Papst Innozenz IV.
begründet, warum er den Kumanen in so besonderem Maße
Förderung zuteil werden ließ: „... durch die Heiden verteidigen wir heute unser Königreich und durch die Heiden vernichten wir die vom Glauben Abgefallenen.., denn in solchen
Bedrängnissen haben wir von keinem christlichen Fürsten oder
Volk Europas Hilfe erfahren" (vgl. unten S. 308).

48 Das Kloster Kömonostor (dt. Steinkloster) lag nicht, wie
Rogerius irrtümlich annimmt, an der Theiß, sondern befand
sich in Syrmien, am rechten Donauufer, östlich vom heutigen
Újlak (Illok) (vgl. L. Juhász, in: SRH II, S. 557, Anm. 1).

49 Diese Zusammenkunft fällt in das Jahr 1240.

50 Noch 1279 ordnete König Ladislaus IV. (1272–1290) im zweiten
Freibrief für die Kumanen an: „Wir übertrugen denselben [den

Kumanen] die erledigten Ländereien der Adligen und Ministerialen, Güter, die schon seit der Zeit des Tatareneinfalls verödet sind und nicht wirtschaftlich genutzt werden, wie auch Fischteiche und nutzbringende Wälder . . ." (Marczali: Enchiridion, S. 180).

51 Die Kumanen verfügten wie andere reiternomadische Völker über eine stark differenzierte Sozialstruktur. An der Spitze der Gesellschaftspyramide stehen hier wie dort die Khane als höchste – oft sakrale – Herrscher und Heerführer des Stämmebundes. (In der Version *qan, imperator* – „Kaiser, König" taucht der Titel im Codex Cumanicus auf. K. Grønbech: Komanisches Wörterbuch. Türkischer Wortindex zu Codex Cumanicus. København 1942, S. 192.) Mehrere Khane der ungarländischen Kumanen sind uns namentlich bekannt. Zu ihnen gehört der „König Kuten" *(Kuten Cumanorum rex)* ebenso wie der 1255 erwähnte *dux Zeyhan* (Hazai okmánytár, VIII, S. 62; Szentpétery: Regesta I, 2, S. 329, Nr. 1054) und der 1260 genannte dux Alpra (SRH I, S. 469).

Die Führungsschicht der Kumanen rekrutierte sich aus der weitverzweigten und wohlhabenden Aristokratie der Stammeshäuptlinge (kumanisch: *bej, bij;* lateinisch: *dominus, comes, baronus.* Grønbech: Komanisches Wörterbuch, S. 54) und der Angehörigen der vornehmen Geschlechterverbände (kumanisch: *ozlen;* lateinisch: *nobiles.* Grønbech: Komanisches Wörterbuch, S. 186).

Die Masse der nichtadligen Kumanen bildete eine Schicht, deren Angehörige als berittene Krieger (lateinisch: *miles;* kumanisch: *alpavut,* „Soldat", *atlu kiši,* „Berittener". Grønbech: Komanisches Wörterbuch, S. 35, 45) in den Kampf zogen und unter der Bezeichnung *nöger,* „Genosse, Kamerad", in den fürstlichen Gefolgschaften in Erscheinung traten (Grønbech: Komanisches Wörterbuch, S. 172; Gy. Németh: Wanderungen des mongolischen Wortes nökür „Genosse". In: Acta Orientalia Academiae Scientiarum Hungaricae III [1953], S. 1–23).

Groß scheint die Menge der unfreien Knechte und Sklaven gewesen zu sein, die sich hauptsächlich aus Kriegsgefangenen zusammensetzte. Die Quellen nennen gewaltige und zweifellos übertriebene Zahlen. So beklagt der Verfasser der Continuatio Vindobonensis, die Kumanen hätten als Verbündete des ungarischen Königs 1278 über hunderttausend Einwohner Mährens, Österreichs und der Steiermark in die Sklaverei verschleppt (Gombos: Catalogus I, S. 786). Andere Quellen sprechen von 10.000 und 20.000 Kriegsgefangenen, die bei ähnlichen Anlässen in die Hände der Kumanen fielen (Belege bei Györffy: A kunok feudalizálódása, S. 252 f.). Sosehr diese Angaben auch maßlos übertrieben sein dürften, der Eindruck bleibt, daß die Kumanen im Verlauf ihrer Kriegszüge Tausende von Menschen versklavten. Die Kirche hat gegen die Sklavenhaltung bei den ungarischen Königen in scharfer Form Einspruch erhoben (Györffy: A kunok feudalizálódása, S. 257), freilich lange Zeit nur mit geringem Erfolg. Erst 1279 befiehlt Ladislaus IV. den Kumanen, alle christlichen Gefangenen freizugeben, die sie in Ungarn (!) gemacht hätten (Marczali: Enchiridion, S. 181; dazu Györffy: A kunok feudalizálódása, S. 257, Anm. 78).

52 Am 21. September 1235.

53 Herzog Friedrich von Österreich (1230–1246), ein Babenberger, der während des Tatareneinfalls noch eine für Ungarn verhängnisvolle Rolle spielen sollte. Vgl. oben S. 168.

54 Von dem Versuch der Verschwörer, Kaiser Friedrich II. (1212–1250) die ungarische Krone anzutragen, berichtet nur Rogerius.

55 Von 72 Komitaten ist bereits in der Einkommensliste König Bélas III. (1173–1196) die Rede. (Die Liste wurde veröffentlicht und ausführlich kommentiert bei B. Hóman: Magyar pénztörténet [Ungarische Geldgeschichte]. Budapest 1916, S. 424–436. Vgl. Györffy: Einwohnerzahl, S. 15–19.) Otto von Freising spricht von 70 oder mehr Komitaten (MGH SS XX, S. 369). Ein Jahrhundert zuvor belief sich die Zahl der Komitate noch auf 45 (Pauler: A magyar nemzet története I, S. 97, 402; Györffy: Tanulmányok, S. 39).

56 Emmerich (1196–1204) und Andreas II. (1205–1235).

57 Noch im Jahre 1168 konnte jeder der Gespane eine Truppe von 400 Bewaffneten ins Feld führen (Joannis Cinnami epitome rerum ab Ioanne et Alexio Comnensis gestarum rec. A. Meineke, Bonnae 1836, S. 270. Dazu Gy. Pauler, in: Hadtörténelmi Közlemények [Kriegsgeschichtliche Mitteilungen] 1888, S. 520). Die Heeresaufgebote der Komitate erreichten mithin eine Gesamtstärke von über 28.000 Kriegern. Hinzu kam, daß ursprünglich, d. h. im 11. Jahrhundert, zwei Drittel aller Komitatsländereien im Besitz des Königs waren. Nur ein Drittel gehörte den Adelsgeschlechtern (Györffy: Tanulmányok, S. 20–21; I. Dienes: Die Ungarn um die Zeit der Landnahme. Budapest 1972, S. 54–55).

58 Aufseher über die königlichen Pferdeherden.

59 Vgl. oben Anmerkungen 39–41.

60 Béla IV. hat sein Vorhaben, das entfremdete Königsgut wieder einzuziehen, nach eigenem Bekunden bereits drei Jahre nach seinem Regierungsantritt 1238 erfolgreich verwirklichen können (Hóman: Geschichte II, S. 109). Freilich trug er mit dieser Behauptung eher eigenem Wunschdenken als den tatsächlichen Verhältnissen Rechnung.

61 Im Gegensatz zu dieser Auffassung hatte Stephan der Heilige in den Institutionen betont: „ . . . ein Königreich, das nur eine Sprache und die gleichen Sitten kennt, ist schwach und zerbrechlich" (SRH II, S. 625; vgl. oben Anm. 31).

61a Zur hier erwähnten Kanzleireform vgl. Gy. Györffy: A magyar krónikák adata a III Béla-kori petícióról [die Angabe der ungarischen Chroniken über die petitio aus der Zeit König Bélas III.]. In: KKKK, S. 333–338.

62 Hier wie im 9. Kapitel ist von der Krone (corona) nicht als Kleinod und Krönungsinstrument die Rede. Sie erlangt vielmehr symbolhafte Bedeutung im übertragenen Sinne. Die aufständischen Großen, die angeblich Friedrich II. „die Königskrone und Ungarn" anboten, verstanden die Krone „bildlich als Symbol der königlichen Würde" (J. Karpat: Corona regni Hungariae im Zeitalter der Arpaden. In: M. Hellmann [Hrsg.]: Corona Regni. Studien über die Krone als Symbol des Staates im späteren Mittelalter. Darmstadt 1961, S. 263–264). Noch stärker symbolhaften Ausdruck verleiht Rogerius der Krone in Kapitel 12: Die Kumanen verteidigen mit ihr nicht nur die königliche Würde, sondern das Königreich *(regnum)* insgesamt. Auch in Urkunden der Zeit – Rogerius muß seinen Bericht in den Jahren 1243/44 niedergeschrieben haben, wie eingangs erläutert – finden *regnum* und *corona* durchaus als Synonyme Verwendung (vgl. etwa Wenzel ÁUO VII, 338; dazu J. Karpat: Corona regni, S. 274, Anm. 133).

63 Die Verhandlungen zwischen König Béla und dem Khan Kuthen, die sich offenbar längere Zeit hinzogen (vgl. oben cap. 2), führten zu einem Vertrag, dessen Text leider nicht erhalten geblieben ist, dessen wichtigste Bestimmungen aber von Rogerius wiedergegeben werden. König Béla nahm die Fremden ehrenvoll als Gäste auf und wies ihnen Weidegebiete für ihre Herden an. Kuthen und die Kumanen verpflichteten sich ihrerseits zur Annahme des Christentums und zur Heeresfolge für den ungarischen König.

64 Béla IV. hat sich wiederholt schützend vor die Kumanen gegen Angriffe des Adels und der Kirche gestellt (vgl. oben die Kapitel 2, 3, 7 und 8 sowie den Brief des Königs an Papst Innozenz im Jahre 1250, hier S. 308) und die kumanischen Großen mit reichen Landschenkungen in allen Teilen des Königreiches bedacht (Belege bei Györffy: A kunok feudalizálódása, S. 254). Die Nachfolger auf dem ungarischen Thron suchten sich gleichfalls die Gefolgschaft der Kumanen zu sichern. Bélas Sohn Stephan V., der mit der kumanischen Prinzessin Elisabeth vermählt war, führte seit 1260 – noch als Kronprinz und jüngerer König – den Titel „Herr der Kumanen" *(dominus Cumanorum)* (Fejér CD IV/3, S. 29 f.; S. 342–344) und nötigte den Vater, auf die Gefolgschaft der Kumanen zu seinen Gunsten zu verzichten (Knauz: Mon. Eccl. Strigon. I, S. 476–480; Wenzel ÁUO III, S. 128–131, Nr. 88). Bélas Enkel Ladislaus IV. (1272–1290), „der Kumane", aber umgab sich ganz nach Art eines reiternomadischen Fürsten mit einer Leibwache kumanischer und tatarischer Gefolgsleute

(kumanisch: nöger, „Gefolgsmann, Genosse, Kamerad". Gy. Németh: Wanderungen, S. 1–23).

65 Noch 1279 verankert Ladislaus IV. im Kumanen-Freibrief die rechtliche Gleichstellung der kumanischen und ungarischen Adligen und bezieht auch die Anerkennung der Gültigkeit von wechselseitigen Heiratsverbindungen ausdrücklich mit ein (Marczali: Enchiridion, S. 181).

66 Im Anschluß an die Eroberung von Kiev (am 6. Dezember 1240) drangen Bātūs Heere in westlicher und südwestlicher Richtung vor und nahmen Kamenec in Podolien, Galič und Vladimir in Galizien ein (Spuler: Goldene Horde, S. 20). Die Mongolen kehrten aber um, als sie noch vier oder fünf Tagereisen von den Landestoren Ungarns entfernt waren, denn „sie wollten dort bei ihrer Rückkehr Futter für ihre Pferde und Nahrung für sich vorfinden. Auch sollten keine Nachrichten zu den Ungarn gelangen". So Rogerius in cap. 20 (vgl. oben S. 153).

67 Der König wurde durch berittene Wächter, die an der Grenze ihren Wach- und Beobachtungsdienst versahen, benachrichtigt. Schon König Koloman (1095–1116) hatte um 1100 in einem seiner Gesetze angeordnet: „Wenn eine wichtige Nachricht die Grenzmark erreicht, so soll der [zuständige] Gespan zwei Boten mit vier Kriegspferden zum König entsenden" (Marczali: Enchiridion, S. 107).

68 Dionysius aus dem Geschlechte Tomaj. Er war königlicher Palatin in den Jahren 1235–1241. Die Familie Tomaj stammte von einem Pečenegenhäuptling Thonuzoba ab, der mit seiner Gefolgschaft angeblich schon unter Fürst Taksony im 10. Jahrhundert in Ungarn eingewandert war (SRH I, S. 116–117; vgl. dazu Karácsonyi: Magyar nemzetségek III, S. 104–105.

69 Als „russisches Tor" oder „Bergtor" bezeichnete man im Mittelalter den stark befestigten Verecke-Paß, den bereits die landnehmenden Ungarn im Jahre 896 überschritten hatten.

70 Rogerius nennt drei verschiedene Aufgebote, die der König gegen die Mongolen unter seine Fahnen ruft: 1. die Vornehmen (nobiles), d. h. die Gespane (comites) zumeist hochadliger Herkunft, die ihr militärisches Gefolge bereits unter eigenen Feldzeichen in den Kampf führen; 2. die Dienstmannen des Königs (servientes regis), die nicht dem militärischen Befehl und der Jurisdiktion der Gespane unterstanden, sondern persönlich unter dem königlichen Banner Kriegsdienst leisteten (per se et personaliter sub vexillo regio); 3. die Burgmannen (castrenses) und die zu den Burgen gehörenden Krieger (pertinentes ad castra). Die beiden letzten Gruppen bildeten zusammen eine Schicht von Burgjobbagionen, d. h. königlichen Gefolgsleuten, die auf den Burgländereien saßen. Sie zogen unter Führung der Gespane ins Feld, in Zehner- und Hundertschaften gegliedert (zu den Burgjobbagionen vgl. Györffy: Tanulmányok, S. 10–14, 28 f.).

71 Offenbar feierten die Ungarn vom 6. Januar (Epiphanie) bis zum 12. Februar *(Carnisprivium)* 1241 mit großem Aufwand Fastnacht. Auch Thomas von Spalato macht angesichts des Tatareneinfalls dem ungarischen Adel den Vorwurf: „Der Tag wurde nur mit üppigen Gastmählern oder sinnlichen Vergnügungen verbracht. Der nächtliche Schlaf wurde kaum durch die dritte Tagesstunde begrenzt ... So konnten sie, die täglich nichts Ernsthaftes betrieben, sondern nur der Kurzweil oblagen, nicht an Kriegslärm denken." Vgl. unten S. 237.

72 Horaz: Brief an die Pisonen [Über die Dichtkunst] v. 70: „... multa renascentur quae iam cecidere cadentque ..."

73 Papst Gregor IX. (1227–1241) hatte zu Ostern (31. März) 1241 ein allgemeines Kirchenkonzil einberufen.

74 Ugrin aus dem Geschlecht Csák war 1217–1219 und 1230–1235 königlicher Kanzler. Er nahm von 1219 bis 1241 den erzbischöflichen Stuhl von Kalocsa ein. Der Erzbischof, der persönlich ein Truppenkontingent gegen die Mongolen ins Feld geführt und tapfer gekämpft hatte, fiel in der Schlacht bei Mohi (vgl. unten cap. 28 und 30).

75 Die Behauptung, die Kumanen seien als heimliche Verbündete der Mongolen ins Land gekommen, entbehrt jeder Grundlage und wird auch von Rogerius zurückgewiesen (cap. 24). Dagegen spricht allein die Tatsache, daß Bātū in seinem Brief an Béla IV. den ungarischen König beschuldigte, die Kumanen dem Zugriff ihrer mongolischen Herren entzogen zu haben (vgl. oben S. 106 f.). Als die Tataren ins Land einfielen, verbündeten die Kumanen sich nicht mit ihnen, sondern verließen Ungarn. Schwerlich hätte der König angesichts der auch nach 1241 fortwährenden Tatarengefahr die Kumanen erneut ins Land gerufen, wenn er davon überzeugt gewesen wäre, daß diese mit den Mongolen gemeinsame Sache machten.

76 17. Februar 1241.

77 Es handelt sich hier um die heute rechts der Donau gelegene Vorstadt Óbuda (Altbuda, dt.: Altofen). Hier hatte schon an der Wende vom 9. zum 10. Jahrhundert der ungarische Großfürst Kurszán auf dem Gebiet des römischen Militär-Amphitheaters seine Residenz aufgeschlagen (Györffy: Tanulmányok, S. 127–160). In der ersten Hälfte des 13. Jahrhunderts verbrachten die ungarischen Könige hier regelmäßig die Fastenzeit, hielten Ratssitzungen ab und saßen zu Gericht, „wodurch sich Alt-Buda zur Hauptstadt des Landes zu entwickeln begann" (A. Kubinyi: Die Anfänge Ofens. Berlin 1972, S. 12).

78 11. Februar bis 24. März 1241.

79 6. März 1241.

80 Ungarn war im Mittelalter von Grenzverhauen *(gyepü)* und Grenzödzonen *(gyepüelve)* umgeben, die das Land vor unverhofften Überfällen und Angriffen schützen sollten. Die Grenzsperren waren in der Regel aus gefällten Bäumen und dichtem

Strauchwerk, aber auch aus Gräben, Zäunen und Verschanzungen gebildet (K. Tagányi: Alte Grenzschutzvorrichtungen und Grenzödland: gyepü und gyepüelve. In: Ungarische Jahrbücher I (1921), S. 105–121; Göckenjan: Hilfsvölker, S. 7). Nach Thomas von Spalato ließ Bātū aber über 40.000 mit Äxten bewaffnete Männer seinem Heer voranziehen, die „die Wälder niederlegten, die Wege herrichteten und Hindernisse in den Landestoren beseitigten" (vgl. unten S. 239).

81 Stephan, Bischof von Waitzen (Vác) (1240–1242) aus dem Geschlecht Bancsa. 1237–1240 als Kanzler am königlichen Hof tätig, wurde er nach dem Tode seines Vorgängers Matthias, der in der Schlacht bei Mohi gegen die Mongolen gefallen war, zum Erzbischof von Gran (1242–1253) erhoben, dann vom Papst zum Bischof von Praeneste und Kardinal ernannt.

82 Propst Albert von Arad war im Jahre 1229 Kanzler des Königs Juhász: Stifte, S. 97, 128–129.

83 Der Name des Propstes, der dem von Rogerius erstmals erwähnten, vermutlich aber sehr viel älteren Kollegiatskapitel St. Salvator zu Csanád vorstand, ist nicht bekannt (zum Alter der Propstei vgl. S. Borovszky: Csanád vármegye története 1715-ig [Geschichte des Komitats Csanád bis 1715]. II. Budapest 1897, S. 94; vgl. auch Juhász: Stifte, S. 98).

84 Béla IV. hatte Maria Laskaris, die Tochter des byzantinischen Kaisers Theodor I. Laskaris (1204–1222), im Jahre 1220 geehelicht. (Gy. Moravcsik: Byzantium and the Magyars. Budapest 1970, S. 96.) Maria starb bald nach dem Tode ihres Gatten im Jahre 1270.

85 Der Babenberger Herzog Friedrich von Österreich (1230–1246).

86 Beim Angriff eines äußeren Feindes hatten demnach die Kumanen wie übrigens auch die siebenbürgischen Székler (Göckenjan: Hilfsvölker, S. 118–136) dem König mit ihrem gesamten wehrfähigen Aufgebot Hilfe zu leisten.

87 In Pest, das ursprünglich von muslimischen Händlern und slavischen Fährleuten besiedelt wurde, müssen sich nach 1220 deutsche Kolonisten, unter ihnen Handwerker und Winzer, niedergelassen haben, die dem Ort schon bald zu nicht unerheblicher wirtschaftlicher Blüte verhalfen (A. Kubinyi: Die Anfänge Ofens, S. 17).

88 Der Titel „König der Könige und Herr" [der Herren] (Rex regum et dominus) ist biblischer Herkunft (I. Tim 6,15; Offb 19,16). Wenn Rogerius diese Rangbezeichnung dem Prinzen Bātū beilegt, so muß er um dessen Machtstellung im Rahmen des mongolischen Weltreiches gewußt haben. Bātū – der Name bedeutet „der Feste", „der Kräftige", „der Harte" (Poucha: Geheime Geschichte, S. 90; Spuler: Goldene Horde, S. 243) – hat selbst niemals den Rang eines Großkhans bekleidet, gleichwohl als „Ältester" der Dynastie und „Großkhan-Macher" eine bedeutsame Rolle gespielt (Spuler: Goldene

Horde, S. 28–32; Grousset: Steppenvölker, S. 353), dies nicht zuletzt deshalb, weil Batu als Sohn von Činggis Khans früh (1227) verstorbenem Ältesten Güǧi (Joči) das mongolische Recht in Anspruch nahm, sich den vom väterlichen Herrschersitz am weitesten entfernten Reichsteil *(ulus)* der späteren „Goldenen Horde" vorzubehalten (Grousset: Steppenvölker, S. 353; W. Barthold: Bātū Khān. In: Enzyklopaedie des Islam I. London, Leiden 1913, S. 71 f.). Hatte doch schon 1228 der Großkhan Ögödäi dem Zeugnis der „Geheimen Geschichte" zufolge den Oberbefehl über alle anderen Prinzen an Batu übertragen: „Über diese gesamten ins Feld gezogenen Prinzen soll Batu das Kommando haben" (ed. E. Haenisch § 270, S. 136; Ligeti: Titkos történet, S. 186; Al-'Umarī: Das Mongolische Weltreich, S. 221 f.).

89 Die Namensvariante Bochetor geht auf den mongolischen Ehrentitel *ba'atur,* „held", zurück, den einer der bedeutendsten mongolischen Feldherren, Sübödäi, schon zu Lebzeiten Činggis Khans führte (Geheime Geschichte, ed. E. Haenisch § 124, S. 34; § 236, S. 111). Sübödäi gehörte zu den ersten Gefolgsleuten *(nökür)* Činggis Khans (Vladimirtsov: Le régime social, S. 115–117). Die „Geheime Geschichte" überlieferte das Treuegelöbnis, das Sübödäi seinem Herrscher ablegte. „Wie eine Ratte will ich Dir das Deine zusammenhalten. Wie eine schwarze Krähe will ich Dir das, was noch draußen ist, zusammentragen. Wie eine Filzdecke will ich versuchen, Dich zu bedecken. Wie ein Windschutzfilz will ich versuchen, für Deine Jurte Schutz zu bieten." (ed. E. Hernisch, § 124, S. 34) Der Fürst aber lohnte die Gefolgschaft, indem er 1205 Sübödäi den Oberbefehl gegen die Merkit mit den Worten übertrug: „Wenn sie wie geflügelte Wesen fliegend zum Himmel aufsteigen wollen, wirst du, Sübödäi, sie nicht als Falke im Flug ergreifen? Wenn sie wie Murmeltiere mit ihren Klauen grabend in die Erde eindringen wollen, wirst du, Sübödäi, sie nicht als Spaten nachbohrend verfolgen? Wenn sie wie Fische in das Tenggis-Meer eingehen wollen, wirst du, Sübödäi, sie nicht als weitmaschiges Netz oder Schleppnetz herausfischen?" (ed. E. Haenisch, § 199, S. 87).
Sübödäi unterwarf nicht nur die Merkit-Mongolen der Herrschaft Činggis Khans (ed. E. Haenisch, § 236, S. 111). Er hatte am mongolischen Sieg über den Chorezm Šāh 1219/20 entscheidend Anteil (ed. E. Haenisch § 257, S. 129), kämpfte in den folgenden Jahren siegreich gegen Kumanen, Alanen, Volgabulgaren und Russen (ed. E. Haenisch, § 262, S. 131; § 270, S. 136) und gelangte auf seinen Feldzügen bereits 1221 im Nordwesten bis in die unmittelbare Nähe Novgorods (Spuler: Goldene Horde, S. 14), ja bis vor die Tore Kievs (Geheime Geschichte, ed. E. Haenisch, § 262, S. 131; § 270, S. 136). Auf der Reichsversammlung von 1229 beauftragte der neue Großkhan Ögödäi den erprobten Heerführer Sübödäi erneut mit der

Leitung des Feldzuges gegen die Kumanen und Volgabulgaren (Spuler: Goldene Horde, S. 15). 1232/33 an der Niederwerfung des Chin-Reiches im Fernen Osten beteiligt (Grousset: Steppenvölker, S. 358 f.), begegnet uns der mittlerweile über sechzigjährige Sübödäi als militärischer Stratege des großen Westfeldzuges von 1237–1241, der nominell unter der Leitung Bātūs stand (Grousset: Steppenvölker, S. 366, 540).

90 Qadan war ein Enkel Činggis Khans und Sohn Ögödäis.

91 Rogerius stellt hier wahllos mongolische Fürsten und Heerführer, die an dem Angriff auf Ungarn beteiligt waren, neben solche, die den kriegerischen Ereignissen fernblieben. Andere, wie Orda, der ältere Bruder Bātūs, und Büri, ein Enkel Činggis Khans und Sohn des Prinzen Čagatai, die nachweislich Heeresabteilungen in Ungarn leiteten, finden bei Rogerius überhaupt nicht Erwähnung.

92 Coacton ist wohl identisch mit dem späteren Großkhan Güjük (1242–1246). Güjük hatte ursprünglich zwar an der Seite Bātūs den Westfeldzug begonnen, war aber noch vor dem Angriff auf Polen und Ungarn vom Großkhan Ögödäi nach Karakorum zurückgerufen worden (Spuler: Goldene Horde, S. 20, 28).

93 Wohl Šibān (Šybān), der jüngste Bruder Bātūs, der in dessen Stab am Feldzug teilnahm (Strakosch-Grassmann: Einfall, S. 69, 81, 82).

94 Bäidār, ein Sohn Čagatais (Pelliot–Hambis: Histoire, S. 410) durchzog mit seiner Abteilung zunächst Polen und Mähren, um später aus nordwestlicher Richtung in Ungarn einzufallen (Strakosch-Grassmann: Einfall, S. 38 f., 53 ff., 157 f. Vgl. oben cap. 20).

95 Der Name Hermeus läßt sich mit keinem der aus anderen Quellen bekannten mongolischen Fürsten in Verbindung bringen.

96 Cheb ist niemand anderer als der aus der „Geheimen Geschichte" berühmte Feldherr und Gefolgsmann Činggis Khans Jäbä, „Waffe" (ed. E. Haenisch § 147, S. 46–47; § 209, S. 98; Pelliot–Hambis: Histoire, S. 154–156. Vgl. auch Juvaini: History I, S. 142, Anm. 1). Von einer Teilnahme Jäbäs am Ungarnfeldzug ist indessen aus anderen Quellen nichts zu erfahren.

97 Der Großkhan Ögödäi (1227/29–1241).

98 Die Behauptung des Rogerius, daß am Angriff auf Ungarn eine halbe Million mongolischer Krieger beteiligt gewesen sei, entbehrt jeder Grundlage. Noch im Jahre 1227 belief sich die Gesamtstärke der mongolischen Armee auf „lediglich" 129.000 (vgl. oben S. 124, Anm. 58 [zu Julians Bericht]). Zwar erhielt das Heer in den folgenden Jahrzehnten, zumal nach der Eroberung Chinas, Persiens und der russischen Fürstentümer stetigen Zuzug durch die Aushebung fremder Hilfstruppen (ebda.), mehr als 200.000 Krieger aber kamen bei keinem der zahlreichen Eroberungszüge zum Einsatz.

Nach Simon von St. Quentin nahmen am Feldzug gegen Ungarn nur zwei von insgesamt fünf mongolischen Heereskorps teil, demnach etwa 60.000 Mann (zitiert nach Johann de Plano Carpini: Geschichte, ed. F. Risch, S. 246). Von ihm zweigte Bātū eine Zehntausendschaft *(tümen)* ab, die unter der Führung seines Bruders Orda in Polen und Schlesien einfiel und über Mähren nach Ungarn zurückkehrte („Ex tunc postea processit Batu contra Poloniam et Hungariam, diuisoque exercitu in metis terrarum cum fratre suo Ordu misit contra Poloniam decem milia pugnatorum . . ." C. de Bridia: Hystoria Tartarorum, S. 19). Das unter Bātūs Oberbefehl verbleibende 50.000 Mann starke Hauptheer (auch der ungarische Historiker Gyula Pauler geht von derselben Größenordnung aus, ohne indessen seine Berechnungen im einzelnen aufzuschlusseln: Pauler: Sajómezei csata, S. 10; Pauler: A magyar nemzet története II, S. 159) drang mit insgesamt fünf Angriffssäulen von Norden und Osten her konzentrisch in Ungarn ein (auch chinesische Quellen und Rašīd ad-Dīn berichten von fünf mongolischen Heeren (vgl Bretschneider: Mediaeval Researches, S. 331; Rašīd ad-Dīn: The Successors, S. 70). Zum Verlauf des Vormarsches vgl. oben die Einleitung S. 44.

99 Ähnliches berichtet Carpini: „Wenn sie außerdem sehen, daß ihnen ein großes Heer gegenübersteht, schwenken sie bisweilen ein oder zwei Tagemärsche von ihm ab, dringen in einen anderen Landesteil ein, plündern diesen, töten die Einwohner und verwüsten das Land. Wenn sie erkennen, daß sie auch so nichts erreichen können, ziehen sie sich um zehn oder zwölf Tagereisen zurück und warten an einem geschützten Ort ab, wohin sich das feindliche Heer begeben wird. Dann tauchen sie unvermutet auf und verheeren das ganze Land" (SF I, S. 81; vgl. auch d'Ohsson: Histoire, I, S. 135, und J. F. Erdmann: Temudschin der Unerschütterliche. Leipzig 1862, S. 320).

100 Das Heer des Palatin wurde am 12. März geschlagen. Vgl. oben cap. 16.

101 Unterdessen hatte die in Polen unter Bāidār eingedrungene Zehntausendschaft am 24. März Krakau eingenommen und gebrandschatzt (Johannes Dlugossius: Annales seu cronicae incliti regni Poloniae. Varsoviae 1975, VII, S. 12–17, 308–317: eine kritische Würdigung des Długosz-Berichtes über den Tatareneinfall in Polen gibt neuerdings die Studie von G. Labuda: Zaginiona kronika w Rocznikach Jana Długosza. Une chronique dominicaine disparue de la moitié du XIIIe siècle dans les Annales du royaume polonais de Jean Długosz. Poznań 1983, S. 210–292). Am 2. April stand Bāidār vor Breslau – die Stadt war wenige Tage zuvor von ihren Einwohnern verlassen und in Brand gesteckt worden – und belagerte vergebens die dortige Burg auf der Dominsel (Strakosch-Grassmann: Einfall, S. 42).

Herzog Heinrich II. von Niederschlesien, ein Sohn der hl. Hedwig und Neffe der Gertrud von Andechs-Meran, der Mutter Bélas IV., hatte unterdessen bei Liegnitz ein Heer versammelt, zu dem polnische, deutsche und mährische Aufgebote, aber auch eine starke Abteilung der Templer-Ordensritter gestoßen war. Herzog Heinrich, der glaubte, das in Aussicht gestellte Entsatzheer des Königs Wenzel III. von Böhmen nicht abwarten zu können, erlitt durch das mongolische Heer am 9. April eine vernichtende Niederlage. Der Meister des Templerordens berichtet darüber an König Ludwig IX. von Frankreich: „Wir teilen Eurer Hoheit mit, daß die Tataren das Land des verstorbenen Herzogs Heinrich von Polen verwüstet und ausgeplündert haben, ihn selbst haben sie zusammen mit zahlreichen Baronen getötet; sechs von unseren Brüdern, drei Ritter, zwei Sergeanten und 500 Gemeine sind gefallen. Nur drei unserer Brüder, die wir namentlich kennen, sind geflohen" (MGH SS XXVI, S. 604–605; weitere Quellenangaben bei Strakosch-Grassmann: Einfall, S. 45–47).

102 Die Sieger zogen über Heinrichau und Ottmachau in südöstlicher Richtung ab und fielen Ende April in Mähren ein, das sie, da auch hier der Landesherr, König Wenzel, verspätet eintraf, entsetzlich verwüsteten, bevor sie nach Ungarn zurückkehrten, um sich mit den anderen Abteilungen zu vereinen (Strakosch-Grassmann: Einfall, S. 53–67).

103 Es handelt sich hier nicht, wie L. Juhász fälschlich meinte, (SRH II, S. 560) um den Verecke-Paß, sondern um einen Übergang an der mährisch-ungarischen Landesgrenze in den Kleinen Karpaten.

104 Die Grenzwildnis zwischen den russischen Fürstentümern und den im Gebiet des späteren Fürstentums Moldau streifenden Kumanen am Oberlauf der Flüsse Pruth und Sereth.

105 Die Bergbausiedlung Radna (Rudena), die wahrscheinlich bereits im 12. Jahrhundert gegründet wurde (Györffy: Geographia historica I, S. 562), findet erstmals 1235 in einer russischen Chronik Erwähnung (A. Hodinka: Az orosz évkönyvek magyar vonatkozásai [Die Angaben über Ungarn in den russischen Jahrbüchern], Budapest 1918, S. 398–399). Die Ortschaft, in deren Nähe sich eines der reichsten Silberbergwerke Ungarn befand – später kamen Goldfunde hinzu – (Györffy: Geographia historica I, S. 563), gehörte im 13. Jahrhundert wie das benachbarte Bistritz (Nösen, Beszterce, Bistricia) zu den Gütern der ungarischen Königinnen (Györffy: Geographia historica I, S. 563; O. Mittelstraß: Beiträge zur Siedlungsgeschichte Siebenbürgens im Mittelalter. München 1961, S. 68). 1262 befindet es sich im Besitz der Fürstin Anna von Galič, einer Tochter Bélas IV. (J. Emler: Regesta diplomatica necnon epistolaria Bohemiae et Moraviae. II. Pragae 1882, S. 147). Schon unter Géza II. (1141–1161)

ließen sich in Radna deutsche Bergleute nieder, die dem Ort bald zu dem, auch von Rogerius rühmend hervorgehobenen, Wohlstand verhalfen (G. D. Teutsch: Geschichte der Siebenbürger Sachsen. Hermannstadt 1925, S. 12). Der Tatareneinfall konnte der wirtschaftlichen Bedeutung der Siedlung nur vorübergehend Abbruch tun, obwohl Radna offensichtlich erhebliche Bevölkerungseinbußen hatte hinnehmen müssen (Györffy: Geographia historica I, S. 562–564). Nach Mitteilung der um 1250 entstandenen „Nota de invasione Tartarorum in Ungariam" fanden bei den Kämpfen gegen die Mongolen in Radna mehr als 4000 Menschen den Tod (Gombos: Catalogus II, S. 1709).

106 Das Rodnaer Gebirge.

107 Auch Qadan bediente sich wie andere mongolische Heerführer der Kriegslist der verstellten Flucht (vgl. cap. 21).

108 Frühe Erwähnung des „furor Theutonicus", hier als „furia Theutonicorum".

109 Erst nach dem Tatareneinfall legte man in Radna Befestigungen an (Györffy: Geographia historica I, S. 563).

110 Vermutlich schon vor 1235 unterstand Radna einem eigenen, von der Komitatsverwaltung unabhängigen Grafen (Györffy: Geographia historica I, S. 553). Ein Herystoldus, vormals Graf von Radna, der augenscheinlich mit dem Ariscaldus des Rogerius identisch ist, findet in einer 1243 von Béla IV. ausgegebenen Urkunde Erwähnung (zitiert nach Györffy: Geographia historica I, S. 562).

111 Radna gehörte zu Transsilvanien, dem Lande jenseits der inneren Grenzwälder (Ungarisch: gyepüelve), die Siebenbürgen vom eigentlichen Ungarn trennten (vgl. die Karte bei Göckenjan: Hilfsvölker, S. 234). Die Mongolen Qadans rückten demnach durch das Szamostal in die Ungarische Tiefebene vor.

112 Von ihnen ist mit Namen nur der Noyan Böjek (Bedjak) bekannt, der von Süden her in Ungarn einfiel (vgl. oben S. 44 f.).

113 Das 1228 gegründete Kumanenbistum erstreckte sich über das Gebiet der Walachei und des Sereth-Flusses, umfaßte aber zumindest zeitweise auch das Burzenland und Kronstadt (Brasov, Brassó). Der Sitz des Kumanenbischofs war die Ortschaft Milkó, die vermutlich an der Milkov, einem rechtsseitigen Nebenflüßchen der Sereth, lag (F. Joan: Cumani și episcopia lor [Die Kumanen und ihr Bistum]. Blaj 1931, S. 142–146; L. Makkai: A milkói püspökség és népei [Das Bistum Milkó und seine Völker]. Debrecen 1936, S. 24–26; Gy. Györffy: Adatok a románok XIII. századi történetéhez és a román állam kezdeteihez [Angaben zur Geschichte der Rumänen im 13. Jahrhundert und zu den Anfängen des rumänischen Staates]. In: Történelmi Szemle VII [1964], S. 4).

114 Bātūs Reiter hatten also in drei Tagen (vom 12. bis zum 15. März) in Gewaltritten eine Strecke von nahezu 300 km

zurückgelegt und damit eine erstaunliche Leistung vollbracht. Daß derartige Ritte aber für die Mongolen keineswegs außergewöhnlich waren, bezeugen auch andere Autoren. So berichtet der Perser Ġuwainī, Činggis Khan habe 1221 den Chorezmier Ġalāl ad-Dīn von Bāmiyān über Kabus nach Gazna über eine Distanz von 200 km zwei Tage ohne Pause verfolgt, und noch in unserem Jahrhundert soll ein Mongole die Route von Urga (Ulan Bator Choto) nach Kalgan, d. h. über 900 km, auf einem Pferd in neun Tagen bewältigt haben (zitiert nach Martin: Mongol Army, S. 51; vgl. Strakosch-Grassmann: Einfall, S. 70, Anm. 1). Türkische Herrscher sollen chinesischen Berichten zufolge sogar Pferde gezüchtet haben, die an einem Tag 1000 Li (ca. 300 km) zurücklegen konnten (W. Eberhard: China und seine westlichen Nachbarn. Darmstadt 1978, S. 155). Nach orientalischen Quellen unternahm den Gewalttritt in Ungarn freilich nicht das gesamte Heer Bātūs, sondern nur eine Vorausabteilung unter dessen Bruder Šiban (d'Ohsson: Histoire II, S. 620). Sie hatten den Auftrag, durch ihren raschen Vorstoß eine Vereinigung der gegnerischen Kräfte im Lager des Königs zu verhindern (Strakosch-Grassmann: Einfall, S. 70).

115 Carpini schreibt dazu: „Wenn sie [die Mongolen] in den Krieg ziehen wollen, entsenden sie eine Vorhut, die außer Filzzelten, Pferden und Waffen nichts mit sich führt. Diese Leute rauben nicht, zünden keine Häuser an und schlachten keine Tiere ab, sondern sie töten und verwunden nur die Menschen, und wenn sie nichts anderes ausrichten, so jagen sie dieselben wenigstens in die Flucht, ziehen es aber vor, sie zu töten. Dieser Vorausabteilung folgt das Hauptheer, das alles plündert, was es nur vorfindet. Auch wenn man auf Einwohner stößt, nimmt man sie gefangen oder tötet sie. Dennoch senden die Heerführer auch dann noch nach allen Seiten Kundschafter aus, um Menschen und Tiere aufzuspüren; und diese Leute sind sehr geschickt im Ausspähen [der Verstecke]" (SF I, S. 80).

116 Wieder bestätigt Carpini die Angaben des Rogerius: „Sobald sie [die Mongolen] den Feind erblicken, stürmen sie auf ihn los, und jeder schießt drei oder vier Pfeile gegen die ihm zunächst stehenden Gegner ab. Wenn sie sehen, daß sie so die feindlichen Reihen nicht durchbrechen können, ziehen sie sich zu den Ihrigen zurück. Sie wenden den Rückzug als Kriegslist an, um den verfolgenden Gegner in einen Hinterhalt zu locken, den sie ihm bereitet haben. Wenn aber der Feind sie bis zu diesem Hinterhalt verfolgt, so umzingeln sie ihn, verwunden ihn und metzeln ihn nieder" (SF I, S. 81; ähnliche Schilderungen finden sich auch bei Marco Polo: Description, S. 174; bei Ġuwainī: History, S. 125, und beim Armenier Het'um: La Flor des Estoires de la Terre d' Orient – Flos Historiarum Terrae Orientis. In: RHC Arm. II, S. 338).

206

Die Taktik der verstellten Flucht teilten die Mongolen mit nahezu allen reiternomadischen Völkern Eurasiens. Sie fand bereits bei antiken Autoren Beachtung, wird von Maurikios und Kaiser Leon VI., dem Weisen (886–912) gleichermaßen ausführlich beschrieben und noch im 16. Jahrhundert für die Osmanen bezeugt (Belege bei A. v. Pawlikowski-Cholewa: Militärische Organisation und Taktik der innerasiatischen Reitervölker von den Parthern über Mao-tun, Attila und Tschinggis Chan bis Timur. In: Deutsche Kavallerie-Zeitung. Heft 11 vom 1. November 1937. Beiheft 1, S. 7 und Göckenjan: Hilfsvölker, S. 115–116).

117 Am 17. März 1241.

118 Vgl. oben Anmerkung 88.

119 Die Stadt Waitzen (Vác) liegt auf dem linken Ufer der Donau, 35 km nördlich von Pest. Die Entfernung zwischen Stuhlweißenburg (Székesfehérvár) und Gran (Esztergom), die sich auf etwa 90 km beläuft, veranschlagt Rogerius mit einer Tagesreise (vgl. oben cap. 16).

120 Herzog Friedrich muß Ende März in Pest eingetroffen sein (Strakosch-Grassmann: Einfall, S. 72).

121 Der Terminus *canesius* ist abzuleiten aus dem slavischen *knez* „Fürst" (I. Kniezsa: A magyar nyelv szláv jövevényszavai [Die slavischen Lehnwörter der ungarischen Sprache]. I, Budapest 1974, S. 262–263) und dient hier zur Bezeichnung eines Offiziers, lat. *maior* (ungar. *hadnagy*, dt.: „Leutnant") also vermutlich eines mongolischen Hundertschaftsführers. An anderer Stelle bei Rogerius nimmt der *canesius* die Aufgabe eines Richters *(balivus)* und Steuereinnehmers bei der unterworfenen Bevölkerung Ungarns wahr (vgl. unten cap. 35; siehe auch A. Bartal: Glossarium mediae et infimae Latinitatis regni Hungariae. Hildesheim, New York 1970, S. 65, 98).

122 Der mongolische Krieger, der nach der Schilderung des Rogerius seinem Offizier zu Hilfe eilte, befolgte das für die Mongolen selbstverständliche und von ihnen strikt eingehaltene Gebot, verwundete Stammesgenossen nicht in die Hand des Feindes fallen zu lassen (Geheime Geschichte, ed. E. Haenisch § 171, S. 63; vgl. auch Alinge: Mongolische Gesetze, S. 135).

123 Auffallend ist, daß besonders österreichische Quellen Kumanen und Mongolen verwechseln (Gombos: Catalogus I, S. 270, III, S. 1957). Vor allem die Heiligenkreuzer Fortsetzung, deren Verfasser den Babenbergern nahesteht und entschieden gegen Béla IV. Partei ergreift, hält beharrlich an diesem „Irrtum" fest (Gombos: Catalogus I, S. 777).

124 Rogerius, der ganz offenkundig Kuthen und die Kumanen gegen den Vorwurf, die Mongolen ins Land geholt zu haben, in Schutz nimmt, bemüht sogar biblische Parallelen (Mk 15,13–14).

125 Vgl. oben Anmerkung 123.

126 Ugrin aus dem Geschlecht Csák (vgl. oben Anmerkung 74).
127 Herzog Friedrich kehrte Ende April in sein Land zurück. Vorausgegangen war dieser Abreise ein Streit zwischen dem Herzog und König Béla, der nach Angaben des Heiligenkreuzer Chronisten betonte, „er allein sei Herr im Lande und nehme deshalb nur von Leuten Rat und Hilfe an, die bereit seien, sich seinem Befehl unterzuordnen. Er verlangte dies durch Boten auch vom Herzog von Österreich. Der aber verweigerte seine Zustimmung" (Gombos: Catalogus I, S. 777).
128 Entgegen allen Verdächtigungen, denen man von ungarischer Seite die Kumanen aussetzte, waren sie hier wie im Kumanenbistum jenseits der Karpaten durchaus bereit, gegen die Mongolen zu kämpfen. Erst die Ermordung ihres Khans und die fortgesetzten Angriffe der Ungarn veranlaßten sie zu einer grundsätzlichen Änderung ihrer Haltung, die zu Ausschreitungen gegen die ungarischen Bauern führte.
129 Bulcsu, Bischof von Csanád (1229–1254), entstammte dem ursprünglich in Westungarn (Komitate Zala und Eisenburg/Vas) begüterten Adelsgeschlecht der Lád. Karácsonyi: Magyar nemzetségek II, S. 343–345.
130 Vgl. oben Anmerkung 39. Er fiel im Kampf gegen die Kumanen.
131 Freilich verließ nur ein Teil der in Ungarn angesiedelten Kumanen das Land. So weiß der Armenier Het'um zu berichten: „Bātū traf einige Kumanen am Strom der Donau an, die er gefangennahm, andere aber entkamen, weil die Tataren den Fluß nicht überschreiten konnten" (RHC Arm. II, S. 295).
132 Als „Marchia" (Markgrafschaft) bezeichnete man im 12. und 13. Jahrhundert die bereits von Stephan dem Heiligen erworbenen südlichen Grenzregionen zwischen Donau und Save, das Komitat Syrmien und den Ostteil des Komitats Valkó. Diesem Gebiet entsprach als kirchlicher Amtssprengel ein dem Bistum von Fünfkirchen (Pécs) unterstehendes Archidiakonat Marchia (Gy. Györffy: Das Güterverzeichnis des griechischen Klosters zu Szávaszentdemeter [Sremska Mitrovica] aus dem 12. Jahrhundert. In: Studia Slavica V [1959], S. 22–24).
133 An der Nordgrenze. Der Schauplatz der Schlacht ist nicht bekannt.
134 Von Frankavilla, dem Φραγγοχωριον der Byzantiner (M. Gyóni: A magyar nyelv görög feljegyzéses szórványemlékei – Die Streudenkmäler der ungarischen Sprache in griechischen Texten. Budapest 1943, S. 139–140), ist bereits im Jahre 1096 die Rede, als die Teilnehmer des Ersten Kreuzzuges hier Rast hielten. Der Ort erhielt seinen Namen nicht, wie man fälschlich angenommen hat, als Grenzsiedlung des Karolingerreiches (C. Jireček: Das christliche Element in der topo-

graphischen Nomenclatur der Balkanländer. III. Sirmium und die civitas Sancti Demetrii. Sitzungsberichte der kaiserlichen Akademie der Wissenschaften in Wien, Phil.-Hist. Klasse CXXXVI/XI. 1897, S. 93–98), sondern von romanischen (wallonischen, italienischen) Kolonisten, die sich hier vermutlich im 11. Jahrhundert niedergelassen hatten (Györffy: Szávaszentdemeter, S. 12) und noch im Jahre 1162 Zuzug durch Ansiedler aus Mailand erhielten (Gombos: Catalogus III, S. 2258). An diese Zuwanderer erinnert bis heute der ungarische Name der Ortschaft Nagyolaszi „Großitaliener (-dorf)" und die serbokroatische Variante Mandjelos (vgl. auch G. Heller – K. Nehring: Comitatus Sirmiensis. München 1973, S. 108).

135 Heute die Ortschaft Martinci.

136 Die in Ungarn verbleibenden bzw. später dorthin zurückgewanderten Kumanen konnten Volkstum und Sprache noch bis ins 17. Jahrhundert hinein bewahren (St Szabó: Ungarisches Volk. Geschichte und Wandlungen. Budapest, Leipzig 1944, S. 42), zumal man ihnen im Rahmen eigenständiger Komitatsverwaltungen Rechtsautonomie zugestand (M. Kring: Kun és jász társadalomelemek a középkorban [Kumanische und jassische Gesellschaftselemente im Mittelalter]. In Századok LXVI [1932], S. 35–63, 169–188; A. Soós: A Jászkunság körüli nemesi birtokviszonyok a tatárjárás után [Die adligen Besitzverhältnisse um das Jassen- und Kumanenland nach dem Tatareneinfall]. Pápa 1935; L. Rásonyi: Les noms toponymiques comans de Kiskunság. In: Acta Linguistica Academiae Scientiarum Hungaricae VII [1958], S. 73–146).
Auf der Balkanhalbinsel sollten die dort angesiedelten Kumanen in den Auseinandersetzungen zwischen dem Zweiten Bulgarischen Reich, Nikaia und dem Lateinischen Kaiserreich noch eine bedeutsame Rolle spielen (G. Ostrogorsky: Geschichte des byzantinischen Staates. München 1963, S. 333–335). Nach Meinung mancher Historiker war sogar die Aseniden-Dynastie, die das Zweite Bulgarische Reich regierte, kumanischer Abkunft (Rásonyi: Les Turcs non-islamisés, S. 22–23).

137 Benedikt, Sohn des Ost, Bischof von Großwardein (Várad, Oradea) in den Jahren 1231–1243 (vgl. L. Juhász, in: SRH II, S. 568, Anm. 4; Gy. Pauler: Sajómezei csata, S. 9).

138 Die Zerstörung der alten Bischofsstadt Erlau (Eger) wird auch andernorts bezeugt (Fejér CD IV, 3, S. 34).

139 Von der Kriegslist, Puppen zu Pferde mitzuführen und auf diese Weise den Gegner über die Zahl der eigenen Krieger zu täuschen, machten die Mongolen besonders dann Gebrauch, wenn die feindlichen Kräfte ihnen weit überlegen zu sein schienen. So rät Dödäičärbi, ein Unterführer Činggis Khans, dem Herrscher vor dem Kampf gegen die Naiman im Jahre 1204: „Wir sind schon an Zahl gering. Und dazu sind wir noch

in erschöpftem Zustand angekommen ... wir wollen durch
Puppen und durch Feuer, indem wir für jeden Mann an fünf
Stellen Feuerbrände anzünden, den Feind täuschen und in
Furcht halten" (Geheime Geschichte, ed. E. Haenisch, § 193,
S. 79; Ligeti: Titkos története, S. 166).
Ähnliches weiß Carpini zu berichten: „Bisweilen machen sie
[die Mongolen] auch Puppen in Menschengestalt und setzen
sie auf Pferde. Das tun sie, damit die Zahl ihrer Soldaten
möglichst groß erscheine" (SF I, S. 82). Auf die gleiche Weise
suchten die Mongolen während des Feldzuges gegen den
Chorezm Šāh den Gegner zu täuschen (Juvaini: History II,
S. 406; vgl. auch Martin: Mongol Army, S. 75). Die Taktik
muß sich so bewährt haben, daß sie noch im 15. Jahrhundert
Anwendung fand (Spuler: Goldene Horde, S. 375; Spuler:
Mongolen in Iran, S. 415).

140 Both (aus dem Geschlecht Becse-Gergely [Gregor], gest. vor
1258, vgl. Karácsonyi: Magyar nemzetségek I, S. 216) war
offenbar Gespan des Komitats Bihar, zu dessen Territorium
auch der Bischofssitz Großwardein gehörte. Bischof und
Gespan waren also gemeinsam aufgebrochen, um zum Heer
des Königs zu stoßen.

141 Bischof Benedikt von Großwardein, der demnach an der
Schlacht bei Mohi nicht teilnahm, fand sich erst nach der
Flucht des Königs wieder in dessen Gefolge ein (SRH II, S. 575,
576; vgl. Pauler: A magyar nemzet története II, S. 211). Stadt
und Bistum Großwardein wurden wenig später durch die
Mongolen verwüstet (vgl. oben cap. 34).

142 Nach anderen Quellen scheinen die mongolischen Heerführer
von der zahlenmäßigen Überlegenheit des ungarischen Heeres
zeitweilig so beeindruckt gewesen zu sein, daß sie den
Rückzug ihrer Truppen in Erwägung zogen. Daran erinnerte
sich noch Carpini, der sich auf Augenzeugenberichte stützte:
„Hier in Polen und Ungarn fiel der größere Teil der Tartaren,
und wenn damals die Ungarn nicht geflohen wären, sondern
sich mannhaft gewehrt hätten, würden sie die Tartaren aus
ihrem Lande gejagt haben; denn die Tartaren hatten solche
Furcht, daß sie alle im Begriff waren, zu fliehen. Da trat ihnen
Bātū mit gezücktem Schwert entgegen und rief ihnen zu:
‚Flieht nicht, denn wenn ihr flüchtet, wird keiner von uns
entrinnen. Wenn wir aber schon sterben müssen, so laßt uns
gemeinsam untergehen. Denn Činggis Khan hat prophezeit,
daß wir sterben müssen. Wenn diese Weissagung jetzt in
Erfüllung geht, so wollen wir es ertragen.' Da schöpften sie
Mut, ließen sich zum Bleiben bestimmen und verheerten
Ungarn" (SF I, S. 72).
Über empfindliche Verluste, die die Mongolen in Ungarn
hinnehmen mußten, berichtet auch das Yüan shi, eine chinesische Biographie des Heerführers Sübödäi. Will man freilich dem Autor dieser Quelle Glauben schenken, so war es

Sübödäi, der den entmutigten Bātū zu erneutem Angriff zu bewegen vermochte. Dem Bericht des Yüan shi zufolge habe Bātū, nachdem er in ersten Scharmützeln nicht unerhebliche Verluste erlitten und u. a. seinen Adjutanten Ba-ha-t'u verloren hatte, den Rückzug antreten wollen. Sübödäi hingegen habe den Prinzen mit folgenden Worten zur Umkehr ermahnt: „Fürst, wenn du abziehen willst, so kann ich dich nicht daran hindern. Ich für meine Person aber bin entschlossen, nicht umzukehren, bis ich den Fluß T'u-na [Donau] und die Stadt der Ma-ch'a [der Magyaren; wahrscheinlich die Stadt Buda] erreicht habe" (Bretschneider: Mediaeval Researches, S. 331 f.). Darauf habe Sübödäi den Kampf mit erhöhtem Eifer wiederaufgenommen und auch Bātū habe sich erneut am Angriff beteiligt, der nunmehr die Niederlage des ungarischen Heeres besiegelte (ebda.).

Nun müssen die Berichte, die Carpini und das Yüan shi vom Kampfgeschehen geben, einander nicht zwangsläufig widersprechen. So erscheint durchaus denkbar, daß Bātū noch vor der Unterredung mit Sübödäi seinen fliehenden Soldaten entgegenritt, unter dem Eindruck dieser Flucht und der schweren Verluste aber später selbst zum Rückzug neigte. Wie dem auch sei, daß die Mongolen während der Schlacht vorübergehend in ernste Bedrängnis gerieten, geht auch aus den Schilderungen anderer Autoren wie Rašīd ad-Dīn und Ğuwainī hervor, nach denen Bātūs Bruder Šibān wiederholt Sturmangriffe gegen die Ungarn vortrug, ohne deren Reihen erschüttern zu können (Rašīd ad-Dīn: The Successors, S. 57; Juvaini: History II, S. 270–271; vgl. auch d'Ohsson: Histoire II, S. 622).

143 Im Yüan shi als Huo-ning bezeichnet.

144 Der Fluß führte Frühjahrshochwasser.

145 Der König vergibt vor der Schlacht Fahnen an die Ritter, um ihnen die Kommandogewalt zu übertragen (H. Mitteis: Lehnrecht und Staatsgewalt. Untersuchungen zur mittelalterlichen Verfassungsgeschichte. Darmstadt 1974, S. 512).

146 Auch Thomas von Spalato tadelt die Uneinigkeit und das sorglose Verhalten der im königlichen Heer versammelten Barone (vgl. unten S. 237 f.).

147 Zum Bild des Pfeilregens, der die Sonne verdunkelt, vgl. oben Anmerkung 41.

148 Daß die Ungarn in ihrer Wagenburg zusammengepfercht ihre Heeresmacht kaum wirkungsvoll entfalten, sondern sich eher gegenseitig behindern würden, hatte Batu bereits zu Beginn des Kampfes erkannt. Nach Thomas von Spalato soll er, nachdem er die Aufstellung des ungarischen Heeres beobachtet hatte, ausgerufen haben: „Wir müssen guten Mutes sein, Kameraden. Denn obwohl jenes Heer zahlenmäßig stark ist, können sie doch, weil sie unvorsichtig befehligt werden, nicht unserem Zugriff entkommen. Denn ich sah, daß sie wie eine

Herde ohne Hirt in einem sehr engen Stall eingeschlossen waren" (vgl. unten S. 240).

149 Wieder bestätigt Carpini den Bericht des Rogerius: „Wenn aber zufällig die Feinde einmal tüchtig kämpfen, so lassen sie ihnen eine Gasse zur Flucht offen, und sobald diese Miene machen zu fliehen, und sich der Zusammenhalt in ihren Reihen zu lockern beginnt, jagen die Tartaren hinter ihnen her und bringen dann mehr auf der Flucht um, als sie im Kampfe hätten niederhauen können" (SF I, S. 82).

150 Béla floh zunächst nach Nordwesten in Richtung auf die polnische Grenze (vgl. oben cap. 32).

151 Diese Heeresstraße führte in südwestlicher Richtung über Heves nach Pest.

152 In Südwestungarn.

153 Bartholomaeus, Bischof von Fünfkirchen (Pécs) (1219–1252), schloß sich später dem flüchtenden König an (vgl. unten Thomas von Spalato, cap. 38).

154 Ladislaus, der Gespan des Komitats Somogy (Südwestungarn), war ein Sohn des königlichen Palatins Gyula des Älteren aus dem Geschlecht Kán (vgl. oben Anmerkung 39).

155 Die Masse der Flüchtenden suchte also nicht, wie König Béla und Herzog Koloman, den Mongolen auf Seitenwegen zu entkommen, sondern ergoß sich in regelloser Flucht über die Heeresstraße nach Südwesten.

156 Matthias, Erzbischof von Gran (1239–1241), war einer der engsten Vertrauten Bélas. Er diente schon dem Kronprinzen (1225–1235) und später (1235/36) dem König als Kanzler, verwaltete 1237–1240 die Diözese Waitzen (Vác) und bestieg 1239 den erzbischöflichen Stuhl von Gran (Esztergom), den er bis zu seinem Tode innehatte.

157 Ugrin, der kriegerische Erzbischof von Kalocsa (s. oben Anmerkung 74), gehörte dem Geschlecht Csák an, einer der ältesten und vornehmsten ungarischen Adelsfamilien, deren Anfänge vermutlich bis in die Landnahmezeit (9. Jhdt.) zurückreichen. Die einander widersprechenden Überlieferungen, die sich um die Abstammung des Geschlechtes rankten, waren schon im Mittelalter umstritten (vgl. dazu Karácsonyi: Magyar nemzetségek I, S. 291 f.).

158 Nicht Georg, sondern Gregor, Bischof von Raab (Győr) (1224–1241).

159 Reynoldus, Bischof von Siebenbürgen (1222–1241).

160 Jakob, Bischof von Neutra (Nyitra, Nitra) (1221–1241).

161 Nikolaus, Propst von Hermannstadt (Szeben, Sibiu) und königlicher Vizekanzler (1240–1241); vielleicht war er es, der Ba-ha-t'u, den Adjutanten Bātūs, im Kampf erschlug (vgl. oben Anmerkung 142).

162 Unter Tagesreise versteht Rogerius offensichtlich eine Strecke, die ein Reiter innerhalb eines Tages zurücklegen kann. So bemißt er die Entfernung zwischen Gran und Stuhlweißen-

burg auf eine, die zwischen Waitzen und Pest auf eine halbe Tagesreise. Mithin müßten die wilde Verfolgungsjagd und das Gemetzel, dem die Flüchtlinge ausgesetzt waren, erst vor den Toren von Pest geendet haben.

163 Hinter dem entsetzlichen Blutbad, das die Mongolen anrichteten und das Rogerius so eindrucksvoll beschreibt, sind weniger Mordlust und Beutegier zu suchen als planmäßiger Terror, der die überlebende Bevölkerung des eroberten Landes niederhalten und ihr die Aussichtslosigkeit weiteren Widerstandes vor Augen führen sollte. Daß diese Strategie ihre Wirkung nicht verfehlte, bezeugen zahlreiche Augenzeugenberichte (Juvaini: History I, S. 169; weitere Belege bei Groussct: Steppenvölker, S. 364–365. Vgl. auch die Ausführungen von Werner: Geburt einer Großmacht. Die Osmanen. Berlin 1972, S. 175).

164 Die Verteilung der Kriegsbeute unterlag bei den Mongolen strengen Regeln. „Wenn man Städte eroberte, wurde eine zahlenmäßige Bestandsaufnahme von Gold, Silber, Seide, Kostbarkeiten und sonstigen Gütern gemacht, wozu Mitglieder des Gefolges des Herrschers gesandt wurden. Es existierte auch das Amt eines Aufsehers bzw. Richters für Teilungssachen" (Poncha: Geheime Geschichte, S. 135). Stets war jedoch bei der Verteilung der Beute die Vorrangstellung des Herrschers zu wahren. Kennzeichnend ist jene Episode aus dem Krieg gegen das Chorezmierreich, die in der „Geheimen Geschichte" überliefert wird: „Als die drei [Söhne Cinggis Khans] Dschotschi, Cha'adai und Ogodai die Stadt Urunggetschi eingenommen hatten, hatten sie sich zu dreien in die Bevölkerung der Stadt geteilt, aber Tschinggis Chan nicht seinen Teil herausgegeben. Als diese drei Prinzen zurückkamen, um ihr Lager zu beziehen, schalt Tschinggis Chan die drei Söhne Dschotschi, Cha'adai und Ogodai aus und ließ sie drei Tage nicht vor zur Audienz" (ed. E. Haenisch, § 260, S. 130).

165 Noch heute bezeichnet man die Region westlich und südlich der Donau als Transdanubien (Ungarisch: Dunántúl), als Land jenseits der Donau.

166 Als „Hunde" wurden bei den Mongolen besonders tapfere Gefolgsleute des Herrschers bezeichnet. So heißt es in der „Geheimen Geschichte": „... Temudschin [der frühere Name Cinggis Khans] hatte vier Hunde mit Menschenfleisch aufgezogen und an Ketten festgelegt. Das sind die, die dort einher kommen und unsere Späher hetzen. ... Am Tage der Schlacht fressen sie das Fleisch der Männer. Am Tage des Treffens nehmen sie sich Menschenfleisch mit als Wegzehrung; von ihren Ketten sind sie losgemacht. Kommen sie, die vorher gehemmt waren, jetzt nicht vor Freude nur so geifernd daher?" (ed. E. Haenisch, § 195, S. 81).

167 Die Fälschung des königlichen Sendschreibens stellt eindring-
lich unter Beweis, wie sorgfältig die Mongolen sich mit den
örtlichen Gegebenheiten vertraut gemacht hatten und wie
geschickt sie diese zu nutzen verstanden, um ihren militärischen Sieg in dauerhafte Herrschaft zu verwandeln. Mit
ähnlichen Täuschungsmanövern richteten die Mongolen immer wieder Verwirrung unter ihren Gegnern an (vgl. etwa
Juvaini: History I, S. 167, oder Annales capituli Posnaniensis.
MGH SS XXIX. S. 460).
Kaiser Friedrich II. war einer der ersten, die erkannten, welche
Gefahr den abendländischen Völkern durch den neuen,
umfassend unterrichteten und äußerst geschickt operierenden
Gegner drohte. In einem Brief an den König von England
warnt der Kaiser wie folgt: „Denn durch ihre Kundschafter,
die sie überallhin aussenden, sind die Tartaren unterrichtet
über die inneren Streitigkeiten der Länder und kennen deren
Schwächen. Denn obwohl sie der göttlichen Gnade entbeh-
ren, beherrschen sie die Kunst der Kriegführung" (Matth.
Paris.: CM IV, S. 117).

168 Schon vor der Schlacht bei Mohi müssen sich, wie das Beispiel
des Grafen Ariscaldus von Radna und seiner Gefolgschaft
zeigt (vgl. oben, Anmerkung 110), in nicht geringer Zahl
Renegaten gefunden haben, die freiwillig oder gezwungen die
Fronten wechselten und in die Dienste der Mongolen traten.
Rogerius selbst verdingte sich später als Knecht bei einem
dieser Überläufer, um sein Leben zu retten (vgl. cap. 36). Béla
IV. beklagt in einer späteren Urkunde, daß nach der Schlacht
bei Mohi „viele der Unseren geflohen und vom Wege der
schuldigen Treue abgekommen waren, aus Angst vor den
Drohungen jenes Volkes [der Mongolen]" Knauz: Mon. Eccl.
Strigon. I, S. 346, Nr. 435).

169 Die Flüchtenden ritten, die siegreichen Verfolger immer dicht
auf den Fersen, das Tal des Sajó flußaufwärts bis zum Komitat Gömör, wandten sich sodann gegen Westen, um über
Neutra nach Preßburg zu eilen (zum Verlauf der Flucht-
route Hóman: Geschichte, II, S. 143; Strakosch-Grassmann:
Einfall, S. 98–99). Rogerius und Thomas von Spalato (vgl.
unten cap. 36) berichten übereinstimmend, daß die Bedek-
kung des Königs nur aus wenigen Rittern bestand, die sich
und ihre Pferde aufopferten, um das Leben des Königs zu retten
(vgl. auch Fejér CD IV/1, S. 286; IV/2, S. 92; IV/2, S. 207).

170 Die Gattin Bélas, Maria Laskaris, hatte bereits vor Beginn des
Tatarenfeldzuges in Begleitung einiger hoher Prälaten Zuflucht im benachbarten Herzogtum Österreich gesucht, wo sie
den König erwartete (vgl. oben cap. 16).

171 Zur Gestalt Herzog Friedrichs II. des Streitbaren von Österreich vgl. die Charakteristik von K. Lechner: Die Babenberger, Markgrafen und Herzoge von Österreich 976–1246.
Wien, Köln, Graz 1976, S. 275 ff.

172 Der König verließ ungarisches Gebiet durch das Landestor von Theben (Dévény, Devin) westlich von Preßburg.

173 Vermutlich Hainburg, wo bereits im 12. Jahrhundert eine herzogliche Burg Erwähnung findet.

174 Herzog Friedrich II. von Österreich, dem schon die Zeitgenossen den Beinamen „der Streitbare" gaben (so bezeichnet Magnus von Reichersberg den Babenberger schon 1240 als *strenuus bellator*. In der Reiner-Handschrift der Chronik Ottos von Freising wird Friedrich als *semper bellicosus* bezeichnet. MGH SS XVII, S. 528; vgl. auch F. Eheim: Zur Geschichte der Beinamen der Babenberger. In: Unsere Heimat. Monatsblatt des Vereines für Landeskunde von Niederösterreich und Wien XXVI, 1955, S. 159), hatte sich mit fast allen Nachbarn, den Königen von Böhmen und Ungarn, dem Markgrafen von Mähren, dem Herzog von Bayern, dem Erzbischof von Salzburg und den Bischöfen von Bamberg, Freising, Passau und Regensburg überworfen und war schließlich im Juni 1236 sogar vom Kaiser geächtet und seiner Reichslehen enthoben worden. In Ungarn war er seit 1233 wiederholt eingefallen. Erst ein Vergeltungsfeldzug, den König Andreas II. und dessen Sohne 1235 bis vor die Tore Wiens unternahmen, zwang den Herzog, sich den Frieden zu erkaufen (vgl. K. Lechner: Die Babenberger, S. 279 f.). Auf diese Entschädigungszahlungen spielt Rogerius offensichtlich an (vgl. oben Anmerkung 171).

175 Die drei westlichen Grenzkomitate Wieselburg (Moson), Ödenburg (Sopron) und Lutzmannsburg (Locsmánd). Darüber hinaus suchte Herzog Friedrich auch rechtswidrig in den Komitaten Preßburg (Pozsony, Bratislava) und Raab (Győr) Fuß zu fassen, freilich ohne Erfolg, da die dortige Bevölkerung ihm erbitterten Widerstand leistete (Fejér CD IV/1, S. 390; vgl. auch cap. 33).

176 Vermutlich in Hainburg.

177 Der vom 18. Mai 1241 datierte Brief König Bélas blieb erhalten (Fejér CD IV/1, S. 214). Kurz zuvor hatte Béla ein Bittschreiben an den Kaiser gerichtet, das verlorenging. Weitere Briefe an abendländische Fürsten mit der Bitte um Hilfe sollten folgen, so an König Konrad IV. von Deutschland (ohne Datum) und an den französischen König Ludwig IX (das Schreiben an Konrad IV. wurde ebenfalls in die vorliegende Sammlung aufgenommen. Vgl. S. 286 f.).

178 In Südwestungarn (Komitat Somogy).

179 Dtn 32,24.

180 Qadan, ein Sohn des Großkhans Ögödäi, befehligt die Heeresabteilung, die im nördlichen Siebenbürgen einfiel (vgl. cap. 20).

181 Qadan eroberte am 31. März 1241 Radna (Rodna, Rudena), zerstörte am 2. April Bistritz (Nösen, Beszterce, Bistricia), nahm Klausenburg (Kolozsvár, Cluj) ein und wandte sich

nach Westen, um wenig später Großwardein (Várad, Oradea), Bischofsresidenz und Sitz des Gespans von Bihar, zu erstürmen.

182 Vgl. cap. 27.

183 Daß die Mongolen bei ihren Metzeleien weder auf Geschlecht noch Alter Rücksicht nahmen, berichten auch andere Augenzeugen. Vgl. etwa den Bericht des Provinzialoberen der Franziskaner in Böhmen und Polen, Bruder Jordanus, der von Matthaeus Parisiensis überliefert wurde (CM VI, S. 81, 83; vgl. Bezzola: Die Mongolen, S. 68). Ganz ähnlich auch Thomas von Spalato (cap. 39). Über den mongolischen Feldzug in Zentralasien schreibt Ibn al-Atīr: „Diese aber [die Mongolen] ließen keinen übrig. Sie töteten Frauen, Männer und Kinder, spalteten den Leib der Schwangeren und erschlugen die Ungeborenen" (ed. K. J. Tornberg. Bd. XII. Leiden 1853, S. 233 f.; vgl. auch Juvaini: History I, S. 129; dazu Spuler: Mongolen in Iran, S. 417 f.). Nach anderen Berichten maß man die Kinder am Radstift („Geheime Geschichte", ed. E. Haenisch, § 156, S. 54) oder Peitschenknauf. Übertrafen sie das vorgegebene Maß an Größe, so wurden auch sie hingerichtet (Juvaini: History I, S. 106).

184 Diese Taktik der Mongolen beschreibt auch Carpini (SF I, S. 81).

185 Verhaue wurden vornehmlich im Grenzödland errichtet, aber auch an strategisch wichtigen Punkten im Landesinneren. Sie sollten das Vordringen des Feindes erschweren, wenn nicht überhaupt verhindern, und bestanden für gewöhnlich aus gefällten Bäumen und künstlich angelegten, undurchdringlichen Hecken, bisweilen noch ergänzt durch die Anlagen von Gräben und Erdverschanzungen (K. Tagányi: Alte Grenzschutzvorrichtungen und Grenzödland. In: Ungarische Jahrbücher I [1921], S. 105–121; Göckenjan: Hilfsvölker, S. 7).

186 Das Dorf Thomasbrücke (Tamáshida) lag im Komitat Bihar am rechten Ufer des Flusses Fekete Körös (Schwarze Kreisch).

187 Eine namenlose Insel im Überschwemmungsgebiet des Fehér Körös (Weiße Kreisch).

188 Dorf und Bezirk Agya, nördlich der vorgenannten Insel.

189 Der ungarische Titel *vajda* (im lateinischen Text bei Rogerius findet sich die Variante *waida)* ist abzuleiten aus dem slavischen *voje-voda* „dux, Heerführer, Herzog". Er bezeichnet hier offensichtlich den Anführer des militärischen Aufgebots des Dorfes Gyarmat (A magyar nyelv történeti-etimológiai szótára [Historisch-etymologisches Wörterbuch der ungarischen Sprache]. III. Budapest 1976, S. 1070).

190 Das Dorf Gyarmat, heute Fekete-Gyarmat (Iermata Neagră), lag auf dem linken Ufer des Flusses Fekete Körös.

191 Auf italische Weise *(more Italico),* d. h. „durch die Flucht".

192 Vgl. oben Anmerkung 99. „. . . wenn man von Seiten der Mongolen auf Einwohner stößt, nimmt man sie gefangen oder

216

tötet sie. Dennoch senden die Heerführer auch dann noch nach allen Seiten Kundschafter aus, um Menschen und Tiere aufzuspüren; und diese Leute sind sehr geschickt im Ausspähen [der Verstecke]" (Carpini, in: SF I, S. 80; vgl. Juvaini: History I, S. 131, 132, 163, 168).

193 Die Mongolen handelten also auch in Ungarn getreu der Devise Činggis Khans, der es als seine höchste Freude bezeichnete, „seine Feinde zerschlagen, sie vor sich herjagen, sich ihre Güter aneignen, in Tränen die Wesen sehen, die ihnen teuer sind, ihre Frauen und Töchter in seine Arme drücken" (zitiert nach Grousset: Steppenvölker, S. 346 f.; vgl. Juvaini: History I, S. 127, 135, 162).

194 Die hier genannten *canesei, canesii* (ungarisch: *kenéz* „princeps, Fürst, Vorsteher, praetor". J. Kniezsa: Szláv jövevény-szavai I, S. 262 f.) sind identisch mit den mongolischen Offizieren und Amtsträgern, die als *knjazi* in den altrussischen Quellen des 13. Jahrhunderts Erwähnung finden und der Adelsschicht der *noyan* (türkisch: *bäg;* persisch: *hākim)* angehören (H. F. Schurmann: Mongolian Tributary Practices of the Thirteenth Century. In: Harvard Journal of Asiatic Studies XIX, 1956, S. 343). Mit dem Namen *noyan* „maître, chef, seigneur", dessen Herkunft noch ungeklärt ist (Pelliot − Hambis; Histoire, S. 178; Doerfer: Elemente I, S. 35−36; 526−529) bezeichnete man ursprünglich die Oberhäupter der mongolischen Clan-Verbände (Vladimirtsov: Régime social, S. 93). Seit dem Jahre 1206 aber, als Činggis Khan endgültig eine Einteilung seines Heeres nach dem Dezimalsystem vornahm, führten alle Zehntausendschafts-, Tausendschafts- und Hundertschaftsführer das Rangattribut noyan in ihrer Titulatur (Vladimirtsov: Régime social, S. 132, 134; Pelliot − Hambis: Histoire, S. 178).

195 Demnach teilten die Mongolen das Land unmittelbar nach der Eroberung in Steuerbezirke ein. Deren Organisation erfolgte auf der Grundlage des Dezimalsystem und war ausgerichtet am Vorbild der Gliederung des mongolischen Heeres. Die größten Steuerbezirke (*tümen*) umfaßten je 10.000 männliche Bewohner einschließlich der Säuglinge und Greise, also insgesamt etwa 20.000 Menschen (vgl. Spuler: Goldene Horde, S. 313, 333; Vernadsky: Mongols and Russia, S. 125, 214−227).
Der mongolische *noyan,* unter dessen Herrschaft Rogerius selbst zeitweilig geriet, hat nach Angaben des Chronisten nahezu tausend Dörfer verwaltet. Wenn man in Übereinstimmung mit der ungarischen siedlungsgeschichtlichen Forschung die Einwohnerzahl eines arpadenzeitlichen Dorfes auf etwa 100−200 Seelen veranschlagt (Györffy: Einwohnerzahl, S. 11−15, 21, 25), so herrschte dieser *noyan* über 100.000−200.000 Menschen und übte vermutlich auch die Kontrolle über mehrere andere *tümen*-Bezirke aus.

196 Ungeachtet aller Drangsale, die Rogerius von den Mongolen
zu erdulden hatte, versteht er sich doch zu einer durchaus
anerkennenden Bewertung der „Pax Mongolica" (dazu Vernadsky: Mongols and Russia, S. 4; Grousset: Steppenvölker,
S. 351). Rogerius steht mit diesem Urteil nicht allein. Westliche wie orientalische Autoren ergehen sich in Lobeshymnen
über die mustergültige Friedensordnung, die die Mongolen
aufrichteten, wenn der Gegner sich erst ihrer Herrschaft
unterworfen hatte (vgl. die Belege bei Grousset: Steppenvölker, S. 351, 776). So schrieb der Perser Abū l-Gāzī: „Unter
der Regierung Činggis Khans erfreute sich das ganze Land
zwischen Iran und Turan einer solchen Ruhe, daß man vom
Sonnenaufgang bis zum Sonnenuntergang mit einem Gold-
teller auf dem Kopf hätte gehen können, ohne von irgend-
jemand die geringste Gewalttätigkeit erdulden zu müssen
(Abū l-Gāzī Bahādur Hān: Šağara-ye Turk. Histoire des Mongols et des Tatares par Aboul-Ghâzi Bahadour Khan. Publiée,
traduite et annotée par le Baron Desmaisons. I. St. Péters-
bourg 1871, S. 104).
197 Schon die „Geheime Geschichte" bezeugt mehrmals, daß der
Raub von Frauen und Mädchen zu den wichtigsten Kriegs-
zielen der Mongolen gehörte. So schwören zum Beispiel drei
Gefolgsleute dem zum Großkhan gewählten Temüjin: „Wenn
du, Temudschin, Chan wirst, wollen wir als Spitze gegen die
Feinde anreiten und ihre schönsten und besten Mädchen und
Frauen... wollen wir dir im Trabe anbringen" (ed. E.
Haenisch, § 123, S. 33; Vgl. auch § 179, S. 69, und § 197,
S. 84 f.).
Nach Al-'Umarī enthielt auch die Yasa Činggis Khans die
Verordnung: „Jeweils zu Jahresanfang sind aus dem ganzen
Lande alle schönen Mädchen zusammenzuholen und dem
Khan vorzuführen, der unter ihnen nach Belieben für sich und
seine Söhne auswählt und die übrigen zurückschickt" (Al-
'Umarī: Das Mongolische Weltreich, S. 98; vgl. auch Spuler:
Mongolen in Iran, S. 251 f., 417). Diese Forderung stieß nicht
selten auf den Widerstand der steuerpflichtigen Stämme. So
kam es bei den Oiraten, die Činggis Khan den Mädchentribut
verweigerten, deshalb zum offenen Aufstand (Juvaini: History I, S. 235 f.).
198 Offenbar, um die Weisungen Bātūs entgegenzunehmen. Ein
weiterer Beweis für die straffe Verwaltung des eroberten
Landes.
199 Nach Al-'Umarī mußte in der Goldenen Horde jeder Reiter
außer zwei Sklaven, dreißig Stück Kleinvieh und fünf Pferden
auch einen Wagen für den Waffentransport mit sich führen
(Al-'Umarī: Das Mongolische Weltreich, S. 145). Nun ist
kaum anzunehmen, daß die beweglichen und weiträumig
operierenden Reiterheere Bātūs einen derart umfangreichen
Troß beim Einfall in Polen und Ungarn mitführten. Man

verwendete aber die Troßwagen beim Rückzug zum Abtransport der Beute (vgl. cap. 36). Eine ausführliche Beschreibung der mongolischen Wagen findet sich bei Rubruk (SF I, S. 173. Vgl. auch Spuler: Goldene Horde, S. 409 f., und Poucha: Geheime Geschichte, S. 171 f.).

200 Vgl. oben Anmerkung 168.

201 Ein weiterer Hinweis auf den von den Mongolen gezielt ausgeübten Terror.

202 Man hat errechnet, daß etwa 60 Prozent der ungarischen Siedlungen in der Großen Tiefebene (Alföld) von den Mongolen verwüstet wurden. Weniger empfindlich betroffen war der westliche Landesteil, Transdanubien und die Kleine Tiefebene (Kisalföld). Hier beliefen sich die Bevölkerungsverluste auf durchschnittlich 20 Prozent (Györffy: Einwohnerzahl, S. 23). Rogerius selbst gibt eine einleuchtende Erklärung für diese Diskrepanz. Er betont, daß die Mongolen Westungarn „nur" auf dem Durchzug verheerten, während sie im Osten, in der Großen Tiefebene längere Zeit lagerten. Daher bot sich hier länger die Gelegenheit zur planmäßigen Dezimierung der Bevölkerung (vgl. cap. 40 und ebenso bei Thomas von Spalato cap. 38). Insgesamt fielen dem Mongolensturm und den durch die Verheerungen bedingten Hungersnöten, dem Geburtenrückgang und der Kindersterblichkeit etwa 50 Prozent der ungarischen Bevölkerung zum Opfer (Györffy: Einwohnerzahl, S. 23). Kaum heimgesucht wurden hingegen die gebirgigen Randregionen des Landes. Die slavische Bevölkerung Oberungarns (der heutigen Slowakei) und die Székler und Rumänen des siebenbürgischen Berglandes blieben weitgehend verschont (ebda. S. 24).

203 Wohl identisch mit der heutigen Gemeinde Kaszapercg (Györffy: Geographia historica I, S. 867).

204 Also schätzungsweise 7000 bis 14.000 Menschen.

205 Das Zisterzienserkloster Egres, eine Tochtergründung von Pontigny, war von König Béla III. (1173–1196) gestiftet und von ihm wie von seinen Nachfolgern mit reichen Schenkungen bedacht worden. In der Klosterkirche hatten Andreas II. und dessen Gattin Jolanthe de Courtenay ihre letzte Ruhestätte gefunden. Der Verlust der Abtei mußte daher Béla IV. besonders schmerzlich treffen (Györffy: Geographia historica I, S. 855 f.; Juhász: Stifte, S. 73; E. Bósz: Az egresi ciszterci apátság története [Geschichte der Zisterzienserabtei Egres]. Budapest 1911, S. 56).

206 Vgl. dazu oben die Anmerkungen 44 und 47.

207 Am Feldzug der Mongolen waren demnach auch Hilfskontingente aus der Kiever Rus beteiligt. Nach Mitteilung der Hypatius-Chronik hatte ein russischer Fürst den Mongolen sogar geraten, Ungarn anzugreifen (PSRL II, S. 786; vgl. auch Strakosch-Grassmann: Einfall, S. 17).

208 Muslimische Bevölkerungselemente (iranische Chorezmier und Alanen, turksprachige Volgabulgaren, Kumanen u. a.) hatten seit der Landnahme der Magyaren in Ungarn Gastrecht genossen und zum Teil als königliche Zöllner, Münzer und Grenzwachen, aber auch als Kaufleute und bäuerliche Siedler beim Landesausbau eine große Rolle gespielt (Göckenjan: Hilfsvölker, S. 44–89).

209 Offenbar hatte nur ein Teil der aufständischen Kumanen Ungarn verlassen.

210 Mt 27,8.

211 Die Mongolenherrscher ließen in der Regel Geistlichen gleich welcher Konfession eine bevorzugte Behandlung angedeihen und befreiten sie nicht selten von allen Steuern und Abgaben. Hinter der religiösen „Toleranz" der Khane ist die Wunschvorstellung zu suchen, daß die Priester aller im Mongolenreich vorhandenen Bekenntnisse den Segen ihrer Gottheiten auf die herrschende Dynastie herabflehen sollten (vgl. Al-'Umarī: Das Mongolische Weltreich, S. 198, und B. Spuler: Die Religionspolitik der Mongolen. In: Festschrift für Bernhard Stasiewski. Beiträge zur ostdeutschen und osteuropäischen Kirchengeschichte. Köln, Wien 1975, S. 1–12). Freilich gab es auch Ausnahmen. So berichtet Alberich von Trois Fontaines, ein Mongolenkhan habe syrische und griechische Mönche verbrennen lassen und sein Vorgehen mit den Worten begründet: „Ich erweise ihnen eine große Gnade, denn ich sende sie mit ihrem Körper zu ihrem Gott" (MGH SS XXIII, S. 943).

212 2 Kön 22,19.

213 Jer 19,3.

214 In der zweiten Januarhälfte des Jahres 1242.

215 König Béla war nach seiner Freilassung aus österreichischer Gefangenschaft über Segesd nach Zagreb geflohen. Von dort datiert ein Schreiben, das der König 1241 an den Papst richtet (Fejér CD, IV/1, S. 214). Als Antwort auf diesen Hilferuf gebot Gregor IX. mit Schreiben vom 16. Juni 1241 den „zagrabiensis diocesis prioribus", den bedrängten König zu unterstützen (Monumenta historica Liberae regiae civitatis Zagrabiae, metropolis regni Dalmatiae, Croatiae et Slavoniae. Ed. J. B. Tkalčić. I, Zagreb 1889, Doc. 16, S. 13 f.). Béla blieb den Sommer und Herbst über in Zagreb (zur Rolle, die die Stadt während des Tatareneinfalls spielte, vgl. K.-D. Grothusen: Entstehung und Geschichte Zagrebs bis zum Ausgang des 14. Jahrhunderts [Gießener Abhandlungen zur Geschichte des europäischen Ostens Bd. 37]. Wiesbaden 1967, S. 115–118). Am 19. Januar 1242 wird sein Aufenthalt im Kloster Császma (Čazma) östlich von Zagreb gemeldet (J. L. A. Huillard-Bréholles: Hist. dipl. Friderici II. Tom. VI., 2, Paris 1860, S. 902). Unterdessen hatte er seine Gemahlin und seinen Sohn Stephan

nach Dalmatien in Sicherheit bringen lassen, wo die Königin in der Burg Klis (Clissa) unweit von Spalato (Split) eine sichere Zuflucht fand (vgl. unten Thomas von Spalato, cap. 37). Als Béla die Nachricht erhielt, daß die Tataren Ende Januar die Donau überschritten hätten, wandte er sich zur Küste und flüchtete vor den nachsetzenden Verfolgern in die Inselstadt Traü (Trogir), wo er bis Mitte Mai blieb (vgl. Thomas von Spalato, cap. 38).

216 Serbien.

217 Die Technik, eine Stadt zu belagern und im Sturm zu nehmen, beherrschten die Mongolen lange Zeit höchst unvollkommen. So vermochten sie viele Festungen in China und Zentralasien oft nur durch List oder unter rücksichtsloser Aufopferung zahlloser Gefangener, die sie vor sich her gegen die Stadtmauern trieben (vgl. oben Anm. 47) zu erobern. Selbst kleinere Städte, wie Toržok und Kozel'sk in der Kiever Rus konnten so den mongolischen Angreifern ernsthaften Widerstand entgegensetzen (PSRL I, S. 464; II, S. 780 f.; III, S. 52; IV, 1, S. 221 f.; V, S. 217 f.; XXI, 1, S. 267; XXIII, S. 76).
Wenn überhaupt, wie beim ungarischen Feldzug, schweres Belagerungsgerät (Katapulte, Sturmböcke u. a.) mitgeführt wurde (Juvaini: History I, S. 89), so setzten sich dessen Bedienungsmannschaften in der Regel aus chinesischen bzw. muslimischen „Ingenieuren" und Handwerkern zusammen (Martin: Mongol Army, S. 67 f.; Spuler: Mongolen in Iran, S. 411 f.).

218 Die Mongolen hatten Steinschleudermaschinen schon auf dem Schlachtfeld von Mohi zum Einsatz gebracht (vgl. unten Thomas von Spalato, cap. 36. Zu den Ballisten siehe Martin: Mongol Army, S. 67 f.).

219 Die Stadt Gran (Esztergom) hatte es ihrer Bedeutung als Königsresidenz und als wichtiger Umschlagplatz für den Donauhandel zu verdanken, wenn sie eine ethnisch bunt zusammengewürfelte Bevölkerung in ihren Mauern barg. Neben ortsansässigen ungarischen und slavischen Siedlern ließen sich früh Zuwanderer aus dem Orient (Juden, Moslems, Armenier) wie aus dem Westen (Deutsche, Franzosen, Lombarden) nieder (K. Schünemann: Die Entstehung des Städtewesens in Südosteuropa/Südosteuropäische Bibliothek 1. Bd. / Breslau, Oppeln o. J. [1937], S. 56, 63–65, 92–120). Die Franzosen und Lombarden bewohnten seit der zweiten Hälfte des 12. Jahrhunderts ein eigenes Quartier, das sog. Lateinerviertel (*vicus Latinorum*). Dieses reich privilegierte Lateinerviertel bildete die eigentliche Rechtsstadt, deren Magistrat die Aufsicht auch über die anderen Stadtteile ausübte (ebda. S. 67–70). Die Lateiner konnten die Zerstörungen des Tatareneinfalls in Gran überdauern und auch später ihre rechtliche Sonderstellung wahren. Deutlich unterscheidet noch eine Urkunde Bélas IV. aus dem Jahre 1255 Latini et cives (Knauz:

Mon. Eccl. Strigon. I, S. 431). Auch während der siegreichen Abwehr der Mongolen vor Stuhlweißenburg finden wir die dortigen „Lateiner" in der vordersten Front der Verteidiger (vgl. unten Thomas von Spalato, cap. 38). Unter den Einwohnern von Gran scheinen freilich, wie László Mezey am Beispiel der dortigen Beghinengemeinschaft nachzuweisen suchte, um die Mitte des 13. Jahrhunderts die Ungarn das zahlenmäßige Übergewicht erlangt zu haben (L. Mezey: Irodalmi anyanyelvüségünk kezdetei az Árpádkor végén [Die Anfänge unserer Literatursprache am Ende der Arpadenzeit]. Budapest 1955, S. 33 f., 108 f.).

220 Die Steinhäuser sind vor allem im Lateinerviertel und in der Umgebung des Marktes zu suchen, wohin sich die Verteidiger nach Einäscherung der überwiegend aus Holzhäusern bestehenden Suburbien zurückzogen (K. Schünemann: Entstehung des Städtewesens, S. 69, 93).

221 Nach Thomas von Spalato aber hatten die Bürger ihre gesamte Habe noch während der Belagerung auf die Burg verbracht (vgl. unten cap. 38).

222 Die Angaben des Rogerius über Bevölkerungsverluste müssen als übertrieben angesehen werden. Ist doch davon auszugehen, daß zahlreiche Einwohner der Stadt sich auf der Burg in Sicherheit brachten. Nach neueren Schätzungen soll etwa ein Viertel der Bevölkerung das Massaker überlebt haben (K. Schünemann, Entstehung des Städtewesens, S. 95).

223 Sim(e)on, Gespan des Komitats Gran (Esztergom), stammte, wie der Beiname Hispanus bezeugt, von der Iberischen Halbinsel. Seine Vorfahren gelangten vermutlich im Gefolge der aragonesischen Prinzessin Konstanze, die sich mit König Emmerich vermählt hatte, nach Ungarn. 1232 und 1234 bereits als Gespan von Raab (Györ) erwähnt (Szentpétery: Regesta I, Nr. 485, 528), gehörte Simeon zur engsten Umgebung des Königs, von dem er wiederholt mit wichtigen diplomatischen Missionen betraut worden war (Szentpétery: Regesta I, Nr. 731, 732). Béla hat den Grafen Simeon in Anerkennung dieser Verdienste 1243 mit reichen Landschenkungen bedacht (Fejér CD IV/1, S. 274).

224 Die unter Großfürst Géza gegründete Benediktinerabtei Martinsberg (Pannonhalma). Man nahm im Mittelalter fälschlich an, das Kloster sei an der Geburtsstätte des heiligen Martin von Tours errichtet worden. Nach dem Zeugnis der von Sulpicius Severus verfaßten Vita des Heiligen war der Geburtsort Martins aber die Stadt Sabaria, heute Steinamanger (Szombathely). Das Martinspatrozinium wurde zusammen mit Reliquien vom Erzbistum Mainz, das eine wichtige Rolle bei der Missionierung der Ungarn spielte, nach Martinsberg übertragen (vgl. zuletzt Györffy: István király és műve, Budapest 1977, S. 74, 119, 180 f.).

225 Der Abt Urias oder Uros (1206–1244).

226 Die Prinzen des kaiserlichen Hauses, unter ihnen auch Bātū, eilten nach dem am 11. Dezember 1241 erfolgten Tod des Großkhans Ögödäi zur Reichsversammlung nach Karakorum (siehe auch Spuler: Les Mongols dans l'histoire. Paris 1981[2], S. 29–30; Ligeti: Titkos történet, S. 188).

227 Vgl. oben Anmerkung 202.

228 Die Weidegebiete der Kumanen erstreckten sich vom Unterlauf der Donau bis zum Kaspischen Meer. Hier ist unter Kumanien aber eher das Gebiet der Walachei und der Moldau zu verstehen (Pauler: A magyar nemzet története II, S. 194 f.; P. Diaconu: Les Coumans au Bas-Danube aux XIe et XIIe siècles. Bucuresti 1978, S. 91 ff.).

229 Sach 10,12.

230 Der Ort Frata (Magyar Fráta) im ehemaligen Komitat Kolozs (Cluj) trägt heute den Namen Frata Romania.

231 László Juhász wies darauf hin, daß die Nennung der Kreuzritter von der Insel Rhodos eine spätere Interpolation ist, da der Johanniter-Ritterorden sich erst 1308 auf der Insel Rhodos niederließ (SRH II, S. 588, Anm. 2). Auch der Name Frangepani scheint erst im 15. Jahrhundert vom ersten Herausgeber des „Carmen Miserabile", Johannes Thuróczy, eingefügt worden zu sein (vgl. Gy. Györffy J. Szücs: A tatárjárás emlékezete [Gedächtnisschrift zum Tartareneinfall]. Budapest 1981, S. 152, Anm. 50).

232 Béla IV. hat selbst wiederholt anerkennend hervorgehoben, wie sehr die Herren von Veglia ihm Hilfe zukommen ließen. So erinnerte er sich noch 1255: „... wir suchten während unserer eiligen Flucht die Meeresküste auf und begaben uns in die verborgenen Buchten; da liehen uns Friedrich und Bartholomäus, die Edlen von Veglia, eine nicht geringe Summe von über 20.000 Mark, bestehend aus goldenen und silbernen Gefäßen ..." (Fejér CD IV/2, S. 309. Vgl. auch Wenzel ÁUO. XI, S. 370).

Thomas von Spalato:
Geschichte der Bischöfe
von Salona und Spalato
vom hl. Domnius
bis auf Rogerius († 1266)
(cap. 36–39)

VORBEMERKUNGEN

Als Khan Bātū und seine mongolischen Reiter im Frühling des Jahres 1242 unter den Mauern von Spalato (Split) erschienen, war die Adria zur Westgrenze des Mongolischen Weltreiches geworden, das sich nach Osten über die riesige Landmasse Eurasiens bis an die Küste der Japanischen See erstreckte. Der Erzdiakon Thomas (1200–1268) war Augenzeuge und bedeutendster Chronist dieses historischen Ereignisses. Die hier übersetzten vier Kapitel seiner Historia pontificum salonitarum atque spalatensium berichten über den Einfall der Mongolen in Ungarn, die Eroberung des Landes, die Flucht Bélas IV. vor den Angreifern nach Dalmatien, den unerwarteten Rückzug der Mongolen und die dann folgende Hungersnot. Die Historia als Ganzes ist eine reiche Quelle für die Geschichte der Árpádenzeit in Dalmatien bis zur Mitte des 13. Jahrhunderts.

Thomas wurde um das Jahr 1200 geboren, aber es gibt keinen Hinweis auf den Geburtsort und die Eltern. Die meisten Gelehrten seit dem 18. Jahrhundert glaubten den Bekundungen des Bürgerstolzes in der Historia entnehmen zu dürfen, daß der Verfasser einer Patrizierfamilie Spalatos entstammte (vgl. Ch. Šegvić, Tommaso Arcidiacono di Spalato: il suo tempo e la sua opera, Spalato 1914, S. 23). Verbürgter ist die Nachricht, daß er an der Universität Bologna 1222 studierte und nach eigenem Zeugnis dort eine Predigt des hl. Franciscus von Assisi über „Engel, Menschen und Dämonen" hörte. Das Studium in Bologna befähigte ihn für die Ausübung des Notariats in der Stadt Spalato und für seine Karriere als Kanoniker des Domkapitels (als solcher zum ersten Mal in einem Dokument vom 14. April 1227 bezeugt;

vgl. Smičiklas, CD, S. 265, no. 239). 1230, in seinem dreißigsten Lebensjahr, wurde Thomas zum Archidiakon von Spalato gewählt, in ein Amt, das er bis zu seinem Tode im Jahre 1268 innehatte. Während dieser Zeit war er nicht nur in den Angelegenheiten der örtlichen Kirche, sondern auch im öffentlichen Leben der Stadt tätig, in privaten wie öffentlichen Geschäften. Thomas reiste damals an den päpstlichen Hof nach Perugia (1234), nach Ancona (1239) und zweimal an den Hof König Bélas IV. (1244/45 und 1261). Fraglos erreichte er den Gipfelpunkt seiner Karriere 1243, als das Domkapitel von Spalato ihn auf den erzbischöflichen Thron wählte. Die Wahl, die nahezu einstimmig erfolgte, fand unter erschwerten politischen Bedingungen statt: Der Ban Matthäus Ninoslav von Bosnien und die Kommune von Spalato waren in einen Streit um die Vorherrschaft an der mitteldalmatinischen Küste mit Dionysius de genere Türje, Ban von Slavonien, und den Bürgern von Traù (Trogir) verwickelt, die von König Béla IV. unterstützt wurden. Die Einwohner von Spalato mußten in dieser Auseinandersetzung den kürzeren ziehen, und die weltlichen Führer der Stadt hofften, die königliche Gunst wiederzuerlangen, wenn sie einen ungarischen Adligen, Hugrinus de genere Csák, auf den erzbischöflichen Thron erhoben. Der Archidiakon Thomas wurde daher zur Abdankung zugunsten des königlichen Kandidaten genötigt. Ein Verlust, der ihn bitter traf.

Über die Entstehungszeit der Historia liegen keine Angaben vor, aber auf Grund der Anordnung des Berichts ist anzunehmen, daß das Werk zwischen 1245 und 1251 begonnen wurde. In den folgenden Jahren kamen von Zeit zu Zeit Nachrichten hinzu, die sich auf zeitgenössische Ereignisse bezogen. Doch die Hypothese von S. Gunjača („Preostatak koncepta, prethodnika djelu Tome Arcidiakona „Incipit historia salonitarum pontificum atque spalatensium" (Die Fragmente des Geschichtskonzepts der Vorlage von Archidiakon Thomas Werk ‚Incipit historia salonitarum pontificum atque spalatensium'), Ispravci i dopune starijoj hrvatskoj historiji, Vol. 1, Zagreb, 1973, S. 23–178), daß die Historia salonitana maior, von der das erste Manuskript aus dem Jahre 1513 stammt, in Wirklichkeit der erste Entwurf von Thomas' Erzählung sei, überzeugt nicht und steht im Widerspruch zu der meisterhaften Textstudie von N. Klaić über das letztere Werk (Historia salonitana maior, Acadamie Serbe des sciences et des arts, Monographics, T. 399, cl. sciences sociales no. 55, Belgrade, 1967).

In ihrem Aufbau gehört die Historia zur Gattung der gesta episcoporum und dient so der Darstellung der Taten der Erzbischöfe des antiken Salona und des mittelalterlichen Spalato. Aber das Werk ist auch eine Stadtgeschichte, die von zeitgenössischen italienischen Vorbildern beeinflußt wird. Der Verfasser hatte die ars dictaminis in Bologna studiert, zu einer Zeit, als Buoncompagno da Siena und dessen Schüler Rolandino von Padua ihre rhetorische Gewandtheit auf einen neuen Typus von Stadtgeschichte übertrugen, die die Tugenden der städtischen Freiheit rühmend hervorhob (vgl. A. Selem, Tommaso arcidiacono e la storia medioevale di Spalato, Zara, 1933, S. 22–33; und ein kürzlich erschienenes Werk, Q. Skinner, The Foundations of Modern Political Thought, Cambridge 1978 Vol. 1, S. 28–35). Selbst in den Auszügen, die hier abgedruckt sind, wird der Leser gleichermaßen die Bewunderung des Thomas für den podestà Garganus de Arscindis wie seinen städtischen Patriotismus, einen der herausragenden Wesenszüge seiner historischen Anschauung, feststellen.

Außer von seiner Ergebenheit für Spalato und seiner Vorliebe für die italienische Form des republikanischen Stadtregiments, des sogenannten regimen latinorum, war das historische Weltbild des Thomas geprägt von einer sehr kritischen Haltung gegenüber

Slaven und Ungarn. Er betrachtete die Slaven als Bauern, deren kulturelle Rückständigkeit und eigentümliche Bräuche er offen tadelte und verspottete. So scheint er z. B. im hier eingeschlossenen Kapitel 39 als verständlichen Fehler der Einwohner von Spalato hingenommen zu haben, daß sie das erste Erscheinen der mongolischen Vorhut mit der Ankunft der Kroaten vor den Mauern der Stadt verwechselten. Obwohl die Ungarn sich seit 1105 in Dalmatien aufhielten, betrachtet Thomas sie als Fremde, deren Interessen und Gewohnheiten er von denen der Dalmatiner unterscheidet. Für ihn war Ungarn eine terra fecunda, ein reiches Land, dessen geordnete Verhältnisse und Reichtum an natürlichen Gütern zur trägen und geckenhaften Genußsucht seiner Jugend beitrugen. Bei mehr als einer Gelegenheit beschuldigt Thomas ungarische Soldaten der Feigheit. Aber er vermag auch zu unterscheiden. Er bewundert die Aufrichtigkeit, den persönlichen Mut des Erzbischofs Hugrinus von Kalocsa. Er preist die Frömmigkeit König Kolomans von Galič (ukr. Halyč), während er seine staatsmännischen Fähigkeiten der Kritik unterzieht. Gegenüber Béla IV. verhält er sich vorsichtig. Immerhin war der ungarische König ja der Herrscher des Verfassers und lebte noch, als die Chronik geschrieben wurde. Am Hofe dieses Königs verteidigte Thomas vergebens die alten Privilegien von Spalato. Doch machte er König Béla, dessen politische Gunstbezeugungen für das rivalisierende Traù ihn beunruhigten, mittelbar verantwortlich für die verspäteten und ungeeigneten Maßnahmen, die man auf die ersten Gerüchte vom Vorrücken der Mongolen traf; Thomas tadelt ihn auch wegen der beengten Verhältnisse im Feldlager bei Mohi, die zur katastrophalen Niederlage in dieser Schlacht beitrugen.

Thomas' härteste Kritik bleibt aber den Mongolen vorbehalten. Seine Sprache bleibt unablässig heftig. Die Mongolen waren eine Pest, grausam und gnadenlos. Es fehlte ihnen an Mitleid und Menschlichkeit.

Sie waren für ihn einfach ein „gottloses Volk, das jeden tötete; sie schienen keine Menschen, sondern Teufel zu sein". Ungeachtet dieser Verurteilung der Mongolen zeigt sich Thomas wißbegierig, was deren Herkunft und Bräuche angeht. Durch Befragen von verschiedenen Leuten, die mit der äußeren Erscheinung und dem Charakter der Mongolen vertrauter waren, erfuhr er manche Einzelheiten über deren frühere Geschichte in Zentralasien. Obwohl diese Nachrichten nur spärlich und verstümmelt flossen, können wir darin ein Echo auf die Eroberungen Činggis Khans sehen. Thomas interessiert sich besonders für die militärische Praxis der Mongolen, ihre Waffen, Rüstungen und Pferde. Seine Informationen über kriegerische Ereignisse, wie die Schlacht von Mohi und die Einnahme von Pest, muß er von einigen der zahlreichen ungarischen Flüchtlinge bezogen haben, die 1242 in Spalato Aufnahme fanden. Es ist bemerkenswert, daß man dort, wo wir die Richtigkeit dieser Beschreibung der mongolischen Bräuche mit anderen Darstellungen wie denen von Johann von Plano Carpini, Rašīd ad-Dīn und dem Yüan Shih vergleichen können, etwa im Hinblick auf die Zähigkeit ihrer Pferde, auf die Verwendung von Booten, mit denen sie große Ströme überquerten, auf ihre Begräbnissitten, einen verblüffend hohen Grad an Übereinstimmung zwischen den Berichten des Thomas und diesen anderen besser unterrichteten Quellen der mongolischen Geschichte (siehe unten, Anmerkungen 25, 27, 29 und 30) feststellen kann.

Obwohl Rogerius von Torre Maggiore, der Verfasser des Carmen miserabile super destructione regni Hungariae per Tartaros, für siebzehn Jahre (1249–1266) Thomas' unmittelbarer Vorgesetzter als Erzbischof von Spalato war und beide Männer vermutlich die Möglichkeit hatten, ihre persönlichen Erfahrungen während des Mongoleneinfalles auszutauschen, hat die Historia des Thomas ihren eigenständigen Wert und ist von Rogerius kaum abhängig. Das wird besonders offensichtlich an der Art und Weise, wie Thomas Ereignisse wie den Fall von Waitzen (Vác), den Streit mit den Kumanen, den Einfall in Siebenbürgen und die Eroberung von Großwardein (Várad) mit Schweigen übergeht, für die das Carmen miserabile unsere Hauptquelle ist. Rogerius, der seine Chronik 1244 niederschrieb, bevor er Residenz in Spalato nahm, beschreibt andererseits nur knapp den Einfall der Mongolen in Slavonien und Dalmatien und deren Rückzug durch Bosnien, die Raška und Bulgarien (vgl. oben S. 180, Rogerius von Torre Maggiore: „Klagelied", cap. 38). So scheinen in dieser Hinsicht die Darstellungen des Thomas von Spalato und des Rogerius von Torre Maggiore einander zu ergänzen.

Ein frappierender Gegensatz ist in Tonart und Stil zwischen diesen beiden Autoren offenkundig. Im vergangenen Jahrhundert beschrieb H. Marczali (Ungarns Geschichtsquellen im Zeitalter der Arpaden, Berlin 1882, S. 114) die „Unparteilichkeit" des Rogerius und vertrat die Ansicht, „die ungarischen Verhältnisse beobachtet er gleichgültig, ja sogar kalt, könnte man sagen". Dasselbe vermag man jedoch von Thomas von Spalato nicht zu behaupten, dessen wacher Sinn für Moral und warme Menschlichkeit ihn gleichermaßen bewogen, die Grausamkeiten der Mongolen zu verurteilen und die Qualen und Leiden des ungarischen Volkes zu beklagen. Im Gegensatz zu Rogerius ist die persönliche Anteilnahme des Thomas von Spalato durch sein ganzes Werk deutlich zu spüren („L'autore è sempre presente nella sua opera." Selem, Tommaso arcidiacona, S. 108–109).

Der vollständige Text der Historia des Thomas von Spalato wurde dreimal veröffentlicht. 1666 publizierte der dalmatinische Gelehrte Lucius (Lučić, 1604–1679), ein Freund van Papenbroecks, der von der kritischen Schule der Bollandisten beeinflußt war, die Historia in Amsterdam als Anhang zu seinen De regno Dalmatiae et Croatiae libri sex. Die von Lucius

edierte Fassung wurde neu herausgegeben von J. G.
Schwandtner: Scriptores rerum Hungaricarum, Dal-
maticarum, Croaticarum et Slavonicarum. Viennae
1748. Doch fußte der Text des Lucius weitgehend auf
einer Abschrift, die gegen Ende des 16. Jahrhunderts
von einem Manuskript angefertigt wurde. Der einzige Versuch, eine kritische Edition, unter Heran-
ziehung aller bekannten Handschriften herauszu-
bringen, wurde gegen Ende des 19. Jahrhunderts von
F. Rački (1828–1894) unternommen, dessen Ausgabe
mit kritischem Apparat, aber ohne Texteinführung
posthum in Zagreb 1894 als Band 26 der Monumenta
spectantia historiam slavorum meridionalium (Scriptores 3) erschien. Auszüge aus dem lateinischen Text
finden sich in D. Farlati, Illyricum sacrum (Vol. 3,
S. 283 ff.), in den Acta Sanctorum (April 11: De SS.
martyribus Dalmatis, Vol. 11, 1866; und August 4: St.
Raynerius, Vol. 35, 1867), in den Monumenta Germaniae historica (Scriptores 29, 1892) und in F. A.
Gombos: Catalogus III, S. 2223–2254.
Der Auszug in den MGH., der von L. von Heinemann
bearbeitet wurde, schließt die vier Kapitel über den
Mongolenetnfall ein, die hier übersetzt sind, fußt aber
auf einer einzigen Handschrift, die der Herausgeber
irrtümlich für den codex unicus hielt. Übersetzungen
von Thomas' Werk wurden in italienischer, serbo-
kroatischer und ungarischer Sprache veröffentlicht.
Eine fragmentarische Übertragung einiger der frühen
Kapitel publizieren Barbiani und G. Cadorin in
Tommaso arcidiacono della chiesa di Spalato: Notizie
di Salona, antica città della Dalmazia, Venezia 1843.
Eine italienische Übersetzung des gesamten Werks
wurde von P. Fontana vorbereitet und erschien in
Fortsetzungen im Archivio storico per la Dalmazia in
Rom 1939–1940. Die erste serbokroatische Überset-
zung geht auf V. Rismondo zurück (Toma Arhi-
diakon: Kronika. Izdanja Muzeja Grada Splita, Sv. 8,
Split 1960). Diese Übersetzung wurde vom Čakavski
Sabor (Split 1977) zusammen mit einem Faksimile des

Codex von Split neu gedruckt. Ins Ungarische wurden lediglich einzelne Kapitel der „Historia Salonitana" übertragen. Die erste Übersetzung der Geschichte des Tatareneinfalls (cap. 37–40) erschien bereits 1861 in K. Szabó: Magyarország történetének forrásai (Quellen der Geschichte Ungarns), Pest 1861. I, 2. S. 57–84. Eine Teilübersetzung, ohne indes die Tatarenkapitel einzubeziehen, bietet auch die von F. Eckhart und I. Madzsar herausgegebene Sammlung Történeti olvasókönyv (Historisches Lesebuch). Budapest 1912. I, S. 98–100; 1910, VI, S. 24–27. Die jüngste Übertragung der Nachrichten des Thomas über den Tatareneinfall findet sich in: Gy. Györffy–J. Szűcs (Hrsg.): A tatárjárás emlékezete (Gedächtnisschrift zum Tatareneinfall) Budapest 1981, S. 172–193. Nur vier Handschriften der Historia sind heute bekannt. Die älteste wird im Archiv des Domkapitels von Split aufbewahrt. (Arch. cap. cath. Spalatensis, Nr. 623, Scr. B.).
Es handelt sich um einen Pergament-Codex, geschrieben in beneventanischen Minuskeln (vgl. D. Diana, N. Gogola, S. Matijević, Riznica splitske katedrale, Split 1972, S. 152–153). Die vielleicht schönste unter den Handschriften befindet sich zur Zeit in der Széchényi-Nationalbibliothek in Budapest (Cod. Lat. Nr. 440). Dieses Manuskript ist das einzige, das mit bebilderten Initialen geschmückt ist (zur Beschreibung siehe E. Bartoniek, Codices manuscripti latini, Vol. 1, Budapest 1940, S. 395–97). Die Handschrift, die von den Gelehrten als erste entdeckt wurde, liegt in der Vatikanbibliothek (MS. Vat. Lat. Nr. 7019). Von ihr fertigte Peter Cindrić (Petrus de Cindris) 1599 eine Abschrift an, die wiederum als Vorlage für die Ausgabe von Lucius im 17. Jahrhundert diente. Die vierte und letzte mittelalterliche Handschrift ist ein Papier-Codex, der in der Universitätsbibliothek zu Zagreb (MS Nr. R 3311) aufbewahrt wird und von zweierlei Hand im 15. Jahrhundert geschrieben wurde. Sie enthält zahlreiche verderbte Textstellen,

Buchstabenvarianten und häufige Umstellungen in der Wortfolge. Obwohl Rački in seiner Edition einige dieser Eigentümlichkeiten berücksichtigte, beachtete er nicht alle genau. So wurde der Zagreber Codex nie vollständig mit den anderen drei Handschriften kollationiert. Trotz früherer Bemühungen von J. Kršnjavi (Zur Historia Salonitana des Thomas Archidiaconus von Spalato. Zagreb 1900, S. 3–9), Šegvić (Tommaso arcidiacono, S. 1–4), Barada (Dalmatia Superior, Rad Jugoslovenske Akademije Znanosti i Umjetnosti, vol. 270 (1949), S. 102–3), und den neueren Studien von S. Gunjača, besonders „Autograf Tome Arcidiakona" (Ispravci i dopune starijoj hrvatskoj historije, Vol. 1, S. 13–21), blieb die Verwandtschaft dieser Handschriften zum Original des Thomas und zueinander ungeklärt und erfordert weitere paläographische und codicologische Analysen.

Die vorliegende Übertragung basiert auf der Ausgabe von Rački (S. 132–178), die ich mit den Handschriften bei der Vorbereitung einer kommentierten englischen Übersetzung der vollständigen Historia verglich. Obwohl hier Textvarianten vorkommen, die Rački für diese vier Kapitel nicht berücksichtigte, sind sie von Bedeutung nur für die Feststellung der Filiation der Handschriften und berühren nicht den Textinhalt. Wo eine Handschriftenvariante von eigenständiger Bedeutung ist, wurde dies, wie in Fußnote 24, vermerkt.

XXXVI. *Über die Pest der Tartaren.*

Im fünften Jahr der Regierung Bélas, eines Sohnes des Königs Andreas von Ungarn[1] und im zweiten Jahr der Herrschaft des Garganus[2] eilte das verderben-bringende Volk der Tartaren nach Ungarn. Denn seit mehreren Jahren hatten sich die Nachricht von und die Furcht vor den Tartaren in der ganzen Welt ausgebreitet. Sie waren aus dem Osten gekommen und verwüsteten alle Länder, die sie durchzogen hatten, bis hin zu den Grenzgebieten der Russen.[3] Da aber die Russen tapfer Widerstand leisteten, konnten sie [die Tartaren] nicht weiter vordringen; denn häufig stießen sie mit den Heeren der Russen zusam-men, viel Blut wurde auch auf beiden Seiten vergos-sen, bis die Russen sie endlich in die Flucht schlugen.[4] Deshalb wandten sie sich von ihnen ab, machten bei ihren Eroberungszügen einen Bogen um die nördli-chen Regionen und blieben ihnen mehr als zwanzig Jahre fern. Später aber verstärkten sie ihre Heer-scharen um ein Vielfaches, besonders aus den Heeren der Kumanen und aus vielen anderen Völkern, die sie besiegt hatten, und kehrten dann zu den Russen zurück. Zuerst belagerten sie eine sehr große Stadt, Suzdal'. Nach einer Weile eroberten sie die Stadt mehr durch List als Gewalt und zerstörten sie. Den König von Suzdal', Georg, und einen großen Teil seines Volkes töteten sie.[5] Dann zogen sie gegen Ungarn und verwüsteten alle Länder, die sie durch-querten. In dieser Zeit trat am Sonntag, den sechsten Oktober 1241, wieder eine Sonnenfinsternis ein, und der ganze Himmel verdunkelte sich; sie versetzte alle Menschen in Schrecken wie bei der Sonnenfinsternis, die drei Jahre vorher stattgefunden hatte und von uns bereits erwähnt wurde.[6]

Als die todbringende Nachricht vom Angriff des Tartarenvolkes die Ungarn erreichte, erschien sie ihnen wie ein Kampfspiel oder ein bedeutungsloser Traum; einmal, weil sie schon häufig grundlose Gerüchte vernommen hatten, und zum anderen, weil sie auf die große Ritterschaft ihres Königreiches vertrauten. Doch waren sie durch die lange Friedenszeit zügellos und des harten Waffendienstes entwöhnt, durch zu große Hingabe an fleischliche Lüste in stumpfsinnige Feigheit verfallen. Bot doch das mit allen Gütern gesegnete ungarische Land seinen Söhnen aus der Fülle seiner Gaben genug Anlaß zu unermeßlichen Vergnügungen. Hatte die Jugend einen anderen Eifer als den, das Haupthaar zu schmiegeln, sich herauszuputzen und männliche Haltung mit weibischer Lebensweise zu vertauschen? Der Tag wurde nur mit üppigen Gastmählern oder sinnlichen Vergnügungen hingebracht. Der nächtliche Schlaf wurde kaum durch die dritte Tagesstunde begrenzt. Ihr ganzes Leben verbrachten sie in sonnig beschienenen Wäldern und auf lieblichen Auen mit Frauen. So konnten sie, die täglich nichts Ernsthaftes betrieben, sondern nur der Kurzweil oblagen, nicht an Kriegslärm denken. Die Vernünftigeren aber fürchteten, durch gefahrverheißende Nachrichten aufgeschreckt, den Einfall des verderbenbringenden Volkes. Sie mahnten daher den König und die Herren häufig, einem solchen Unheil vorzubeugen und zu verhindern, daß der Angriff des gottlosen Volkes überraschend erfolge und den allzu Sorglosen größeres Unglück bringe.

Schließlich raffte sich der König auf, durch solches Drängen aufgescheucht. Er begab sich in die Grenzgebiete seines Reiches und gelangte zu den Gebirgen, die sich zwischen Rußland und Ungarn erheben, sowie in die an Polen grenzende Region. Er zog umher und besichtigte alle weniger geschützten Landestore, ließ riesige Wälder schlagen, ausgedehnte Verhaue anlegen und durch gefällte Bäume alle Stellen versperren, die Möglichkeiten zum Übergang zu bieten schienen. Zurückgekehrt sandte er Boten aus, ließ alle Großen, Barone und Vornehmen seines Reiches zusammenrufen und versammelte das gesamte ungarische Heer.[7] Es kam König Koloman,[8] sein Bruder, mit seiner ganzen Heeresmacht. Es kamen auch die Bischöfe Ungarns, die sich ihrerseits nicht damit begnügten, ein von kirchlicher Zucht geprägtes Gefolge zu haben, vielmehr führten sie mit Hilfe ihrer großen Reichtümer starke Truppenabteilungen heran.[9] So fanden sich Matthias[10] und Hugrinus,[11] die Erzbischöfe von Gran und Kalocsa, ein, beide mit ihren Suffraganen; ihnen schlossen sich zahlreiche Geistliche und Mönche an, die sich alle im königlichen Lager versammelten, wie Schafe an der Schlachtbank. Damals hielten sie eine allgemeine Ratsversammlung ab und verhandelten viele Tage darüber, wie den Angriffen der Tartaren wirkungsvoller zu begegnen sei. Da die verschiedenen Leute abweichende Ansichten vertraten, wollten sie sich zu keinem einheitlichen Plan entschließen. Einige, die von allzu großem Schrecken gelähmt waren, meinten, man müsse vor den Tartaren beizeiten weichen und dürfe nicht mit ihnen kämpfen. Es handle sich ja um barbarische und verzweifelte Menschen, die nicht aus Herrschsucht, sondern aus Beutegier kämpfend die Welt durchstreiften. Andere aber, die sich in trügerischer Sicherheit wähnten und sich zügellos verhielten, prahlten: „Wenn sie nur erst unsere große Zahl sehen, müssen sie sich zur Flucht wenden." So aber wurde denen ein unvermuteter Untergang zuteil, die sich nicht auf einen Plan einigen konnten.

Während sie noch ihre Beratungen sinnlos in die Länge zogen, kam unvermutet ein Bote zum König geeilt, der die sichere Nachricht brachte, daß eine unendliche Menge Tartaren in das Königreich eingedrungen sei und sich bereits nähere. Nun hob man die

Ratsversammlung auf. Der König und die Großen des Reiches ließen rüsten, stellten Anführer an die Spitze der Heeresabteilungen und riefen eine größere Zahl von Kriegern zusammen. Sie kamen aus der Umgebung von Gran, überschritten die Donau und gelangten nach Pest, das ein sehr großes Dorf war. Als mittlerweile fast vierzig Tage vergangen waren, brach gegen Ostern die ganze Masse des tartarischen Heeres in das Königreich Ungarn ein.[12] Sie verfügten über 40.000 mit Äxten bewehrte Männer, die dem Heer voranzogen, die Wälder niederlegten, die Wege herrichteten und Hindernisse in den Landestoren beseitigten. Daher überwanden sie die Grenzverhaue, die der König hatte anlegen lassen, so leicht, als wenn sie nicht aus der Anhäufung riesiger Tannen und Eichen, sondern aus Strohhütten gebildet worden wären. Sie wurden innerhalb kurzer Zeit zerstört und verbrannt, so daß kein Hindernis für den Durchmarsch mehr bestehen blieb. Als sie auf die ersten Bauern stießen, zeigten sie nicht die ganze Heftigkeit ihres wilden Charakters, sondern machten bei ihrem raschen Vormarsch durch die Dörfer zwar Beute, veranstalteten aber kein großes Blutbad. Führer jenes Heeres waren zwei Brüder, von denen der ältere Bātū,[13] der jüngere Caydan[14] genannt wurde. Sie schickten eine bestimmte Anzahl Reiter vor sich her, die zu den Burgen der Ungarn eilen, sich häufiger sehen lassen und sie (die Ungarn) zum Kampf herausfordern sollten. Sie wollten so erproben, ob die Ungarn Mut hätten, mit ihnen zu kämpfen. Der ungarische König aber befahl auserlesenen Rittern, gegen sie auszurücken. Diese Ritter machten in gut geordneten Heerhaufen einen Ausfall gegen jene. Aber die Streifscharen der Tartaren, die sich auf kein Handgemenge einließen, flüchteten rasch und überschütteten die Feinde nach ihrer Gewohnheit mit Pfeilen. Dann kam der König mit seinem ganzen Heere auf der Verfolgung der Fliehenden bis zur Theiß, die sie überschritten. In gehobener Stimmung, als trieben sie die feindlichen Scharen schon aus dem Lande, gelangten sie an einen anderen Fluß mit Namen Sajó.[15] Die ganze Masse der Tartaren hatte aber hinter jenem Gewässer ihr Lager an abgelegener Stelle in den dichten Wäldern aufgeschlagen. Dort konnte nur ein Teil von ihnen von den Ungarn beobachtet werden. Als die Ungarn aber sahen, daß die feindlichen Horden jenseits des Flusses Stellung bezogen hatten, ließen sie sich diesseits nieder. Dann befahl der König, sie sollten ihre Zelte nicht zerstreut, sondern geschlossen aufschlagen. Sie begaben sich folglich alle wie in einem engen Stall zur Ruhe und stellten ringsum Wagen und Schilde wie zum Schutz des Lagers auf. Die Zelte waren aber so zusammengedrängt und deren Seile so verknüpft und miteinander verschlungen, daß ein Durchkommen kaum möglich war und man nicht durch das Lager eilen konnte, ja gleichsam alle wie durch ein Band festgehalten wurden. Die Ungarn hielten das für einen Schutz, in Wirklichkeit aber geriet ihnen das zum Verderben. Damals stieg Bātū, der Oberbefehlshaber des tartarischen Heeres, auf einen Hügel und beobachtete sorgfältig die Anordnung des [ungarischen] Heeres; bei seiner Rückkehr sagte er zu den Seinen: „Wir müssen guten Mutes sein, Gefährten. Denn obwohl jenes Heer zahlenmäßig stark ist, können sie doch, weil sie unvorsichtig befehligt werden, nicht unserem Zugriff entkommen. Denn ich sah, daß sie wie eine Herde ohne Hirt in einem sehr engen Stall eingeschlossen waren." Dann befahl er, noch in derselben Nacht nach Aufstellung der Heeresabteilungen zu einer Brücke zu marschieren, die beide Flußufer verband und sich nicht weit vom Lager der Ungarn befand. Es kam aber ein Überläufer aus dem Volk der Russen zum König, der meldete, daß „die Tartaren in dieser Nacht gegen euch herüberkommen werden. Seid daher auf der Hut, damit sie nicht überraschend und unvorhergesehen über euch hereinbrechen". Da rückte König Koloman mit seinen bewaffneten Einheiten aus dem Lager vor, ihm folgte Erzbischof Hugrinus mit seinem Heer; er war nämlich ein kriegerischer Mann, zum Kampf bereit und tapfer. Sie gelangten mitten in der Nacht zur besagten Brücke. Und siehe, schon hatte ein Teil der Feinde den Fluß überschritten; als die Ungarn das sahen, fielen sie augenblicklich über sie her, fochten tapfer und erschlugen sehr viele von ihnen, andere aber, die sie zur Brücke zurückdrängten, warfen sie in den Fluß. Sie stellten Wachen am Brückenkopf auf und kehrten unter großem Jubel zu den Ihren zurück. Die Ungarn freuten sich sehr über den siegreichen Ausgang des Kampfes. Sie fühlten sich gleichsam schon als Sieger, legten ihre Waffen ab und schliefen unbesorgt die ganze Nacht. Die Tartaren aber stellten auf einem Brückenkopf sieben Wurfmaschinen auf, vertrieben die Wachen der Ungarn, indem sie große Steine gegen sie schleuderten oder sie mit Pfeilen überschütteten. Als aber die Wachen verjagt waren, zog ein Teil der Tartaren frei und unbehindert über die Brücke, während ein anderer die Furten des Flusses durchquerte. Und siehe, gegen Morgengrauen erschien die gesamte Masse der Tartaren, die sich über die Ebene ergoß. Die Brückenwachen flohen zum Lager, konnten aber, obwohl sie gewaltigen Lärm schlugen, die unbesorgt Schlafenden kaum wecken. Durch die schlechte Nachricht schließlich aufgescheucht, griffen sie nicht schnell zu den Waffen, bestiegen nicht gleich ihre Pferde und rückten nicht sofort gegen die Feinde aus, wie es sich in höchster Gefahr gehört; vielmehr erhoben sie sich zögernd von den Betten und bemühten sich lieber nach ihrer Art, sich die Haare zu kämmen, ihre Handschuhe anzuziehen und das Gesicht zu waschen; an den Beginn des Kampfes dachten sie nur wenig. Allerdings gaben sich König Koloman, der Erzbischof Hugrinus und ein Meister des Templerordens,[16] wie es sich für tüchtige Männer gebührt, nicht wie die anderen ruhig dem Schlaf hin, sondern verbrachten die ganze Nacht unter Waffen wachend und stürmten, sobald sie das Alarmgeschrei hörten, aus dem Lager. Dann brachen sie gewappnet und zu Angriffskeilen zusammengeballt, kühn in die feindlichen Schlachtreihen ein und fochten eine Zeitlang sehr tapfer mit den Gegnern. Aber da sie im Vergleich zu der zahllosen Menge der Tartaren, die wie Heuschrecken aus der Erde hervorzukommen schienen, nur wenige waren, kehrten sie zum Lager zurück, nachdem sie viele der Ihrigen eingebüßt hatten. Hugrinus, ein immer freimütiger und furchtloser Mann, begann mit erhobener Stimme den König der Sorglosigkeit zu bezichtigen und allen Baronen Ungarns Feigheit vorzuwerfen, da sie in so kritischer Lage weder ihr Leben verteidigen noch dem Königreich zu Hilfe eilen wollten. Wer danach kampfbereit war, rückte mit aus; die anderen aber wußten, von plötzlicher Angst ergriffen und verwirrt, nicht, was sie machen und wohin sie sich besser in Sicherheit begeben sollten. Daher unternahmen die drei oben erwähnten Heerführer, ohne zu zögern, einen neuen Ausfall und begannen mit den Feinden zu kämpfen. Hugrinus stürmte mit solcher Tapferkeit in die dichtesten Reihen der Feinde, daß sie ihn unter großem Geschrei wie einen Blitzschlag zu meiden suchten. Ähnlich richteten auch Koloman und der Templer mit seinen französischen Mitstreitern ein großes Blutbad unter den Feinden an. Doch vermochten sie dem Angriff der feindlichen Heeresmasse nicht standzuhalten. Koloman und der Erzbischof wurden schwer verwundet und konnten kaum zu den Ihrigen entkommen. Der Templermeister aber fiel mit seiner ganzen französischen Abteilung; auch viele Ungarn kamen in jener Schlacht ums Leben. Ungefähr um die zweite Tagesstunde umzingelte die ganze Masse des tartarischen Heeres wie ein Reigen das gesamte ungarische Lager und schoß mit gespanntem Bogen von allen Seiten Pfeile ab; andere eilten heran, um im Umkreis des Lagers Feuer zu legen. Den Ungarn, die

242

sich auf allen Seiten von feindlichen Heerscharen umgeben sahen, ging jede vernünftige Überlegung abhanden. Sie konnten weder an eine Entfaltung ihrer Reihen noch an eine umfassende Eröffnung des Kampfes denken; von solchem Unheil getroffen, wichen sie hastig überall zurück, so, wie Schafe im Pferch den Bissen der Wölfe zu entkommen suchen. Die Feinde aber, die von allen Seiten angriffen, hörten nicht auf, Speere zu schleudern und Pfeile abzuschießen. Die unglückliche Masse der Ungarn sah, ohne jeden Plan zur Rettung, nicht, was sie machen sollte; denn niemand konnte mit dem anderen sprechen, jeder kümmerte sich um sich und niemand vermochte für die gemeinsame Rettung zu sorgen. Den Hagel von Pfeilen und Wurfgeschossen fingen sie nicht mit den Schilden auf, sondern boten ihren Rücken den Hieben und fielen überall so zahlreich, wie Eicheln von einer heftig gerüttelten Eiche regnen. Als aber die Hoffnung auf Überleben dahinschwand und der Tod vor aller Augen begierig durch das Lager zu eilen schien, suchten der König und die Großen unter Zurücklassung der Feldzeichen ihr Heil in der Flucht. Da dachte auch die übrige Menge, hier durch die zahlreichen Toten erschreckt, dort durch den Anblick der ringsum lodernden Flammen in Furcht versetzt, nur mehr mit allen Sinnen an die Flucht. Wenn sie aber solchem Unglück sich durch die Flucht entziehen wollten, begegneten sie einem neuen internen Hindernis. Denn die Wege waren durch die miteinander verknüpften Zeltleinen und die dicht beieinander stehenden Zelte gefährlich versperrt. Wenn sie forteilten, fiel daher einer über den anderen, und das Verderben, das über sie hereinbrach, weil sie sich untereinander bedrängten, war nicht geringer als jenes, welches die Feinde mit Pfeilschüssen verursachten. Als aber die Tartaren sahen, daß das ungarische Heer in die Flucht geschlagen war, eröffneten sie ihnen einen gewissen Ausweg; sie ließen sie abziehen, sie folgten ihnen nicht stürmisch, sondern allmählich, sorgten aber dafür, daß sie nicht seitwärts ausbrachen. Auf den Wegen der Unglücklichen lagen Geld, goldene und silberne Gefäße, Purpurgewänder und reiche Rüstungen. Die Tartaren kümmerten sich aber in ihrer unerhörten Grausamkeit nicht um die Beute, sie achteten die Erbeutung der Kostbarkeiten gering, sondern widmeten sich allein der Abschlachtung von Menschen. Als sie nämlich erkannten, daß die Feinde durch die Flucht erschöpft, nicht zu den Waffen greifen und nicht weiterfliehen konnten, da schossen und schlugen sie sie nieder. Sie schonten niemanden, sondern schlachteten alle grausam hin. Sie (die Ungarn) fielen rechts und links wie die Blätter im Winter, auf dem ganzen Weg lagen die Leichen der armen Erschlagenen, das Blut floß wie ein reißender Strom. Das unglückliche Vaterland rötete sich weit und breit vom Blut seiner Söhne. Hierauf wurde die bedauernswerte Menge, die noch nicht dem Schwert der Tartaren zum Opfer gefallen war, zu einem Sumpf gejagt. Man ließ ihr keine Möglichkeit zum Ausweichen; da aber die Tartaren nachdrängten, wagten die meisten Ungarn sich ins Moor und wurden von Wasser und Sumpf verschlungen. Dort ging jener hochberühmte Hugrinus zugrunde; dort Matthias und Gregor, die Bischöfe von Gran und Raab;[17] dort starben zahlreiche Prälaten und Geistliche.

Wehe, o Herrgott, warum hast Du für die mit kirchlichen Würden Bekleideten und mit Deinem Dienst Betrauten ein so bitteres Ende beschlossen und sie zu einem so elenden Tode verurteilt? In der Tat hast Du viele zu ewiger Verdammnis verurteilt. Die Unglücklichen und Bedauernswerten, wahrlich – „Deine Entscheidungen sind immer gründlich" – hätten sich und ihrem Volk viel besser mit frommen Gebeten und inständigen Bitten helfen können, indem sie in den Gotteshäusern zu Deiner furchtbaren Majestät flehten, als angetan mit der Kriegsrüstung in Feldlagern Nachtwache zu halten.

Der Priester erlitt dasselbe Schicksal wie das Volk, und diejenigen, die man wie ein Lamm zur Schlachtbank führte, bestrafte ein gemeinsamer Untergang. Und wenn einige noch jenem Gemetzel entgehen konnten, so hatten sie doch keine Hoffnung, der ihnen noch drohenden Abschlachtung zu entkommen. Das ganze Land war mit feindlichen Truppen wie mit Heuschrecken übersät. Ihnen fehlte jedes Erbarmen, um die Gefallenen zu schonen, mit den Gefangenen Mitleid zu empfinden und die Erschöpften ziehen zu lassen. Sie dürsteten wie wilde Tiere nur nach Menschenblut. Alle Fluchtwege waren mit Leichen bedeckt.

Der erste Tag des gemeinsamen Verderbens war schon vergangen, als andere, noch schrecklichere Ereignisse folgten. Obwohl es Abend geworden war, wollten die Tartaren den ermatteten Flüchtlingen nicht freien Abzug gewähren; wohin sie sich auch im Dunkeln wandten, sie stießen auf die Körper der unglücklichen Sterbenden und Verwundeten. Sie lagen in ihrer Mehrheit unbeweglich wie vom Todesschlaf umfangen und wie luftgefüllte Schläuche. Die überall bei Anbruch der Nacht wie Steine und Baumstämme umherliegenden Leichen boten einen schrecklichen Anblick. Da man sich aber in den nächsten Tagen an das Entsetzen gewöhnte, verwandelte sich die Angst in Schutz. Denn einige, die tagsüber nicht zu fliehen wagten, sättigten sich am Blut der Erschlagenen und versteckten sich zwischen den Leichen. So fanden die Lebenden noch Zuflucht bei den Toten. Was aber verübten (jene) an entsetzlichen Grausamkeiten in den Städten und Dörfern? Sie trieben die wehrlose Menge der Frauen, Greise und Kinder zusammen, ließen sie sich in einer Reihe niedersetzen und rissen zunächst allen die Kleider herunter, damit diese weder von Blut befleckt wurden noch die Mörder ermatteten. Dann ließ man die Schlächter los, die die Arme ihrer Opfer anhoben, ihnen mit Pfeilen ins Herz schossen und sie alle töteten. Außerdem ritten die Frauen der Tartaren, nach Männerart mit Waffen umgürtet, kühn in den Kampf und wüteten wie die Männer, nur noch grausamer, gegen die gefangenen Frauen. Wenn sie schönere Frauen sahen, auf die sie eifersüchtig sein zu müssen fürchteten, so machten sie diese gleich mit dem Schwert nieder; erblickten sie aber andere, die ihnen zu Knechtsdiensten geeignet erschienen, so schnitten sie ihnen die Nase ab, verstümmelten deren Gesicht und machten sie zu Sklavinnen.

Auch die gefangenen Knaben ließen sie zu sich kommen und verhöhnten sie auf folgende Weise: Zuerst befahlen sie ihnen, sich reihenweise niederzusetzen, dann riefen sie die eigenen Kinder herbei, gaben ihnen frische Äste und geboten ihnen, damit auf die Köpfe der unglücklichen Kinder einzuschlagen; sie selbst saßen dabei, sahen mit grausamer Freude zu und lobten den, der härter zugeschlagen hatte und mit einem Hieb einen Kopf zerschmettern oder einen Jungen töten konnte. Was soll man noch mehr berichten? Es gab keine Rücksicht auf das weibliche Geschlecht, keine Schonung der Kinder und keine Ehrfurcht vor dem Alter. Indem sie mit der gleichen Ruchlosigkeit alle hinschlachteten, erschienen sie nicht als Menschen, sondern als Dämonen. Als sie zu den Behausungen der Mönche kamen, traten ihnen die Kleriker entgegen, angetan mit liturgischen Gewändern und Choräle absingend, als ob sie den Siegern den gebührenden ehrenvollen Empfang erweisen wollten; und sie bereiteten Geschenke vor, um deren Mitleid für sich zu gewinnen. Aber die Tartaren, die jede Frömmigkeit und Menschlichkeit vermissen ließen, verachteten die religiösen Bräuche und verlachten deren fromme Einfalt, griffen zum Schwert und schlugen ihnen ohne Erbarmen die Köpfe ab. Dann brachen sie in die Klöster ein, plünderten alles, steckten die Zellen in Brand und entweihten die Kirchen; sie zerstörten die Altäre, verstreuten die Reliquien und verfertigten aus den liturgischen Gewändern Kleider für ihre Beischläferinnen und Frauen.

König Béla aber entkam nur knapp mit göttlicher Hilfe dem Gemetzel und floh mit wenigen Begleitern nach Österreich.[18] König Koloman indes, sein Bruder, gelangte zu einem großen Dorf namens Pest am jenseitigen Donauufer; zu diesem Ort war eine gewaltige Menge von Ungarn und aus anderen Völkern, die beiderseits der Donau wohnten, auf die Nachricht vom unglücklichen Ausgang des Krieges und dem Untergang des ganzen Heeres geflohen. Denn sie vertrauten auf die große Zahl von Fremden und Einheimischen, die dort zusammengeströmt war. Da sie aber darauf sannen, voreilig den Krieg wieder zu eröffnen und glaubten, sich der göttlichen Gewalt widersetzen zu können, riet König Koloman ihnen ab. Er legte ihnen aber nahe, lieber an anderen Orten Zuflucht zu suchen. Als sie jedoch seinem heilsamen Plan nicht zustimmten, trennte sich Koloman von ihnen, überschritt die Donau und begab sich zu seiner Residenz. Die Volksmenge aber, die sich solcherart vermessen zeigte, machte sich daran, den Ort zu befestigen, einen Graben auszuheben, einen Wall aufzuwerfen, ringsum Verhaue anzulegen und alles vorzubereiten, aber vergebens. Bevor sie ihr Werk zur Hälfte verrichtet hatten, erschienen plötzlich die Tartaren. Furcht und Verzweiflung ergriff die Masse der Ungarn. Wie reißende Wölfe, die ein wütender Hunger überfällt, die Schafhürden gierig umlauern; so erkundeten die grimmigen Führer der Tartaren das ganze Dorf mit wilden Blicken und überlegten, wie sie es durch einen Angriff überwältigen könnten. So begann das Tartarenheer, das sich rings um das Dorf lagerte, dieses von allen Seiten anzugreifen und mit einem dichten Regen von Pfeilen und Geschossen zu überschütten. Die sich aufbäumenden unglücklichen Ungarn suchten sich ihrerseits mit aller Kraft zu verteidigen. Sie spannten ihre Armbrüste und Bogen und schleuderten zahlreiche Geschosse in die feindlichen Reihen. Auch verschossen sie mit ihren Wurfmaschinen eine Menge Steine. Doch obsiegten die todbringenden und untrüglich treffenden Pfeile der Tartaren. Gab es doch keinen Panzer, Schild oder Harnisch, den ein von tartarischer Hand entsandter Pfeilschuß nicht durchbohrte. So kämpfte man auf beiden Seiten zwei oder drei Tage lang. Schon waren viele aus dem bedauernswerten Volk gefallen, und die unglücklichen Streiter erlahmten im Widerstand, da der Ort nur unzulänglich befestigt war. Da drangen an einem Tage die Tartaren in einem Sturmangriff ein, und jeder weitere Widerstand brach zusammen.[19]

Unsäglicher Haß und Grausamkeit wüteten nun unter den Unglücklichen. In der Tat, so eine starke Pest hatte sich in Pest eingenistet.[20] Dort tobte sich das göttliche Strafgericht im Christenblut aus. Was blieb dem unglücklichen Volk nach dem Einbruch der Tartaren anderes übrig, als die Hände zu ringen, auf die Knie zu fallen und den Nacken unter das Schwert zu beugen? Die blutgierigen Horden konnten sich nicht genug am Blutvergießen sättigen und ließen nicht vom Morden ab. Der Lärm, den das Gemetzel hervorrief, war so laut, daß es den Anschein hatte, als würden alle Bäume der riesigen Wälder [des Landes] gefällt. Das Jammern und Klagen der trauernden Frauen und der wimmernden Kinder, die den Tod so rasch nahen fühlten, erhob sich zum Himmel. Es blieb keine Zeit, um Begräbnisse abzuhalten, die teuren Toten zu beweinen und Seelenämter zu feiern. Ein allgemeiner Untergang drohte allen und zwang jeden, nicht den fremden, sondern den eigenen Tod zu beklagen. Denn Frauen, Greise und kleine Kinder vernichtete das Todesschwert. Wer könnte jenen unseligen Tod beschreiben, wer die Niedermetzelung so vieler Menschen ermessen? Da doch der Tod an einem Tage und auf engem Raum mehr als hunderttausend Menschen verschlang. Wehe den rohen Gemütern des heidnischen Volkes, das ohne Mitleid zusah, wie sich die Wasser der Donau vom Menschenblut röteten.

Nachdem sich die Grausamkeit am Morden gesättigt zu haben schien, zogen die Tartaren vom Dorf [Pest] ab und brandschatzten die Umgebung. Alles was ringsum den Feinden zu Gesicht kam, fiel sogleich der gefräßigen Flamme zum Opfer. Ein Teil des unglücklichen Volkes war mit Frauen und Kindern in ein Dominikanerkloster[21] geflüchtet, im Glauben, sie könnten von den sie umgebenen Mauern beschützt, dem Schlimmsten entkommen. Doch nützte der befestigte Platz nichts, da ihnen Gottes Schutz fehlte. Denn als die Tartaren dorthin gelangten und den Ort angriffen, gingen jene gemeinsam zugrunde. Man hatte nämlich Feuer gelegt, so daß an die zehntausend Menschen mit den Gebäuden und allem Besitz verbrannten. Zeugnis für dieses gewaltige und schreckliche Gemetzel legt die Menge der unbestatteten Gebeine ab, die zu großen Hugeln aufgehäuft ein trauriges Bild bieten.

Inzwischen setzten sich die Tartarenheere, nachdem ganz Siebenbürgen verwüstet und die Ungarn jenseits der Donau gefallen und vertrieben waren, in jenen Gegenden fest, um dort den ganzen Sommer und Winter zu verbringen.[22] Und um denen, die sich auf dem jenseitigen Donauufer befanden, Furcht einzujagen, sammelten sie die Erschlagenen und schichteten sie in zahlreichen Haufen am Ufer des Stromes auf. Andere durchbohrten kleine Kinder mit Lanzen und schleppten sie am Flußufer wie Fische auf Bratspießen entlang. Die Menge der Beute war nicht abzuschätzen. Wer sollte die Unzahl von Pferden und anderen Tieren kennen (die man erbeutete)? Wer die Reichtümer und Schätze? Wer die Zahl der Beutestücke, an denen sich die reichgewordenen Feinde ergötzten? Wieviel Menschen wurden gefangengenommen, Männer und Frauen, Jungen und Mädchen, die man zu verschiedenen Sklavendiensten nötigte und streng bewachte?

Als ein Geistlicher von großem Schmerz über das Schicksal des christlichen Volkes ergriffen sich wunderte und dringend zu wissen begehrte, warum der allmächtige Gott es zugelassen habe, daß Ungarn vom Schwert der Heiden verwüstet werde, ein Land, wo der katholische Glaube blühte und die Kirche sich des höchsten Ansehens erfreute, vernahm er nachts im Traum [eine Stimme]: „Wundere dich nicht, Bruder. Auch mögen dir Gottes Entscheidungen nicht ungerecht erscheinen, denn obwohl die höchste Milde Gottes viele Missetaten dieses Volkes ertrug, konnte sie doch keinesfalls das Verbrechen der nichtswürdigen Leidenschaft von drei Bischöfen erträglich machen." Über wen das berichtet worden ist, habe ich nicht in Erfahrung bringen können.[22a]
Damals kehrte König Béla aus Österreich mit seinem ganzen Gefolge zurück und blieb in der Umgebung von Zagreb. Es sammelten sich alle um ihn, die dem Zugriff der Tartaren entkommen konnten; sie blieben dort den ganzen Sommer über und warteten auf das Ende der (kriegerischen) Ereignisse.

XXXVII. Über die Natur der Tartaren.

Nun werde ich ein wenig über die Natur und Lebensweise jenes Volkes berichten, wie ich es von jenen erfahren konnte, die die Sache sorgfältiger untersucht haben.
Ihr Land liegt nämlich in jenem Weltteil, wo sich Ost und Nord verbinden. Jene Völker nennen sich in ihrer Sprache Mongolen. Doch soll ihr Land an das jenseitige Indien grenzen und ihr König wird Khakan[23] genannt. Als der einen Krieg mit einem ihm benachbarten König geführt hatte, der seine Schwester entehrt und ermordet hatte, besiegte und tötete er diesen; dann stellte er dessen Sohn, der zu einem anderen König floh, nach. In einem neuen Kampf erschlug er ihn und den [Fürsten], der ihm in seinem Reich Asyl geboten hatte. Als er auch ein drittes

Königreich mit Waffengewalt angriff, kam es zu zahlreichen Gefechten, und er kehrte als Sieger in sein Land zurück. Da er nun sah, daß ihm in allen Kriegen Erfolg zuteil geworden war, wuchs sein Selbstbewußtsein gewaltig, ja, es verwandelte sich in Hochmut. Denn im Glauben, daß kein Volk oder Reich in der Welt sich seiner Macht widersetzen könne, nahm er sich vor, alle Völker zu unterwerfen. Er wollte die Größe seiner Macht der ganzen Welt zeigen, im Vertrauen auf die Erfolge der Dämonen, an die er glaubte. Er rief daher seine beiden Söhne Bātū und Kaydan zu sich, verlieh ihnen den Oberbefehl über sein Heer und befahl ihnen, zur Eroberung der ganzen Welt aufzubrechen. Sie rückten also aus und durchzogen etwa dreißig Jahre lang alle Reiche im Osten und Norden, bis sie ins Land der Russen kamen und schließlich nach Ungarn herabstiegen. Der Name Tartaren aber ist keine Selbstbezeichnung des Volkes, sondern sie wurden nach einem Fluß, der ihr Land durchströmt, so benannt, nach anderen bedeutet Tartar dasselbe wie Horde [multitudo].[24] Obwohl sie jedoch in großer Zahl auftraten, scheint in jenem Kampf die Menge der Ungarn doch größer gewesen zu sein; doch gibt es kein Volk in der Welt, das eine so große Kriegserfahrung besitzt, das es so versteht, besonders in offener Feldschlacht die Feinde mit Tapferkeit oder Klugheit zu besiegen [wie die Mongolen]. Sie hängen weder der christlichen noch der jüdischen noch der muslimischen Religion an; daher findet man bei ihnen auch keine Liebe zur Wahrheit; sie beachten den Eid nicht. Und entgegen dem bei allen Völkern herrschenden Brauch empfangen oder entsenden sie weder Kriegs- noch Friedensgesandtschaften. Sie haben einen schreckenerregenden Gesichtsausdruck und kurze Beine, aber eine breite Brust; ihr Gesicht ist breit, die Haut hell; sie besitzen ein bartloses Kinn, eine gekrümmte Nase, schmale, weit auseinanderstehende Augen. Ihre Rüstung besteht aus Stücken von Rindsleder, die blattförmig verbunden und undurchdringlich sind, auch große Sicherheit bieten.[25] Sie tragen Helme aus Eisen und Ochsenleder, Krummschwerter und führen Köcher und Bogen am Gürtel. Ihre Pfeile sind um vier Finger länger als unsere; man erblickt bei ihnen Pfeile mit Spitzen aus Eisen, Knochen und Horn. Die Kerben am Ende ihrer Pfeile sind so schmal, daß sie nicht zu unseren Bogensehnen passen. Ihre Banner sind klein und von weißer und schwarzer Farbe. An der Spitze haben sie eine Kugel aus Wolle.[26] Die Tartaren reiten nach Art von Bauern kleine, aber kräftige Pferde, die an Entbehrungen und Strapazen gewöhnt sind. Sie laufen ohne Hufeisen über Felsen und steinigen Boden, als ob sie Gemsen wären. Selbst wenn man sie drei Tage ununterbrochen reitet, so begnügen sie sich mit nur wenig Stroh als Futter.[27] Die Menschen sind ähnlich enthaltsam. Sie kümmern sich kaum um Lebensmittel, sondern weiden sich allein an ihrer Grausamkeit. Sie verschmähen Brot, genießen aber unterschiedslos das Fleisch von reinen und unreinen Tieren. Sie trinken vergorene Milch, vermischt mit Pferdeblut.[28] Sie verfügen über zahlreiche Krieger aus unterworfenen Völkern, vor allem Kumanen, die sie mit Gewalt in den Kampf treiben. Wenn sie aber sehen, daß einer von diesen etwas zaudert und sich nicht tollkühn dem Tode preisgibt, so schlagen sie ihm, ohne zu zögern, das Haupt ab. Die Tartaren selbst setzen sich ungern der Todesgefahr aus; fällt aber einer der Ihren, so entführen sie den Leichnam sofort, tragen ihn in einen streng geheim gehaltenen Ort, setzen ihn dort bei und ebnen den Grabhügel ein, indem sie ihn mit Pferdehufen feststampfen, damit das Begräbnis keine Spuren hinterläßt.[29] Reißende Flüsse, die sie im Sattel überqueren, bilden für sie kein Hindernis. Stoßen sie aber auf Gewässer, die sie auf die genannte Weise nicht überqueren können, so bauen sie Flöße aus Holz, überziehen sie mit rohen Tierhäuten und rudern auf ihnen mitsamt ihren Lasten furchtlos hinüber.[30] Sie hausen in Filz- und

Lederzelten. Ihre Pferde sind so gut abgerichtet, daß sie, wieviel es auch immer sein mögen, ihrem Besitzer wie Hunde folgen. In großen Menschenansammlungen sind sie gleichsam stumm und geben keinen Laut von sich. Schweigend bewegen sie sich und schweigend kämpfen sie.

Dies vorausgeschickt kehren wir nun zu unserem Stoff zurück. Nachdem die Tartaren über Ungarn gesiegt und die Nachricht von ihrem Sieg sich mit Windeseile überall verbreitet hatte, erzitterte nahezu die ganze Welt; solche Furcht befiel alle Länder, daß niemand glaubte, er könne ihren ruchlosen Händen entkommen. Sogar der römische Kaiser Friedrich[31] soll nicht an Widerstand, sondern an Flucht gedacht haben. Damals durchforschten viele gelehrte Männer die alten Schriften und berechneten besonders aus den Worten des Märtyrers Methodius, dies seien jene Völker, die vor der Ankunft des Antichrist erscheinen sollten.[32] Man machte sich daran, die Städte und Burgen in Verteidigungszustand zu versetzen und fürchtete, daß sie alles [unterwegs] verwüstend nach Rom kommen wollten.

Da aber König Béla befürchtete, daß die Tartaren die Donau überschreiten und auch das restliche Ungarn verwüsten könnten, schickte er Boten in die Stadt Stuhlweißenburg und befahl ihnen, von dort den Leichnam König Stephans des Heiligen wie auch zahlreiche Kirchenschätze zu holen. Er ließ diese zusammen mit seiner Gattin Maria und seinem kleinen Sohn Stephan, der erst zwei Jahre alt war, nach Dalmatien verbringen und bat die Einwohner von Spalato, alles zu übernehmen und die Königin mit ihrem Sohn zu beschützen.[33] Die Königin ließ sich aber von einigen Feinden der Spalatenser überreden, Spalato nicht zu betreten. Sie ließ sich statt dessen mit allen königlichen Schätzen in der Burg Klis nieder.[34] Mit ihr kamen auch viele adlige Damen, die ihrer Männer durch die Tartaren beraubt waren. Der Podestà von Spalato, Garganus, und vornehme Bürger wandten sich an die Fürstin und baten sie inständig, die Stadt durch ihren Aufenthalt zu beehren; aber die Königin stimmte nicht zu. Nichtsdestoweniger erwiesen die Bürger von Spalato ihr zahlreiche Ehrungen, überhäuften sie mit Geschenken und suchten ihren Hof oft auf.

Zu dieser Zeit nahm König Koloman seligen Abschied von dieser Welt und ging ein zum Herrn. Er war ein Mann mehr der Frömmigkeit und des Glaubens als der Staatsgeschäfte. Beigesetzt wurde er aber im Dominikanerkloster bei Časma[35] in einem geheimen Grabe. Denn das gottlose Volk der Tartaren schändete die Gräber der Christen und besonders die der Fürsten mit ruchlosen Händen, erbrach sie und zerstreute die Gebeine.

XXXVIII. Über die Flucht der Ungarn.

So verging der Januar, und eine ungewöhnliche Winterkälte überfiel das Land. Sie ließ alle Wasserläufe zufrieren und gab den Feinden den Weg frei. Damals zog der blutgierige Heerführer Kaydan mit einem Teil seines Heeres, das in Reserve gehalten war, aus, um den König zu verfolgen. Er traf mit gewaltiger Heeresmasse ein und zertrat alles, was sich ihm entgegenstellte. Zuerst brandschatzte er Ofen und Umgebung,[36] dann bestürmte er mit aller Macht Gran, das er leicht einnahm und in Brand steckte. Er ließ alle, die er in der Stadt vorfand, abschlachten, trug aber nur wenig Beute davon, weil die Ungarn ihren ganzen Besitz in die hohe Festung hinaufgebracht hatten.[37] Darauf wandte er sich auf direktem Wege gegen Stuhlweißenburg und äscherte die Häuser in den Vorstädten ein. Er belagerte die Stadt mehrere Tage und suchte sie wiederholt einzunehmen. Da aber der Ort durch die umliegenden Sümpfe geschützt war und durch eine treffliche Besatzung von „Lateinern",[38] die überall Kriegsmaschinen in Stellung gebracht hatten, verteidigt wurde, zog der gottlose Feldherr[39] unverrichteter Dinge ab. Er beeilte sich aber, den König zu fangen; daher konnte er beim Durchzug im Land nicht so große Verwüstungen anrichten, und wie bei einem sommerlichen Hagel wurden nur jene Gebiete heimgesucht, die die Tartaren durchquerten.

Bevor aber diese sich daran machten, die Drau zu überschreiten, erfuhr der König von ihrem Anmarsch. Er verließ seinen Aufenthaltsort in der Umgebung von Agram (Zagreb), wo er Wachen zurückließ, und begab sich mit seinem ganzen Gefolge[40] hinunter zur Adriaküste. Dann suchte man einzeln in den nächsten Küstenstädten Zuflucht. Der König aber kam zusammen mit dem ganzen Schatz der Reliquien Ungarns vor die Tore von Spalato. Im königlichen Gefolge befanden sich viele kirchliche Würdenträger, zahlreiche Fürsten und Barone; dazu eine zahllose Volksmenge beiderlei Geschlechts und jeder Altersstufe. Als der König sich dem Stadttor näherte, zogen die gesamte Geistlichkeit und das Volk in feierlicher Prozession hinaus, erwiesen dem König die gebührende Verehrung, hießen ihn willkommen und gewährten ihm in der Stadt die geforderte Aufnahme. Mit ihm trafen auch folgende Große ein: Stephan, der Bischof von Zagreb,[41] und ein anderer Stephan, Bischof von Waitzen, den man auch als Erzbischof von Gran[42] postuliert hatte; Benedikt, Propst von Stuhlweißenburg, der königliche Hofkanzler, den man auch für den Sitz des Erzbischofs von Kalocsa in Aussicht genommen hatte;[43] Bartholomäus, der Bischof von Fünfkirchen,[44] und einige andere Bischöfe. Anwesend waren nicht zuletzt die Pröpste Hugrinus von Časma,[45] Achilles,[46] Vincentius,[47] Thomas[48] und andere, die aufzuzählen wir für überflüssig halten. Zugegen waren ferner hohe Würdenträger des Hofes: der Ban Dionisius,[49] der Hofrichter Vladislaus,[50] der Schatzmeister Matthaeus,[51] der Oberstallmeister Orlandus,[52] Dimitrius,[53] Mauritius[54] und andere angesehene Herren; alle mit ihren

Familien und Gefolgschaften. Der Podestà Garganus aber trug getreu seiner Gehorsamspflicht und beflissen dafür Sorge, daß die Bürger den Befehlen des Königs bereitwillig nachkommen und sich so in ihrer Gesamtheit die Zuneigung und Gunst des Fürsten erwerben sollten. Die Bürger von Spalato unternahmen alles entsprechend den Wünschen des Königs. Nur konnten sie die Galeere, die der vor den Tartaren flüchtende König forderte, nicht so rasch bereitstellen. Das nahm der König aber nicht mit Gleichmut hin. Er wollte nicht in Spalato bleiben und begab sich mit seiner Gemahlin und allen Schätzen nach Traù, wo er sich sicherer vor einem feindlichen Angriff wegen der Nähe der Inseln wähnte. Er brach von dort mit seinem ganzen Hofstaat auf und ließ sich auf einer benachbarten Insel nieder.[55]

XXXIX. Über die Grausamkeit der Tataren.

Gleichwohl wollte der verruchte Heerführer [Kaydan] nichts unversucht lassen und eilte von Rachefurien getrieben, umgeben von einem rasenden Heere und nur nach königlichem Blute dürstend hinter dem König her und ließ sich von seiner Leidenschaft, den König zu töten, fortreißen. Doch konnte er unter den Slaven nur wenige Blutbäder anrichten, da die Menschen sich in den Bergen und Wäldern versteckt hatten. Er kam aber gleichsam nicht auf der Erde daher, sondern schien durch die Luft zu fliegen, durch unwegsames Gelände und rauhes Gebirge, die noch nie ein Heer durchzogen hatte. Er eilte ungeduldig vorwärts, in der Hoffnung, er könne den König überfallen, bevor der zum Meer hinabgestiegen sei. Als er freilich erfuhr, daß der König an der Meeresküste in Sicherheit sei, setzte er das Tempo seines Vormarsches herab. Und als das ganze Heer an ein Gewässer, das den Namen Sirbium trägt,[56] gelangt war, lagerte er dort für kurze Zeit. Damals ließ der grimmige Mörder alle Gefangenen, die er aus Ungarn mitgeführt hatte, sammeln und so zahlreiche Männer, Frauen, Knaben und Mädchen in einer Ebene zusammentreiben. Als alle wie eine Schafherde versammelt waren, entsandte er Henker und ließ alle enthaupten. Damals vernahm man ein ungeheures Wehgeschrei, und die ganze Erde schien unter dem Wehklagen der Sterbenden zu erzittern. Alle aber lagen in jener Ebene hingestreckt, wie Korngarben verstreut auf dem Felde liegen. Und damit niemand wähnte, daß ein so unermeßliches Gemetzel durch Beutegier veranlaßt worden sei, beließen sie den Toten ihre Kleidung. Doch hielt die ganze Masse jenes blutbefleckten Volkes, die ringsum lagerte, Freudenmähler ab, tanzte und lachte, als ob sie viel Gutes getan hätte.[57]

Darauf setzten sie ihren Zug durch Kroatien fort. Als sie sich [Spalato] bereits genähert hatten, konnten die Einwohner der Stadt diese Nachricht noch nicht glauben. Als schließlich einige der Tartaren von den Bergen herabgestiegen waren, erschienen plötzlich mehrere unter den Mauern der Stadt; die Einwohner von Spalato erkannten sie jedoch nicht sofort und hielten sie für Kroaten. Sie wollten daher nicht bewaffnet gegen jene ausrücken. Als aber die Ungarn ihrer Feldzeichen ansichtig wurden, erstarrten sie [vor Schrecken], und es befiel sie eine solche Angst, daß alle zur Kirche flohen, zitternd die Sakramente empfingen und nicht mehr hofften, länger leben zu können. Andere umarmten weinend ihre Frauen und Kinder und klagten traurig. „Weh uns Unglücklichen, was nützten uns die Anstrengungen der Flucht? Was half es schon, so viele Länder zu durcheilen, wenn wir doch nicht den Schwertern der Verfolger entkommen können und auf unsere Vernichtung warten müssen." Dann erfolgte ein gewaltiger Ansturm der Flüchtlinge auf alle Tore der Stadt, um hineinzugelangen. Man ließ Pferde und Herden, Kleidung und Gerätschaften im Stich; da der Tod drohte, wartete man nicht einmal auf die eigenen

Söhne, sondern brachte sich eilends in Sicherheit. Die Einwohner von Spalato aber zeigten sich sehr menschenfreundlich, nahmen sie gastlich auf und erleichterten, so gut sie konnten, deren bitteres Los. Die Zahl der Flüchtlinge war jedoch so groß, daß nicht alle in den Häusern [der Stadt] Zuflucht finden konnten, sondern in den Gassen und auf den Straßen bleiben mußten. Selbst adlige Damen lagerten auf Kirchenhöfen unter freiem Himmel. Die einen versteckten sich in finsteren Bordellen, andere in schmutzigen Gewölben und Grüften; wieder andere hausten auch unter Zelten.

Die Tartaren aber metzelten alle, die sie auf freiem Felde finden konnten, nieder. Sie schonten weder Frauen noch Kinder, weder Alte noch Gebrechliche, ja sie nahmen in ihrer barbarischen Wildheit sogar Leprakranken das Leben. Dann näherte sich eine Abteilung den Stadtmauern, erkundete die Stadt von allen Seiten und zog sich noch am gleichen Tage zurück. Die Bürger von Spalato begannen damit, Kriegsmaschinen zu bauen und sie an günstigen Plätzen aufzustellen. Nach wenigen Tagen erschien Kaydan mit nur einem Teil seines Heeres, da die Grasweide für die ganze Reiterei nicht ausreichte; denn zu Anfang März drohten harte Fröste.[58] Da die Tartaren vermuteten, daß der König in Klis sitze, begannen sie die Burg von allen Seiten zu bestürmen, sie schossen Pfeile und schleuderten Wurfgeschosse. Wie aber der Platz durch seine natürliche Lage geschützt war, konnten sie nur mäßigen Schaden anrichten. Schließlich stiegen sie von den Pferden und krochen auf Händen [und Füßen] den Burghügel hinauf; die Burgbesatzung aber schleuderte gewaltige Steinbrocken auf sie herab und tötete einige von ihnen. Der Rückschlag verursachte unter ihnen noch größere Wut, und sie gelangten kämpfend bis zu den großen Felsen. Sie plünderten Häuser und machten nicht wenig Beute. Als sie aber erkannt hatten, daß der König dort nicht war, ließen sie vom Sturm auf die Burg ab, stiegen wieder auf ihre Pferde und ritten nach Traù. Nur wenige von ihnen erschienen vor Spalato.

Da aber die Bürger nicht so sehr aus eigner Angst zitterten, sondern eher, weil sie sahen, daß die Ungarn von Verzweiflung ergriffen wurden, dachten manche daran, die Stadt zu verlassen und sich mit ihrer Habe und ihren Familien auf den Inseln in Sicherheit zu bringen. Sie verbreiteten Gerüchte und erdichteten grundlose Nachrichten. Einige behaupteten, daß die Tartaren riesige Belagerungsmaschinen bauten und viel Kriegsgerät vorbereiteten, um damit die Stadt zu erobern. Andere versicherten, der Feind häufe einen Berg von Erde und Steinen auf und könne die Städte so leicht von oben nehmen.

Doch lagerten die Heerscharen der Tartaren mit ihrem gottlosen Führer an der Küste vor Traù. Da aber der König sah, daß die Tartarenheere vor seinem Zufluchtsort angelangt waren, glaubte er nicht mehr, auf den benachbarten Inseln einen sicheren Aufenthalt nehmen zu können, und er befahl, die Königin mit ihrem Kind und allen Schätzen auf Schiffe zu verbringen, die er herangeführt hatte; er selbst ließ sich in einer Barke in die Nähe der Küste rudern, beobachtete die gegnerischen Schlachtreihen und wartete den Ausgang der Ereignisse ab. Der Heerführer Kaydan aber befahl, die ganze Umgebung zu erkunden, und unternahm den Versuch, bis an den Fuß der Stadtmauern zu Pferde zu gelangen. Als er aber erkannt hatte, daß der Meeresarm, der die Stadt vom Festland trennte, zu tief und daher nicht zu durchwaten war, zog er sich zurück. Er gelangte wieder zu den Seinen und entsandte einen Herold zur Stadt. Der kam zur Brücke und rief laut auf slavisch hinüber: „Dies teilt Euch der Fürst Kaydan mit, der Herr einer unbesiegten Heeresmacht. Macht nicht fremde Schuld zu Eurer eigenen Sache, sondern liefert uns die Gegner aus, damit Ihr nicht in die Rache an ihnen verwickelt werdet und so leichtfertig mit untergeht."[59] Doch wagten die Wachen auf den Mauern auf deren Worte nichts zu entgegnen. Denn der König hatte Befehl gegeben, ihnen [den Tartaren] nicht zu antworten. Da erhob sich ihre ganze Heeresmasse und zog auf dem Weg, den sie gekommen war, wieder zurück. Sie [die Tartaren] blieben fast den ganzen März über in Kroatien und Dalmatien, kamen fünf- oder sechsmal zu den Städten herunter und kehren später zu ihren Lagern zurück.

Schließlich räumten sie Kroatien und durchquerten das Herzogtum Bosnien.[60] Von dort zogen sie fort durch das Königreich Serbien, das auch Rasien (Raška) genannt wird, und gelangten zu den Küstenstädten Oberdalmatiens;[61] sie kamen nach Ragusa, wo sie jedoch nur geringen Schaden anrichten konnten, und erreichten die Stadt Cattaro (Kotor), die sie vor ihrem Weitermarsch brandschatzten. Sie überfielen die Städte Svač und Drivasto, verwüsteten und entvölkerten sie völlig. Sie ließen darin niemand, der an die Mauer pissen konnte. Dann durcheilten sie erneut ganz Serbien und erreichten Bulgarien. Die beiden Führer, Bātū und Kaydan, hatten nämlich vereinbart, dort eine Heerschau abzuhalten. Sie hielten dort nach Vereinigung ihrer Truppen Hof, gaben vor, den Gefangenen Gnade zu erweisen, und ließen im ganzen Heer durch einen Herold verkünden, daß, wer auch immer freiwillig oder als Kriegsgefangener im Troß des Heeres weile, dank der Milde der Heerführer heimkehren könne, wenn er wolle. Da freuten sich viele Ungarn, Slaven und Leute aus anderen Völkern sehr und trennten sich am festgesetzten Tag vom Heer. Als sie aber zu Hauf zwei oder drei Meilen marschiert waren, fielen Reiterschwärme, die man ihnen nachgesandt hatte, über sie her und machten sie in der Ebene nieder.

Als sich aber König Béla durch Kundschafter vergewissert hatte, daß das gottlose Volk völlig aus dem ganzen Reich abgezogen sei, reiste er unverzüglich nach Ungarn. Die Königin aber blieb mit dem kleinen

Prinzen bis zum September in der Burg Klis. Zwei ihrer Töchter starben im jugendlichen Alter und wurden in der St.-Domnius-Kirche beigesetzt.[62]

Wenn schon die Raserei der Barbaren das ganze Königreich Ungarn schrecklich verwüstet hatte, so trat in ihrem Gefolge eine Hungersnot ein, die das arme Volk dezimierte. Denn solange die Tartaren wüteten, war es den unglücklichen Bauern nicht möglich, auszusäen und die Ernte einzubringen. Da so keine Nahrungsvorräte zur Verfügung standen, brachen die Unglücklichen vom Hunger geschwächt zusammen. Auf den Feldern und Straßen lagen zahllose Leichen, und die Seuche der Hungersnot soll dem ungarischen Volk nicht weniger Opfer abverlangt haben als die schreckliche Pest der Tartaren. Danach aber tauchten wie aus dem Schlund der Hölle zahlreiche reißende Wölfe auf, die nur nach Menschblut dürstend nicht mehr in abgelegenen Gegenden [jagten], sondern ganz offen in die Häuser einbrachen und die Kinder vom Schoß der Mütter raubten; sie zerrissen nicht nur die Kleinen, sondern überfielen auch bewaffnete Männer, die sich auf dem Kriegszug befanden. Von den drei vorgenannten Plagen, dem Schwert, dem Hunger und den wilden Tieren,[63] wurde das gesamte Königreich Ungarn drei Jahre ohne Unterlaß heimgesucht und erhielt so durch göttlichen Ratschluß seine strenge Strafe für seine Sünden.

ANMERKUNGEN

1 Béla IV. (1235–1270), Sohn Andreas' II., wurde am 14. Oktober 1235 gekrönt. Sein fünftes Regierungsjahr dauerte so vom 14. Oktober 1240 bis zum 13. Oktober 1241.

2 Gargano de Arsignis (Arscindis) stammte aus Ancona und wurde am 18. Mai 1239 als Podestá von Spalato vereidigt. Er erscheint in erhaltenen Dokumenten zum ersten Mal am 11. Juli 1239 als Leiter einer Gesandtschaft Spalatos, die einen Waffenstillstand mit Traù abschließt (Smičiklas: CD no. 79, S. 84). Sein zweites Regierungsjahr zählt man daher vom 18. Mai 1240 bis zum 17. Mai 1241. Thomas' Ausbildung und Erfahrung als Notar verleiht seinen Zeitangaben besonderes Gewicht.

3 Die Fürstentümer der Kiever Ruś.

4 Thomas bezieht sich hier auf die Schlacht am Kalka-Fluß (31. Mai 1223), nach der sich die Mongolen unter Činggis Khan – unerklärlich für westliche Chronisten – hinter den Ural zurückzogen. Thomas, der möglicherweise über den Anfangserfolg des Fürsten Mstislav Romanovič von Galič (Galizien) in diesen Kämpfen unterrichtet war, scheint indessen nichts vom tragischen Geschick gewußt zu haben, das den Fürsten Mstislav von Kiev und seine Gefolgschaft später ereilte. So schreibt er fälschlich den Rückzug der Mongolen aus Europa einem russischen Sieg zu. Das erneute Vordringen der Mongolen nach Rußland ordnet er zeitlich kaum wesentlich genauer ein, nach dem Verlauf von „zwanzig oder mehr Jahren". In Wirklichkeit betrug dieser Zeitraum vierzehn Jahre; ein neuerlicher Angriff erfolgte im Winter 1237/38 (vgl. G. Vernadsky: Kievan Russia, 2 nd. ed. [New Haven 1972], S. 237–40).

5 Suzdal' wurde früh, im Februar 1238, eingenommen. Fürst Jurij II. (Georg), Großfürst von Suzdal', wurde in der Schlacht am 4. März 1238 besiegt und getötet. Dieses Ereignis sollte den Zusammenbruch des russischen Widerstandes gegen den mongolischen Angriff symbolhaft verdeutlichen (vgl. Vernadsky: Mongols and Russia, S. 41, und J. Chambers: The Devil's Horsemen: The Mongol Invasion of Europe. New York 1979, S. 74–75).

6 Die frühere Sonnenfinsternis fand nach Thomas am 2. Juni 1239 statt. Zu diesem Zeitpunkt waren alle Sterne am verdunkelten Himmel sichtbar, unter ihnen ein besonders hell leuchtender Stern im Westen, in der Nähe der Sonne (Thomas archidiaconus: Historia pontificum, ed. Rački, cap. 33, S. 121).

7 Ein deutlicher Hinweis auf eine frühe und außerordentliche Einberufung einer Reichsversammlung zu Beginn der Fastenzeit 1241. Thomas läßt die Versammlung in der Burg von Gran stattfinden, während Rogerius sie in Buda lokalisiert (s. oben Klagelied, cap. 15). Die Anwesenheit der Magnaten und hohen Prälaten zusammen mit ihren bewaffneten Gefolgsleuten interessiert im Zusammenhang mit der ungarischen parlamentarischen Entwicklung (vgl. Gy. Bónis, "The Hungarian Feudal Diet (13th–18th Centuries"). In: Recueils de la Société Jean Bodin pour l'histoire comparative des institutions, XXV [1965], S. 293).

8 Koloman (Kálmán), ein Bruder Bélas IV., war der zweite Sohn Andreas' II. und der Gertrud von Andechs-Meran. Er wurde 1208 geboren, heiratete Salome, die Tochter Leszeks (Lesko) von Krakau, im Jahre 1215 und starb an den Wunden, die er im Kampf gegen die Mongolen erlitten hatte, im Jahre 1241 (vgl. die Stammtafel in: Hóman: Geschichte II, S. 185). Koloman, später bezeichnet als Herzog von Dalmatien und Kroatien, wurde von seinem Vater in Zusammenarbeit mit seinem polnischen Schwiegervater 1214 als König von Galič (rex Galicie) eingesetzt und empfing eine goldene Krone von Papst Innozenz III. (vgl. Theiner I, no. 1, S. 1, und A. Haidacher, „Beiträge zur Kenntnis der verlorenen Registerbände Innozenz' III. In: Römische Historische Mitteilungen. IV [1960/61], S. 60, no. 12 und 13).

9 Thomas vergleicht hier den reichen Grundbesitz und die große Zahl von bewaffneten Gefolgsleuten des ungarischen Episkopats mit den begrenzten Mitteln der dalmatinischen städtischen Hierarchie.

10 Matthias von Gran, früherer königlicher Kanzler und Bischof von Waitzen (Vác), wurde zum Primas im Jahre 1239 berufen und erhielt die päpstliche Bestätigung am 6. März 1240. (vgl. F. Knauz: Mon. Eccl. Strigon. I., S. 334).

11 Hugrinus de genere Csák, zugleich Erzbischof von Kalocsa und Bács, war unter Andreas II. von 1217 bis 1219 königlicher Kanzler gewesen. Er wurde 1219 zum Erzbischof gewählt.

12 Man feierte Ostern am 31. März 1241.

13 Bātū Khan, der zweite Sohn von Joči Khan, des ältesten der Činggis-Khan-Söhne, war der erste Herrscher der Goldenen Horde; er starb 1256. Zeitweise war er Senior unter den Enkeln Činggis Khans (vgl. den kurzen Abriß seiner Lebensbeschreibung in Rashid ad-Din: The Successors, S. 107–108. Thomas hält fälschlich Bātū und Quadan für Brüder).

14 Quadan oder Kadan war der sechste Sohn von Ögödäi Khan (1229–1241), von einer Konkubine namens Erkene. Rašīd ad-Dīn berichtet, daß Quadan außer an den europäischen Feldzügen unter Qubilāi (Kubilai) an der Eroberung Chinas teilnahm (The Successors, S. 27–28 und 249). Obwohl er selbst eines der fünf mongolischen Invasionsheere kommandierte,

war er nicht, wie Thomas im folgenden andeutet, einer der mongolischen Generäle in der Schlacht am Sajó.

15 Der Sajó ist ein Nebenfluß der Theiß. Was folgt, ist Thomas' Bericht über die Schlacht von Mohi (11. April 1241), die umfassendste unter allen zeitgenössischen Darstellungen. Obwohl in den Einzelheiten ausgiebiger, stimmt sie in den Grundzügen mit den wichtigsten orientalischen Quellen überein (vgl. Rashīd ad-Dīn: The Successors, S. 56–57, und das Yüan Shih, übersetzt aus dem Chinesischen, Asiatic Sources, 2 vol. London 1888, I, S. 330–332 v. E. Breitschneider).

16 Jacobus de Monte Regali, Meister der Templer in der Ordensprovinz Ungarn und Slavonien (nach dem April 1240 bis zum 11. April 1241). Sein Name wird bezeugt in einer Urkunde, die bestimmte Besitzungen in der Nähe der Priorei von Vrana in Dalmatien übertrug (vgl. Smičiklas: CDIV, S. 121, no. 111).

17 Gregor (Gregorius) war Bischof von Raab (Györ), Suffragan der Kirchenprovinz Gran (Esztergom), vom 1. März 1223 bis zum 12. April 1241.

18 Thomas verschweigt hier merkwürdigerweise den vorübergehenden Aufenthalt Bélas in Österreich und die erpresserischen Forderungen Herzog Friedrichs des Streitbaren (vgl. dazu Rogerius: Klagelied, cap. 32, 33, und Strakosch-Grassmann: Einfall, S. 102–105).

19 Pest wurde Ende April 1241 eingenommen.

20 Thomas setzt hier und in diesem ganzen Kapitel die mongolische Herrschaft mit der Seuche gleich. Er nutzt diese Gelegenheit zu einem lateinischen Wortspiel.

21 Das Dominikanerkloster St. Antonius (gegründet ca. 1230) war Empfänger reicher Besitzungen durch die Schenkungen des Königs und der Magnaten (vgl. Pfeiffer: Dominikaner, S. 29–31).

22 Das östliche Ungarn war vom April 1241 bis zum März oder April 1242 vollständig unter mongolischer Kontrolle, als Ergebnis nicht nur des Sieges von Bātū bei Mohi, sondern auch der Eroberung von Siebenbürgen nach der Einnahme von Hermannstadt (Nagyszeben, Sibiu) am 11. April 1241 (vgl. Rogerius: Carmen miserabile, cap. 34 und Strakosch-Grassmann: Einfall, S. 153–160).

22a Nach Gyula Pauler handelte es sich um die Bischöfe Benedikt von Großwardein, Bulcsu von Csanád und „vielleicht" Gregorius von Raab (Pauler: A magyar nemzet története II, Budapest 1899, S. 513). Aber auch Pauler konnte nicht erklären, welcher Verbrechen man die drei Bischöfe bezichtigte.

23 Lateinisch: *cecarcanus,* offensichtlich ein Synecdochismus ähnlich dem biblischen „Pharao". Obgleich Thomas weiß, daß Bātū und Quadan Untergebene des Großkhans waren, erwähnt er nirgendwo Ögödäi mit Namen. Diese kurze Schilderung der militärischen Erfolge des Großkhans und der Schändung seiner Schwester ist wahrscheinlich eine gekürzte Erzählung, die in

freier Form auf einer Lebensbeschreibung Činggis Khans
basiert; die hier erwähnte Schwester ist vielleicht identisch mit
Börte Fujin, der ersten Gemahlin Činggis Khans, die von den
Merkit entführt wurde (vgl. Bezzola: Mongolen, S. 46). Bezzola
schlägt vor, hier die Geschichte von Temüjins Mutter in der
„Geheimen Geschichte" der Mongolen zu übernehmen.

24 Obwohl Thomas den Unterschied zwischen „Mongolen" und
„Tataren" kennt, verwendet er in seiner Darstellung beständig
den letzteren Begriff. Die Budapester Handschrift verzeichnet
an dieser Stelle „tatar", und diese Variante findet sich hier und
da auch in der Handschrift von Split, so zum Beispiel in der
Kapitelüberschrift „De sevitia tatarorum" (sic!). Die einzige
Erwähnung des Namens „Mongol" findet sich in der vorliegenden Passage; die Handschriften von Split, Budapest und
dem Vatikan bringen sämtlich die Lesung „mangoli". Zu einer
ähnlichen Ableitung des „Tartar" von einem Flußnamen vgl.
C. de Bridia: Historia Tartarorum, S. 4, und Matth. Paris.: CM
IV, S. 78.

25 Eine eingehendere Beschreibung von Waffen und Rüstung bei
den Mongolen einschließlich ihrer Technik, Lederpanzer (für
Pferde) anzufertigen, findet sich bei Plano Carpini, SF I,
S. 76–84.

26 Der tug (tuk), geschmückt mit Yak-Schwänzen.

27 Johannes von Plano Carpini erwähnte auch die Ausdauer der
mongolischen Pferde und deren Fähigkeit, mit sehr wenig
Futter auszukommen (SF I, S. 104). Nach D. Sinor spielte das
Pferd für die Heere Innerasiens dieselbe Rolle wie die Kanone
für die Armeen Europas im Zeitalter der Renaissance („Horse
and Pasture in Inner Asian History", Oriens Extremus XIX
[1972], S. 171–184). Die Zähigkeit der Pferde, die von den
mongolischen Kriegern geritten wurden, mag noch durch
gelegentliche Einkreuzungen mit dem wildlebenden Przewal-
sky-Pferd erhöht worden sein (vgl. S. Bökönyi: The Przewalsky
Horse. London 1974, S. 85–87). Die bemerkenswerte Fähigkeit
des Przewalsky-Pferdes, in rauhem Klima und ungünstiger
Umwelt zu überleben, wurde auch von modernen Zoologen
beobachtet; ebda. S. 54–57.

28 Eine Anspielung auf das bevorzugte Getränk der Mongolen,
vergorene Stutenmilch oder qumizz (qumys); ausführlicher
behandelt dieses Thema Wilhelm von Rubruk (SF I, S. 177–179).
Die Vermischung mit Pferdeblut erinnert an rituelle Pferde-
opfer, wie sie bei eurasischen Nomaden unter Einschluß
der alten Ungarn üblich war (vgl. J. Deér: Heidnisches und
Christliches in der altungarischen Monarchie. Darmstadt
1969[2], S. 62). J. A. Boyle hat die mongolische Sitte, Pferde
zu pfählen, als Opfer für den Himmelsgott Tengri beschrieben („A Form of Horse Sacrifice Amongst the 13th- and
14th-Century Mongols", Central Asiatic Journal X [1965],
S. 145–150).

29 Dieser Brauch wird auch unabhängig voneinander in anderen westlichen, chinesischen und persischen Berichten über mongolische Sitten geschildert (vgl. J. A. Boyle: A Form of Horse Sacrifice, S. 145–146).

30 Thomas' Beschreibung der mongolischen Rundboote, die aus über Weidegeflecht gezogenen Fellen bestanden, wird von arabischen Quellen und auch von Plano Carpini bestätigt (vgl. D. Sinor: "On Water Transport in Central Eurasia", Ural-Altaische Jahrbücher XXXIII, S. 158–159. Vgl. auch Doerfer: Elemente III, S. 229–231, Nr. 1218).

31 Friedrich II. von Hohenstaufen (1212–1250). Thomas mag aus der Entfernung (wenn auch verworren) von Friedrichs Brief vom 20. Juni 1241 an den Senat von Rom erfahren haben, der die Verwüstung Ungarns und die kaiserlichen Absichten, dem weiteren Vorrücken der Mongolen Widerstand zu leisten, meldete (vgl. K. J. Heinisch: Kaiser Friedrich II. in Briefen und Berichten seiner Zeit [Darmstadt 1968]. S. 506–509). Thomas hatte wahrscheinlich weniger Kenntnis vom Brief des Kaisers an alle Fürsten Europas, der in Faenza am 3. Juli 1241 ausgestellt worden war und in dem er gemeinsame Abwehrmaßnahmen unter kaiserlicher Führung forderte (vgl. Matth. Paris, CM IV, S. 112–119).

32 Ob Thomas selbst unmittelbar von den sibyllinischen Prophezeiungen des Pseudo-Methodius erfahren hatte, läßt sich nicht entscheiden, aber einer der maßgebenden Schultexte der Zeit, die Historia scholastica des Petrus Comestor, enthält zum Teil eine Zusammenfassung dieser Prophezeiung, die man dem hl. Methodius zuschrieb (Migne P. L., CXCVIII, coll. 1096–1097). Das Wissen vom wesentlichen Inhalt der Voraussagen des Pseudo-Methodius war in dieser Zeit ziemlich weit verbreitet (vgl. N. Cohn: The Pursuit of the Millenium, New York 1961, S. 18). E. Sackur bemerkt, daß die Zahl der Pseudo-Methodius-Handschriften Legion sind (Sibyllinische Texte und Forschungen. Halle 1898, S. 58).

33 Maria Laskaris (gest. 1270) war die Tochter Theodors I. Laskaris, des Kaisers von Nikaia (1204–1222) und seiner zweiten Gemahlin Philippa von Armenien. Stephan (geb. 1239) folgte seinem Vater auf dem Thron als König Stephan V. (1270–1272).

34 Klis (Clissa), eine strategisch wichtige Bergfestung, neun Kilometer nordöstlich von Spalato, liegt an der Straße, die die Küstenstadt mit dem kroatischen Hinterland verbindet. Der Schutz von Klis war den Templerrittern durch königliches Privileg im Jahre 1217 übertragen worden. Später tauschten die Templer die Burg ein gegen die Festung von Sebenico (Šibenik) (vgl. Smičiklas, CD, IV, S. 602–603, no 520; J. Kolanovič: Vrana i templari [Vrana und die Templer]. In: Radovi Instituta Jugoslavenska Akademije Znanosti i Umjetnosti u Zadru XVIII [1971], S. 221–223).

35 Der Dominikanerkonvent zu Časma (Čazma, Chasma) in Slavonien wurde von Bischof Stephan von Zagreb gegründet (Pfeiffer: Dominikaner, S. 33–34). Der Prior von Časma war einer der drei Prälaten, die von Papst Gregor IX. beauftragt waren, Béla IV. und seiner Familie Schutz zu gewähren und diejenigen mit Kirchenstrafen zu belegen, die in den chaotischen Verhältnissen während des Mongoleneinfalles das Unglück des Königs ausnutzten (Theiner I, 184, no. 240 [16. Juni 1241]). Béla blieb dort später für kurze Zeit im Frühjahr 1242, wie sein Briefregister bezeugt (Szentpétery: Regesta I, S. 214, no. 712 [19. Januar 1242]).

36 Alle Handschriften stimmen in der Lesart „Budalia" überein, die mehr als eine Siedlung zu Buda bedeutet; aber ob Thomas sich auf Ó-Buda (Vetus Buda, Altofen) oder auf Buda (Ofen), die neuere Siedlung gegenüber Pest, bezieht, ist unklar. Vor dem Mongoleneinfall diente Ó-Buda als eine der königlichen Residenzen im Zentrum des Königreiches, wie B. L. Kumorovitz gezeigt hat (Buda [és Pest] fővárossá alakulásának kezdetei, in: Tanulmányok Budapest múltjából [Studien über die Vergangenheit von Budapest], XVIII [1967], S. 7–53 mit deutscher Zusammenfassung, „Die Anfänge des Hauptstadtwerdens von Buda [und Pest]", S. 54–57). (Vgl. J. Deér, Aachen und die Herrschersitze der Arpaden, Mitteilungen des Instituts für österreichische Geschichtsforschung, LXXIX [1971], S. 1–3, 31–35).

37 Gran (Esztergom, Strigonium) war seit Ausgang des 10. Jahrhunderts eines der befestigten königlichen castra, um die herum sich allmählich eine städtische Siedlung bildete. Der Ort diente zugleich als kirchliche Metropole und als eine der königlichen Residenzen (vgl. Gy. Györffy: „Les débuts de l'évolution urbaine en Hongrie", Cahiers de civilisation médiévale, XII [1969], S. 140).

38 Die Lateiner von Stuhlweißenburg (Alba Regia, Székesfehérvár) waren die Nachkommen französischer oder wallonischer Siedler (hospites Latini), die um die Mitte des 12. Jahrhunderts, wahrscheinlich unter der Regierung Stephans III. (1162–1172) in die Stadt einwanderten (vgl. E. Fügedi: Középkori magyar városprivilégiumok [Mittelalterliche ungarische Stadtprivilegien]. In: Tanulmányok Budapest múltjából [Studien über die Vergangenheit von Budapest] XIV [1961], S. 17–103, mit deutscher Zusammenfassung „Ungarische Stadtprivilegien im Mittelalter", S. 104–108; J. Deér: Herrschersitze der Arpaden, S. 11–12). Um die Mitte des 13. Jahrhunderts hatten sich diese cives Latini (auch in Ausweitung für die anderen Bürger der civitas) zugleich ihre bürgerlichen Freiheiten und ihr eigenes Siegel gesichert (A. Kubinyi: „Székesfehérvár középkori oklevéladása és pécsétei [Die mittelalterlichen Urkunden und Siegel der Stadt Stuhlweißenburg] (Székesfehérvár). In: Székesfehérvár Évszázadai [Jahrhunderte Stuhlweißenburgs][2]. Székesfe-

hérvár 1972, S. 151–166, mit einer deutschen Zusammenfassung, S. 167–168).
39 Thomas bezeichnet Quadan immer als „Dux impius".
40 Die Erzählung ist an dieser Stelle etwas unklar. Béla verließ Agram/Zagreb wahrscheinlich Ende Januar. Die Vermutung von Strakosch-Grassmann (Einfall der Mongolen, S. 162–163), der König habe zunächst Zuflucht bei den Herren von Veglia auf der Insel Arbe/Rab im Quarnero gefunden, wurde bereits von Gyula Pauler (A magyar nemzet története, II, S. 514) widerlegt. Pauler konnte nachweisen, daß Strakosch-Grassmann seine Annahme auf gefälschte Urkunden stützte. Verbürgt ist nur, daß Béla zuerst nach Spalato/Split, später nach Traù/Trogir floh, wo er bis zum Mai blieb.
41 Stephan II., Bischof von Zagreb (1225–1247). Magister Stephan, päpstlicher Subdiakon und designierter Bischof von Zagreb, amtierte 1225 als königlicher Kanzler. Er wurde später zum Erzbischof von Spalato gewählt (1242), aber da nach dem Tode Gregors IX. eine längere Sedisvakanz auf dem Stuhl Petri eintrat, wurde die Wahl Stephans nie bestätigt, und dieser blieb in Zagreb.
42 Magister Stephan de genere Bancsa war für kurze Zeit königlicher Kanzler und Propst von Waitzen (Vác), kurz bevor er zum Bischof von Waitzen ernannt wurde (1240–1242). Nach dem Tode des Erzbischofs Matthias von Gran (Esztergom) bei Mohi wurde Stephan zum Primas gewählt, aber seine Wahl konnte erst am 7. Juli 1243 bestätigt werden. Im Sommer 1241 weilte er als Gesandter am Hofe Friedrichs II. Er starb im Jahre 1266.
43 Magister Benedikt diente als königlicher Vizekanzler und Propst von Buda von Februar/März 1239 bis ante 14. Juli 1240. Zu diesem Zeitpunkt wird er zum ersten Mal erwähnt als Kanzler und Propst zu Stuhlweißenburg. Nach dem Tode des Erzbischofs Hugrinus bei Mohi zu dessen Nachfolger gewählt, findet er am 23. September 1241 Erwähnung als electus Colocensis. Innozenz IV. bestätigte die Wahl am 15. Juli 1243. Benedikts Versuche, in den Jahren 1252–1253 auf den erzbischöflichen Stuhl von Gran zu gelangen, scheiterten, da er die päpstliche Zustimmung nicht erreichen konnte. Er starb 1254.
44 Bartholomäus, Bischof von Fünfkirchen (Quinqueecclesiae, Pécs) seit 1219, legte 1252 sein Amt nieder und starb nach dem Mai des Jahres 1253.
45 Magister Hugrinus de genere Csák studierte für zwölf Jahre an der theologischen Fakultät zu Paris. Seine kirchliche Karriere wurde von seinem Onkel und Namensvetter, dem Erzbischof von Kalocsa, gefördert. 1244 trat er auf als königlicher Kandidat für das Amt des Erzbischofs von Spalato. Seine Wahl wurde von Innozenz IV. bestätigt, und er erhielt die Weihe am 20. September 1247 im Alter von 40 Jahren. Er starb am 27. November 1248.

46 Magister Achilles de genere Hont-Pázmán folgte dem Magister Benedikt als Propst von Stuhlweißenberg. Er wird erstmals 1243 als königlicher Vizekanzler erwähnt. Später wurde er zum Bischof von Fünfkirchen ernannt (1252–1253/54).

47 Vinzenz ist als Propst von Großwardein (Nagyvárad, Oradea) aus Urkunden von 1242 und 1244 bekannt. Im dazwischenliegenden Jahr (1243) wurde er zum Bischof von Großwardein gewählt (1243–1254/56).

48 Thomas, Propst von Buda, wird in einer königlichen Urkunde 1243 erwähnt. Er scheint der Nachfolger von Magister Benedikt in Buda gewesen zu sein.

49 Dionysius de genere Türje war Ban von Slavonien (1241–1245). Als Mitglied der königlichen Hofhaltung hatte er dreimal (1235–1239, 1245–1246 und 1248) das Amt des Palatins bekleidet. Er war auch königlicher Schatzmeister (1246–1248).

50 Vladislaus (Ladislaus) de genere Kán war von 1242 bis 1245 Palatin und zwischen 1245 und 1246 Ban von Slavonien.

51 Matthaeus de genere Csák war königlicher Schatzmeister von 1242 bis 1245.

52 Orlandus (Lorant, Roland) de genere Rátót war tatsächlich königlicher Kämmerer (1242–1245), nicht Oberstallmeister. Unter Béla IV. verwaltete Orlandus die meisten der wichtigsten Ämter am Königshof: Mundschenk (1241–1242), Hofgraf (1246–1248), Palatin (1244, 1251, 1254–1257, 1264) und Ban von Slavonien (1263–1264). Zur Diskussion um Herkunft und Bedeutung der Rátót-Familie vgl. Szabolcs de Vajáy: Rayonnement de la „Chanson de Roland", Le couple anthroponyme Roland et Olivier en Hongrie médiévale. In: Le Moyen âge 68 (1962), S. 321–329.

53 Demetrius de genere Csák war Hofgraf (comes curiae regiae) zwischen 1242 und 1243.

54 Mauritius de genere Pok war königlicher Mundschenk von 1242 bis 1245; später diente er als Kämmerer (1246–1250) und Schatzmeister (1260–1267).

55 Obwohl Traù (Trogir) selbst eine Insel ist, ergriff Béla eine zusätzliche Vorsichtsmaßnahme und verlegte seine Hofhaltung weiter nach Westen, auf die nahegelegene Insel Bua (Čiovo).

56 Lateinisch: Sirbium. B. Hóman hat diesen Wasserlauf als Fluß Una (Unna) identifiziert (Geschichte II, S. 152). Aber diese Gleichsetzung ist unklar. Obwohl einer der kleinen nördlichen Nebenflüsse der Una, der Srebrnjak, der in den größeren Fluß südwestlich von Bosanski Novi mündet (vgl. E. Dickenmann: Studien zur Hydronymie des Savesystems II, Heidelberg 1966, S. 117), eine günstige Stelle für ein mongolisches Lager bieten könnte, ist doch eine Örtlichkeit weiter südlich vorzuziehen. V. Klaić wies nach, daß dieser Fluß die Srebrenica im Lika-Distrikt ist, die in die obere Una beim Städtchen Srb mündet (Povijest Hrvata [Geschichte der Kroaten] [Zagreb 1899], I. S. 225). Diese Identifizierung wird bestätigt durch das Wörterbuch

der Jugoslawischen Akademie (Rječnik hrvatskoga ili srpskoga jezika [Wörterbuch der kroatischen oder serbischen Sprache], sv. 68 [Zagreb 1956] sub verbum „Srebrenica;, S. 248). Ich schulde meinem Kollegen Professor Thomas F. Magner Dank für die Hilfe bei der Identifizierung dieses Toponyms.

57 Diese Passage ist ein gutes Beispiel für Thomas' feinen Sinn für Ironie.

58 Thomas bezieht sich hier nur auf den schmalen fruchtbaren dalmatinischen Küstenstreifen, der durch das 800–1300 m hohe Karstgebirge vom Binnenland abgeschnitten war und nicht ausreichend Weideland bieten konnte, um den Bedarf der gesamten mongolischen Reiterei zu decken.

59 Johannes von Plano Carpini und Wilhelm von Rubruk berichten, es habe unter den Mongolen Dolmetscher gegeben, die verschiedene Sprachen lesen und sprechen konnten. Quadans Gebrauch der slavischen Sprache, um die Einwohner von Traù anzusprechen, war eine geschickt gewählte Kriegslist, um die Ungarn von den Slaven zu trennen. Er deutet darauf hin, daß die Mongolen Spannungen zwischen beiden Gruppen vermuteten und daß zugleich die Mehrheit der Bevölkerung von Traù zu dieser Zeit slavisch war.

60 Lateinisch: per ducatum provincie bosnensis. Vermutlich meint Thomas das Gebiet, das Matthaeus Ninoslav, dem Ban von Bosnien (ca. 1232 bis ca. 1249), unterstellt war.

61 Nach Thomas verlief die Grenze zwischen dem nördlichen Dalmatia inferior und dem südlichen Dalmatia superior bei Ragusa (Dubrovnik). Im 11. Jahrhundert stieg Ragusa zum Metropolitansitz für die südliche Kirchenprovinz auf, die u. a. Cattaro (Kotor), Drivasto (Drivast) und Svač einschloß. Die gründlichste Studie zu dieser wesentlichen Unterscheidung in Thomas' Werk ist M. Barada, „Dalmatia Superior", Rad, Jugoslovenska Akademija Znanosti i Umjetnosti CCLXX (1949), S. 93–113.

62 Die Kathedrale von St. Domnius war Sitz des Erzbischofs von Spalato. Man hatte sie in das frühere Mausoleum des Kaisers Diokletian eingefügt. Das Grab der beiden Prinzessinnen Margarethe und Katharina ist noch im Porticus der Kathedrale zu besichtigen.

63 Eine Anspielung auf die dreifache Zerstörung Israels, wie sie bei Ezekiel 38, 20–22 prophezeit und vielleicht weiterverbreitet wurde durch die Überlieferung des Pseudo-Methodius.

Ein Brief
eines ungarischen Bischofs

VORBEMERKUNGEN

Der „Brief eines ungarischen Bischofs" blieb der Nachwelt in teilweise erheblich voneinander abweichenden Fassungen in zwei zeitgenössischen Chroniken erhalten: den Additamenta der Chronica Maiora des Matthaeus Parisiensis und in den Annalen von Waverley.

Zum Mongolenbild des Matthaeus Parisiensis vgl. Bezzola: Mongolen, S. 53–57, 63–65, und J. J. Saunders: Matthew Paris and the Mongols. In: Essays in medieval history presented to Bertie Wilkinson. Toronto 1969, S. 116–132.

Als Absender des Briefes hat ein hoher ungarischer Prälat zu gelten – beide Quellen sprechen übereinstimmend von einem Bischof –, der offenbar enge Beziehungen zum Königshof unterhielt! Wer sich allerdings hinter der Gestalt des Bischofs verbirgt, konnte bislang nicht hinreichend geklärt werden. Nur soviel scheint sicher, daß es sich um eine Persönlichkeit gehandelt haben muß, die in hohem Maße das Vertrauen des Königs besaß. Nur einen solchen Mann konnte Béla mit der Bewachung und dem Verhör gefangener mongolischer Kundschafter betrauen. Manches spricht dafür, wie schon Denis Sinor vermutete, daß als Verfasser des Schreibens der Bischof Stephan von Waitzen (Vác) in Frage kommt (vgl. D. Sinor: Un voyageur du treizième siècle: le Dominicain Julien de Hongrie. In: Bulletin of the School of Oriental and African Studies XIV, 3 [London 1952], S. 599).

Dieser Prälat gehörte zu den vertrautesten Mitarbeitern und Beratern des Königs und hat mehrfach im Auftrag des Hofes schwierige Missionen übernommen. So sandte Béla IV. ihn nach der Niederlage gegen die Mongolen 1241 an den Hof Friedrichs II., um vom Kaiser militärische Hilfe zu erbitten. Béla IV. hat Stephan für seine Dienste entsprechend belohnt. 1237–1240 bekleidete Stephan das Amt des Kanzlers am königlichen Hof. 1240 auf den bischöflichen Stuhl von Waitzen gelangt, verwaltete er diese Diözese zwei Jahre, bis er 1242 nach dem Tode des Erzbischofs Matthias von Gran zu dessen Nachfolger erhoben wurde.

In die Zeit der Kanzlerschaft Stephans fallen die Ereignisse, die im vorliegenden Brief beschrieben werden. Die Tataren hatten auf ihrem Westfeldzug nach der Niederwerfung der Volgabulgaren und zahlreicher russischer Städte 1239 den Dnepr erreicht. Sie konnten den Fluß, so der ungarische Bischof, im Sommer nicht überschreiten und zogen sich zurück, um den Winter abzuwarten. Da die Eroberung Kievs, die am 6. Dezember 1240 erfolgte, noch nicht vermerkt wird, muß der Brief vor diesem Zeitpunkt abgefaßt worden sein und schildert die Ereignisse der Jahre 1239 und 1240. Als Kanzler hatte Stephan, dessen Amt durch die Reform der kgl. Kanzlei erheblich an Bedeutung gewonnen hatte, Zugang zu allen Neuigkeiten, die über das Vordringen der Mongolen eintrafen. Die Nachrichten, die er zum Teil aber auch aus dem Verhör der eingebrachten mongolischen Kundschafter beziehen konnte, haben unterschiedlichen Aussagewert. Sie sind einerseits noch dem überlieferten Bild verhaftet, das sich die abendländische Welt seit Jahrhunderten von den heidnischen Völkern Gog und Magog geformt hatte, die fern im Nordosten von Alexander d. Gr. mit ihren Toren eingeschlossen worden seien und dereinst aufbrechen würden, um am Ende der Tage die christliche Welt zu vernichten. Andererseits zeugt der Bericht von bemerkenswerten Detailkenntnissen, die sich der Autor über Aussehen und Lebensgewohnheiten, Bewaffnung und Heeresorganisation der Mongolen erworben hatte. Ob es nun die Hinweise auf die uigurische Schrift der Mongolen, auf buddhistische Mönche, die Leibwache des Großkhans oder die militärische Disziplin sind, man erfährt wichtige Einzelheiten, die sich den älteren Reiseberichten der ungarischen Dominikaner nicht entnehmen lassen. Freilich, manches bleibt ungeklärt, wie der Absender des Briefes ungescheut eingesteht, wenn er erklärt: „Sichere neue Nachrichten können wir über sie nicht erhalten." Für die Nachrichtensperre macht er wie früher schon Riccardus die kriegerischen Mordvinen verantwortlich. Anders als Riccardus aber rechnet der Bischof die Mordvinen bereits zu den Hilfsvölkern der Mongolen, die diesen voranzogen. Tatsächlich war ja bereits 1238 wenigstens ein Teil der Mordvinen, wie uns auch Julian berichtet, dem Ansturm der Mongolen erlegen.

Stephan läßt sein Schreiben ausmünden in eine eindringliche Warnung vor einem Angriff der Mongolen und in die inständige Mahnung, rechtzeitig geeignete Gegenmaßnahmen zu ergreifen. Freilich richtete sich ein solcher Aufruf wohl weniger an den von Matthaeus Parisiensis genannten Bischof von Paris, Guillaume d'Auvergne, der aus eigener Kraft wohl kaum die für eine Abwehr der mongolischen Bedrohung erforderlichen Vorbereitungen hatte treffen können. Der Alarmruf galt vielmehr dem französischen König, Ludwig IX., dem Heiligen (1226–1270). Der Bischof von Waitzen aber hat als königlicher Kanzler sein Schreiben vermutlich im Auftrag Bélas IV. aufgesetzt. Béla selbst berichtet ja in seinem berühmten Brief an Papst Innozenz IV. von einem Hilferuf, den er an den König von Frankreich gerichtet habe. Nun mag dahingestellt bleiben, ob dieses Hilfeersuchen mit dem vorliegenden Schreiben identisch ist. Nicht aufrechtzuerhalten ist indessen der wiederholt erhobene und auch in einem Schreiben Kaiser Friedrichs II. an Heinrich III. von England anklingende Vorwurf, Béla habe es versäumt, sich rechtzeitig auf die Abwehr der Mongolen vorzubereiten. Gegen diese Anklage hat sich auch Béla später zur Wehr gesetzt.

Die vorliegende Übersetzung basiert auf der lateinischen Fassung, die in den Additamenta der Chronica Maiora des Matthaeus Parisiensis erhalten geblieben ist. Abweichende Textstellen der Annales Waverleienses sind in Klammern und Kursivdruck eingefügt.

TEXT

Von den Tartaren berichte ich Euch, daß sie sich bis auf fünf Tagereisen der Grenzregion Ungarns genähert hatten. Sie gelangten an einen Fluß mit Namen Deinphir[1] [Ann. Wav.: *Damaius*], den sie im Sommer nicht überschreiten konnten. Da sie aber den Winter abwarten wollten [Ann. Wav.: *Sie wollten den Winter abwarten, um den obengenannten Fluß auf dem Eise überqueren zu können. Sie zogen sich daher um gut zwanzig Tagereisen zurück und erwarteten dort den Winter.*], sandten sie einige Kundschafter nach Rußland vor. Zwei dieser Kundschafter wurden gefangen, dem ungarischen König [Béla IV.] übergeben und mir zur Obhut anvertraut.[2] [Ann. Wav.: *Ich behielt beide lange unter meiner Aufsicht.*] Von ihnen erfuhr ich die Neuigkeit, die ich Euch mitteile. [Ann. Wav.: *Ich erfuhr von ihnen die Neuigkeit, die ich in einem mit meinem Siegel verschlossenen Brief nach Frankreich meldete.*] Ich fragte sie, wo ihre Heimat liege, und sie erwiderten, daß sie jenseits der Berge an einem Fluß Egog sei. [Ann. Wav.: *Ich fragte sie, wo ihre Heimat sei, sie behaupteten, daß sie jenseits bestimmter Berge liege, in der Nachbarschaft eines Volkes, das den Namen Gog führe.*] Ich nehme an, daß es sich um jenes Volk handelt, das den Namen Gog und Magog trägt.[3] Ich fragte nach ihrem Glauben, und, um es kurz zu sagen, sie glauben an nichts.[4] Sie teilten mir mit, sie seien aufgebrochen, um die Welt zu erobern.[5] [Ann. Wav.: *Sie zogen aus zur Welteroberung. Denn sie sind selbst überzeugt, die ganze Welt erobern zu können.*] Sie benutzen die Schrift der Juden, weil sie über eigene Buchstaben früher nicht verfügten.[6] Ich fragte, wer sie diese Schrift gelehrt habe, und erhielt die Antwort,

es seien bleiche Leute, die viel fasteten, lang herab-
wallende Gewänder trügen und niemandem etwas
Böses zufügten.[7] Aus vielen anderen Umständen, die
sie mir über jene Menschen berichteten und die mit
dem Irrglauben der Pharisäer und Sadduzäer übereinstimmen, folgere ich, daß jene Sadduzäer oder Pharisäer sind.[8] Sie kennen, wie sie mir weiter auf meine
Frage erklärten, keine Speisevorschriften, sondern
vertilgen alles ohne Unterschied, darunter Frösche,
Hunde und Schlangen.[9] Ich erkundigte mich, wie sie
aus den Bergen, hinter denen sie wohnten, gekommen
seien. [Ann. Wav.: *Sie erzählten aber, daß ihre
Vorfahren wohl dreihundert Jahre und mehr Bäume
gefällt und Felsen gesprengt hätten, bevor sie heraus-
kamen.*] Sie behaupteten, daß jenes Gebirge sich
zwanzig Tagesreisen in die Länge und Breite aus-
dehne. [Ann. Wav.: *Als ich sie nach der Größe ihres
Heeres fragte, erhielt ich von ihnen zur Antwort, daß
es sich zwanzig Tagemärsche in die Länge und zehn
in die Breite erstrecke.*] Zwölftausend [Ann. Wav.:
dreizehntausend] Krieger säßen ständig zu Pferd, um
ihr Heer zu schützen.[10] Sie verfügen über gute, aber
dumme Pferde. [Ann. Wav.: *Und sie haben gute, aber
feurige Pferde.*] Denn viele Pferde folgen ihnen ohne
Reiter. Einem Reiter folgen daher zwanzig oder
dreißig Pferde.[11] Sie haben Brustpanzer aus Leder, die
an Stärke eiserne Rüstungen übertreffen. Auch die
Pferde werden auf ähnliche Weise geschützt.[12] Sie
können nicht zu Fuß kämpfen, weil ihre Beine kurz
sind, ihr Rumpf aber lang. Sie sind als Bogenschützen
den Ungarn und Kumanen überlegen und verfügen
über bessere Bögen.[13] [Ann. Wav.: *Sie sind ausge-
zeichnete Bogenschützen. Niemand kommt ihnen
darin gleich. Und sie spannen stärkere Bogen als die
Türken.*] Sobald sie in ein Land einfallen, töten sie
alle Einwohner. Schonung gewähren sie nur den
Knaben, denen ihr Herrscher Zingiton [Ann. Wav.:
Churchitan], bei ihnen als König der Könige verehrt,
sein Besitzzeichen in das Gesicht brennen läßt.[14] Es

gibt bei ihnen 42 Ratgeber, denen Zingiton [Ann. Wav.: *Churchitan*] sein Siegel anvertraut.[15] Niemand im ganzen Heer wagt zu sprechen, es sei denn mit lauter Stimme, und niemand erdreistet sich zu fragen, wohin unser Herrscher [Ann. Wav.: *ihr Herrscher*] geht oder was er zu unternehmen beabsichtigt. Sie trinken Pferdemilch und sind oft berauscht.[16] [Ann. Wav.: *Sie trinken die Milch von Pferden und anderen großen Tieren und sind davon berauscht.*]
Sichere neue Nachrichten können wir über sie nicht erhalten. Denn vor ihnen ziehen gewisse Völkerschaften einher, die man als Mordvinen bezeichnet und die alle Menschen ohne Unterschied töten,[17] [Ann. Wav.: *Noch weitere Neuigkeiten wollten die heiden mitteilen: auf welchem Wege manche Völkerschaften, die man Mordvinen nenne, vor ihnen herzögen. Diese töteten unterschiedslos alle Menschen, auf die sie träfen.*] Kein Mensch wagt bei diesen (den Mordvinen) Stiefel zu tragen, bevor er nicht einen Mann erschlagen hat.[18] Auch glaube ich, daß von Mordvinen die Dominikaner, Franziskaner und anderen Gesandten ermordet wurden, die der ungarische König zur Erkundung ausgesandt hatte.[19] [Ann. Wav.: *Außerdem sollt Ihr wissen, daß sie, so schnell es geht, angreifen werden.*][20] Zweifellos haben sie (die Mongolen) alle Länder bis zu dem oben erwähnten Fluß[21] heimgesucht und verwüstet. [Ann. Wav.: *Alle, die diese Nachricht vernehmen, mögen sich vorsehen und diese Meldungen ernst nehmen. Man wird all dies noch mit eigenen Augen sehen und erleben in den nächsten fünf Jahren. Das sage ich, ein ungarischer Bischof, so wie ich es glaube. Und damit dies in Paris bekannt werde und mit Gottes Hilfe ein guter Beschluß gefaßt werden soll, habe ich die Nachricht niedergeschrieben und versiegelt einem meiner Archidiakone, der Scholar in Paris war, übersandt.*]

ANMERKUNGEN

1 Der Dnepr.

2 Es handelt sich demnach, wie auch der Frage-und-Antwort-Katalog zeigt, in den der Bericht gekleidet ist, um authentische Nachrichten, die zum Teil als Ergebnis einer Gefangenenvernehmung zu werten sind.

3 Ein Fluß Egog ist aus anderen Quellen nicht bekannt. Der offenbar vom Autor erfundene Name wird in Beziehung gesetzt zum biblischen Volk Gog und Magog (vgl. oben S. 274).

4 D. h., die Gefangenen bekannten sich zu keiner der dem Autor vertrauten Hochreligionen (Christentum, Islam, Judentum).

5 Zum Weltherrschaftsgedanken der Mongolen vgl. oben S. 103 f., 115 f.

6 Hier liegt ein Mißverständnis vor. Die Mongolen benutzten nicht hebräische Buchstaben, sondern bedienten sich der uigurischen Schrift (Grousset: Steppenvölker, S. 350; Spuler: Mongolen in Iran, S. 452).

7 Buddhistische Mönche. Der Buddhismus war bei den Uiguren bereits im 7. Jahrhundert eingeführt worden.

8 Die Schilderung der buddhistischen Mönche überforderte so sehr die Vorstellungskraft des Autors, daß er es vorzog, sie den ihm vertrauteren jüdischen Pharisäern und Sadduzäern zuzuordnen.

9 Die Nachrichten über hinter Gebirgen eingeschlossene heidnische Völker, die als Barbaren keinerlei Speisevorschriften kannten, entsprachen völlig dem im Mittelalter weit verbreiteten Bild von Gog und Magog (vgl. A. R. Anderson: Alexander's Gate, Gog and Magog and the Inclosed Nations. Cambridge, Mass. 1932, S. 14). Mit Recht hat daher Gian Andri Bezzola bemerkt: „Man spürt hier geradezu die Absicht des Fragestellers" (Bezzola: Mongolen, S. 55).

10 Hier wird Bezug genommen auf die Leibwache des Großkhans, die als Gardetruppen den Wachdienst *(hesik)* in der Umgebung der Palastjurte zu versehen hatten und zugleich den Kern *(qol)* des mongolischen Heeres bildeten. Činggis Khan erhöhte die Zahl dieser Garden im Jahre 1206 auf 10.000 Mann („Geheime Geschichte", ed. E. Haenisch, § 224, S. 104). Später scheint eine nochmalige Verstärkung der Leibgarden vorgenommen worden zu sein. Beziffert doch auch Marco Polo deren Zahl auf 12.000 Mann (Marco Polo: Description I, S. 217).

11 Die Zahl scheint übertrieben. Immerhin hat jeder mongolische Krieger mehrere Reservepferde mitgeführt. So standen in der

Goldenen Horde um 1337 jedem Soldaten zwei Sklaven, *fünf* Pferde und dreißig Schafe als Troß zur Verfügung (Spuler: Goldene Horde, S. 377).

12 Eine ausführliche Beschreibung der Lederpanzer der mongolischen Krieger und ihrer Pferde gibt uns Plano Carpini. SF I, S. 77–79.

13 Zu den mongolischen Bogenschützen vgl. oben S. 105, 118.

14 Eine Art „Knabenlese" haben die Mongolen in der Ruś wie im Iran durchgeführt (Spuler: Goldene Horde, S. 332; Spuler: Mongolen in Iran, S. 307).

15 Alle offiziellen mongolischen Dokumente trugen einen Siegelstempel, die sog. Tamga.

16 Vgl. oben S. 79, 89.

17 Wie andere Hilfsvölker kämpften Mordvinen, deren kriegerischen Geist die Mongolen hochschätzen mochten, an der Spitze des mongolischen Heeres. Freilich leisteten sie ihren neuen Herren anscheinend widerwillig Kriegsdienst, Denn in der Folgezeit kam es wiederholt zu blutigen Aufständen, in deren Verlauf die Mordvinen die Mongolenherrschaft abzuschütteln suchten (PSRL X, S. 211; XXIV, S. 168).

18 Schon Riccardus berichtete, daß Kopfjagd und Mannbarkeitsriten bei den Mordvinen in engem Zusammenhang standen (vgl. dazu H. Göckenjan: Bild der Völker, S. 135–136). Offensichtlich kannte der Autor des Briefes die Reiseberichte der ungarischen Dominikaner.

19 Demnach waren auch Franziskanermönche an der Suche nach „Magna Hungaria" beteiligt.

20 Nachrichten über einen bevorstehenden Angriff der Mongolen hatte ja schon Julian 1237 mit nach Ungarn gebracht. Sie wurden nun durch das Verhör der mongolischen Kundschafter bestätigt.

21 Bis zum Dnepr.

Brief König Bélas IV.
an den deutschen König
Konrad IV.

VORBEMERKUNGEN

Das Original des Schreibens ist verlorengegangen. Eine Abschrift liegt vor im sog. Baumgartenberger Formelbuch (Wiener Hofbibliothek Nr. 409. Handschrift 52/a).

Der Text wurde mehrmals veröffentlicht, so bei J. v. Hormayr-Hortenburg: Die goldene Chronik von Hohenschwangau. München 1842. II, S. 65; Wenzel AUO II, S. 126–127; H. Baerwald: Das Baumgartenberger Formelbuch (Fontes rerum Austriacarum II. XXV.). Wien 1866, S. 347.

Eine Datierung des Schreibens fehlt, ist aber aus dem Textzusammenhang zu erschließen, der einen Hinweis auf die Gesandtschaft des Bischofs Stephan im Frühjahr 1241 enthält. Der Brief läßt sich mit einem anderen Schreiben in Verbindung bringen, das der König vorher an Friedrich II. gerichtet hatte. Béla IV. hatte darin den Kaiser um Hilfe gebeten mit dem Versprechen, dem Staufer künftig Lehnsfolge zu leisten (Ryccardus de Sancto Germano: Chronica. In: Rerum Italicarum Scriptores VII/2 [1936–1938], S. 209f.; Annales Sancti Pantaleonis Coloniensis MGH SS XXII, S. 535). In seinem bei Matthaeus Parisiensis erhaltenen Antwortschreiben (CM IV, S. 114) stellt Friedrich II. Hilfe in Aussicht, bittet aber Béla, sich an seinen Sohn, König Konrad, zu wenden. Tatsächlich stellte Konrad in Bayern ein Heer auf, offenbar aber mehr in der Absicht, die Reichsgrenzen zu schützen als den Ungarn zu helfen. Denn als ihm im Juli gemeldet wurde, daß die Mongolen an der Donau Halt gemacht hatten, entließ er sein Aufgebot (vgl. B. Hóman: Geschichte II, S. 149).

Dem ruhmreichen Herrn Konrad[1], von Gottes Gnaden erlauchtem König Deutschlands, entbietet Béla,
von derselben [göttlichen] Gnade König von Ungarn,
seinen Gruß und seine Bereitschaft, ihm gefällig zu
sein.

Wir sind gezwungen, bittere Schmerzensklagen, die
aus tiefstem Herzen kommen, zu erheben und unsere
Freude in tiefe Trauer zu verwandeln. Befürchten wir
doch wegen des unglücklichen Ausgangs unserer
Geschicke den Untergang der Christenheit. Denn
unser Erlöser entfachte, überdrüssig der alles über-
treffenden Bosheit unseres Zeitalters, einen solchen
Sturm, daß das Schiffchen der Gläubigen nicht nur
durch die Wogen hin und her geworfen wurde,
sondern ganz unterzugehen drohte, wenn nicht der
Herr auf das Geschrei der Jammernden hört und dem
bedrängten Volk endlich zu Hilfe eilt.[2]

Denn Er, auf dessen Geheiß die Welt regiert wird, ließ
um der Sünden der Menschen willen, wie wir fest
glauben, zu, daß barbarische Völker, die sich Tartaren nennen, aus dem Osten wie Heuschrecken aus der
Wüste vordrangen[3] und Groß-Ungarn, Bulgarien,
Kumanien und Rußland, aber auch Polen und Mähren verwüsteten. Lediglich einige Burgen, die sich bis
zum heutigen Tage selbst verteidigen, blieben verschont.[4] Eine zahllose Menschenmenge wurde elend
abgeschlachtet. Nachdem sie die [eroberten] Länder
neuen Bewohnern überlassen hatten,[5] besetzten sie –
oh Unglück – erst neulich unser ganzes Königreich
jenseits der Donau.[6] Mit großem Schmerz berichten
wir, daß verehrungswürdige Erzbischöfe, Bischöfe,
Äbte, Mönche, Franziskaner und Dominikaner sowie
Nonnen, Frauen und Mädchen, die man vorher

schändete, und eine zahllose Volksmenge erbärmlich hingemordet wurden. Da wir nun bewaffneten Widerstand leisteten und mit jenen nicht ohne große Verluste an Menschen und Gütern kämpften, war uns das Schicksal erneut ungünstig. Er, auf den wir unseren Hoffnungsanker geworfen hatten, ließ uns um unserer Sünden willen unterliegen.

Übrigens planen sie, wie wir aus sicherer Quelle erfuhren, bei Anbruch des Winters Deutschland zu überrumpeln und hoffen, wenn erst jeder Widerstand dort gebrochen ist, alle Reiche und Länder zu besetzen.[7] Da also, nach den Erfahrungen der Vergangenheit gegenwärtig nicht nur unser Geschick, sondern das der ganzen Christenheit auf dem Spiel steht, unser Schutzwall aber schon teilweise zusammengebrochen ist, bitten und ermahnen wir Euch inständig und unter flehentlichen Gebeten zum Herrn, daß Ihr um der Verehrung des Namens Christi willen uns und mehr noch der ganzen Christenheit ohne Verzug zu Hilfe eilt und Eure Untergebenen mit Bitten und Ermahnungen zum frommen Werk anspornt. Solltet Ihr aber unsere Bitten, die wir im Namen der Christenheit an Euch richten, erhören und durch Eure Hilfe wie die anderen Gläubigen die Gefahr abwenden, die der ganzen Welt droht, so wollen auch wir Euch ewig zu Dank verpflichtet sein. Im übrigen möchten diejenigen, die sich des göttlichen Auftrages würdig erweisen und uns ihre Hilfe zukommen lassen, uns ihre Ankunft ankündigen, damit wir ihnen an der Grenze unseres Reiches einen ehrenvollen Empfang bereiten. Wenn aber der Überbringer dieses Schreibens als unser Bote berichtet, so wollt Ihr ihm gnädig Euer Vertrauen schenken.

ANMERKUNGEN

1 König Konrad IV. (1250–1254), zweitältester Sohn Friedrichs II. aus dessen Ehe mit Isabella II. (Jolanthe) von Brienne, der Erbin des Königreiches Jerusalem. Konrad war noch zu Lebzeiten seines Vaters 1236 zum König gewählt und mit der Wahrnehmung der kaiserlichen Interessen in Deutschland betraut worden.

2 Hier wird angespielt auf die Bändigung des Sturmes durch Jesus auf dem See Genezareth (Mk 4, 35–41).

3 Offb 9, 1–12; vgl. auch die Darstellung der Heuschreckenplage im Alten Testament. Joel 1,1–12. Der Vergleich zwischen den Mongolenheeren und Heuschreckenschwärmen findet sich auch bei arabischen Autoren, so bei Al-'Umarī (Das Mongolische Weltreich, S. 95).

4 Diese Burgen werden namentlich in einem Brief ungarischer Prälaten an den Papst erwähnt (vgl. unten S. 295).

5 Ein Hinweis auf die Kolonisation der eroberten Länder (vgl. oben S. 26, 35).

6 Das Land nördlich und östlich der Donau.

7 Von den Absichten der Mongolen, gegen Rom und die abendländischen Fürsten zu ziehen, hatten schon Julian und seine Confratres berichtet. Auf deren Information bezieht sich Béla hier offensichtlich (vgl. auch Anm. 50 zum Bericht Julians).

Schreiben der Ungarn
an den Papst
vom 2. Februar 1242

VORBEMERKUNGEN

Der Originaltext des Schreibens ging verloren. Eine Kopie des Briefes aus dem Jahre 1702 wird in der Stadtbibliothek von Siena aufbewahrt (Siena Biblioteca Comunale B VI 14 p. 218–221) und trägt den Vermerk „Si conserva la detta lettera in detto Archivio di S. Domenico al numero 928". Ursprünglich befand sich das Schreiben zusammen mit drei anderen ungarischen Briefen, die in derselben Angelegenheit an den Papst bzw. das Kardinalskollegium gerichtet waren, aber nie ihre Adressaten erreichten, im Besitz des Sieneser Dominikanerklosters. Von den drei letztgenannten Briefen blieben nur Auszüge erhalten (vgl. den Text in MIÖG XXXVI [1915/16], S. 662–663. Die wissenschaftliche Edition des erhaltenen Briefes besorgte F. Schneider: Ein Schreiben der Ungarn an die Kurie aus der letzten Zeit des Tatareneinfalles [2. Februar 1242]. In: MIÖG XXXVI [1915/16], S. 661–670. Text: S. 668–670.)
Der vorliegende Brief ist datiert vom 2. Februar, ohne Angabe der Jahreszahl. Aus dem Textzusammenhang geht aber eindeutig hervor, daß es sich um das Jahr 1242 handeln muß. Das Schreiben wurde demnach vierzehn Tage nach dem ersten Brief, den Béla IV. am 19. Januar 1242 an die Kurie sandte, aufgesetzt, zu einem Zeitpunkt, als der König nicht mehr in Ungarn, sondern in Kroatien, im Kloster Časma bei Zagreb, weilte. Die Absender, zu denen die Kapitel von Stuhlweißenburg, Gran, Buda, Veszprém und Fünfkirchen und die Oberen der kirchlichen Orden ebenso gehören wie Vertreter des Adels und der Städte, entsenden ihr Bittschreiben also in Vertretung des Königs. Anders als die Botschaft Bélas haben aber das vorliegende Schreiben wie auch die gleichzeitig

abgesandten, aber verlorenen Briefe der ungarischen Benediktineräbte die Kurie nie erreicht, sondern blieben im Sieneser Dominikanerkonvent unter bislang ungeklärten Umständen liegen.

Hatte noch Béla in seinem Brief in allgemein gehaltenen Ausführungen die desolate Lage der östlichen Teile seines Reiches beklagt, so berichtet die Geistlichkeit hier Einzelheiten über den Mongoleneinfall in Pannonien. Die Mongolen hatten die zugefrorene Donau vermutlich in der zweiten Januarhälfte überschritten (zur Datierung vgl. Pauler: A magyar nemzet története II, S. 518). Nur wenige Städte und Burgen, deren Namen wir aus dem vorliegenden Brief erfahren, konnten dem ersten Ansturm standhalten. Immerhin scheint der Widerstand besser organisiert gewesen zu sein als in den östlichen Landesteilen, da Adel und Geistlichkeit sich „competenter armati" in die Burgen zurückziehen konnten. So vermochten sich auf dem linken Donauufer Preßburg, Neutra, Komorn, Fülek und Abaújvár zu behaupten, während auf der rechten Seite des Stromes Stuhlweißenburg, die Burg von Gran, Veszprém, Tihany, Raab (Györ), das Kloster Martinsberg (Pannonhalma), Wieselburg (Moson), Ödenburg (Sopron), Eisenburg (Vasvár), Güssing (Németújvár), Zala (Vár) und Lockenhaus (Léka) gehalten werden konnten. Die Verbindungen zum königlichen Hof waren vermutlich schon zu Beginn des Mongoleneinfalls unterbrochen worden. Die ungarischen Geistlichen erwähnen in ihrem Schreiben den König mit keinem Wort. Von ihm war zu diesem Zeitpunkt wohl keine Hilfe mehr zu erwarten. Béla selbst hat, offenbar in der bitteren Erkenntnis, nicht helfen zu können, die ungarische Kirche dem Schutz der Kurie empfohlen (vgl. MIÖG XXXVI, [1915/16], S. 665).

TEXT

Dem in Christus hochheiligen Vater und Herrn...
durch Gottes Vorsehung Papst der heiligen Römischen Kirche[1] küssen die Erde vor Deinen geheiligten
Füßen die Kapitel von Stuhlweißenburg, Gran, Buda,
Veszprém und Fünfkirchen, die Äbte, Priore und
Brüder der Zisterzienser, Prämonstratenser-, Augu-
stiner- und Benediktiner-Orden, die Dominikaner,
Minoriten, Johanniter, Templer und Brüder anderer
Orden, Gespane, Ritter, Burgleute, Städter und andere Gemeinschaften beiderlei Geschlechts, die sich
in den vorgenannten Städten, Burgen, Komitaten und
an anderen befestigten Orten aus dem Königreich
Ungarn versammelt haben, nachdem sie den Tarta-
ren entronnen sind.

Da die heilige Römische Kirche die Mutter und
Lehrerin aller Kirchen ist, erheben die anderen
Kirchen, die sich in großer Bedrängnis befinden[2] und
nicht wissen, was sie tun sollen, ihre Augen zu ihr
allein als Mutter und einzigem Zufluchtsort nach
Gott. Ihr aber, Heiliger Vater, müßt nach dem
Vorbild unseres barmherzigen Herrn, dessen Stellver-
treter auf Erden Ihr seid, Sorge tragen für die gesamte
Kirche und Barmherzigkeit üben gegenüber allen,
besonders aber gegenüber jenen, die zur Schmach für
den Namen des Gekreuzigten auf das schlimmste
gepeinigt wurden. Daher vertraut auf Euch nicht
ohne Grund die Kirche des Königreichs Ungarn, die
durch zahlreiche Gefahren unterschiedlicher Art zermürbt und fast vernichtet wurde. Sie wendet sich an
Euch als einzige Zuflucht nach Gott. Sie richtet auf
Euch die tränenblinden Augen[3] aus der Tiefe ihrer
Qualen und hofft zuversichtlich, bald wieder aufzu-
erstehen,[4] wenn Ihr mit apostolischer Liebe rasch zu
Hilfe eilt. Daher sollt Ihr, Heiliger Vater, wissen, daß

die Feinde des Gekreuzigten, die man Tartaren nennt, um unserer Sünde willen,[5] wie wir glauben, plötzlich und unvorhergesehen in Ungarn einfielen und den größten Teil des Königreichs bis zur Donau hin verwüsteten. Sie töteten Bischöfe, Äbte, Mönche, Dominikaner, Minoriten, Templer, Johanniter, Pröpste, Archidiakone, Domherren, Priester und Kleriker, Gespane, Ritter, wimmernde Kinder und eine unermeßliche Menge anderer Menschen beiderlei Geschlechts, die sie – unvorsichtig im Lande verstreut – antrafen. Zugleich verschlang eine verzehrende Feuerbrunst Mann und Frau, Säugling und Greis.[6] Nicht einmal Witwen überlebten, die jene hätten beweinen können. So erfüllte sich an uns das Wort des Propheten, der untröstlich die Menge der Erschlagenen beklagt.[7] Aber auch diejenigen, die sich in Seide kleideten, wurden ohne Unterschied[8] zusammen mit den Armen in Gefangenschaft verschleppt. Was aber von allem am abscheulichsten ist, sie verbrannten im Heiligtum Gottes den Laien wie den Priester. Sie traten, um die Schmach noch zu vermehren, die Reliquien der Heiligen und den Leib des Herrn mit Füßen. Auch verwandelten sie die Kirchen in Ställe und die Gräber der Heiligen in Viehkrippen.[9]

In dieser Nacht der Heimsuchung bestürmen wir mit dem Munde wie dem Herzen jammernd und inbrünstig bittend das Ohr Eurer Heiligkeit, damit das Stöhnen der Gefesselten Euer barmherziges Mitgefühl erreiche, auf daß das Blut der Diener Gottes, das vergossen wurde,[10] und die Schändungen des Namens des Gekreuzigten gesühnt werden. Die Mörder, Kirchenräuber und Gotteslästerer aber sollten gemäß dem Ausmaß ihrer Missetaten gerichtet werden und so die Macht dessen spüren, den sie zu durchbohren trachteten.[11]

Wir, die wir uns den Feinden Christi an den Donautoren, so gut es ging, entgegenwarfen, warteten auf die Hilfe der Mutter Kirche. Aber vergebens.[12] Als schließlich die Donau zufror, bot sich jenen überall

die Möglichkeit, zu uns herüberzukommen. Zuletzt
überquerten sie den Strom und schwärmten in das
Land aus, voll ruchloser Pläne und in der Absicht,
ihre bösen Vorhaben zu verwirklichen. Wir aber
zogen uns zuhauf und gut bewaffnet in die Burgen
von Stuhlweißenburg, Gran, Veszprém, Tihany,
Raab, Güssing, Martinsberg, Wieselburg, Ödenburg,
Eisenburg,[13] Zalavár, Lockenhaus (Léka) und in
andere Burgen und Orte, die unweit der Donau
liegen, zurück, desgleichen nach Preßburg, Neutra,
Komorn, Fülek und Abaújvár und in[14] weitere Burgen
und befestigte Plätze. Wir erwarteten dort außer der
Barmherzigkeit Gottes auch die Hilfe Eurer Heiligkeit und der Kirche Gottes und hofften zuversichtlich, eben jenen Feinden Widerstand leisten zu
können, wenn Ihr nur voll Mitleid uns schnell zu
Hilfe eilt, obwohl wir unter deren Kriegslisten mehr
zu leiden haben als unter ihren Angriffen. Daher
flehen wir Euch, Heiliger Vater, bedrückt und jammernd an,[15] daß Ihr dem uns in Christus teuren
Magister Salomon, Domherrn von Stuhlweißenburg
und Propst der [des Kapitels der dortigen] St.-
Nikolaus-Kirche[16] sowie dessen Gefährten, die als
unsere Sondergesandten das vorliegende Schreiben
überbringen, barmherziges und freundliches Gehör
um Gottes willen gewährt. Denn wir haben sie zu den
Füßen Eurer Gnaden entsandt, um von Euch Hilfe für
die Kirche Ungarns zu erlangen. Da für uns jede
Verzögerung gefährlich ist, so wollt Ihr sie zur Ehre
Gottes und der Euren nach Erledigung Ihrer Geschäfte
so schnell wie möglich zurücksenden. Aber da es
lange dauern würde und fast unmöglich ist, „die
Greuel der Verwüstung" zu schildern und wir Euer
feines Gehör nicht mit einer weitschweifigen Darstellung ermüden möchten, so wollet Ihr huldvoll den
Überbringern dieses Schreibens in allem vollstes Vertrauen schenken und unsere Vorschläge annehmen,
die sie Eurer Heiligkeit übermitteln. Gegeben zu Stuhlweißenburg am Tage Mariä Reinigung. [2. Februar]

ANMERKUNGEN

1 Papst Coelestin IV. war am 10. November 1241 verstorben. Die ungarischen Geistlichen hatten das Schreiben an seinen Nachfolger gerichtet, der ihnen noch nicht bekannt sein konnte. Der neue Papst, Innozenz IV., wurde erst am 25. Juni 1243 gewählt.

2 2 Chr 20,12.

3 Klgl 2,11.

4 Ps 41,9.

5 Die Vorstellung, daß die Christenheit „um ihrer Sünden willen" von ungläubigen Völkern heimgesucht werde, war im Abendland, aber auch bei altrussischen und byzantinischen Chronisten weit verbreitet (Dörrie: Drei Texte, S. 197–198; Bezzola: Mongolen, S. 41–42). Sie ist auf alttestamentarische Vorstellungen zurückzuführen, so Ri 6,1: „Die Israeliten aber taten, was dem Herrn mißfiel; der Herr lieferte sie daher sieben Jahre lang der Bedrückung durch die Midianiter aus." Ähnlich Ri 2,14 und 3,1. Vgl. auch oben Julian, S. 111, Anm. 4.

6 Dtn 32,25.

7 Nah 3,3.

8 Klgl 1,18.

9 Der Bericht der Kleriker, die noch unter dem unmittelbaren Eindruck des Erlittenen stehen, ähnelt bis in die Einzelheiten hinein den Schilderungen, die Rogerius und der Archidiakon Thomas von den Greueltaten der Mongolen geben.

10 Ps 79,10.

11 Sach 12,10; Joh 19,37.

12 Ijob 30,13.

13 Hier ist nicht, wie Fedor Schneider fälschlich annimmt, die Rede von Neuhaus im Komitat Eisenburg (Vas) (MIÖG XXXVI, 1915/16, S. 666), sondern von der im 12. Jahrhundert erbauten Burg Güssing (Németújvár) im Komitat Eisenburg (vgl. Handbuch der historischen Stätten Österreich. I. Donauländer und Burgenland. Hrsg. v. K. Lechner, Stuttgart 1970, S. 730).

14 Auch hier irrt Fedor Schneider (ebda.). Mit Novumcastrum Albe wird in den zeitgenössischen Quellen nicht Nógrád bezeichnet, sondern die weiter östlich gelegene Komitatsburg Abaújvár (Györffy: Geographia I, S. 58).

15 Ps 33,19; Jer 9,19; 31,15.

16 Die St.-Nikolaus-Kirche stand außerhalb der Stadtmauern in der sog. Ofner Vorstadt.

Brief König Bélas IV. an Papst Innozenz IV.
vom 11. November (1250)

VORBEMERKUNGEN

Das Original des berühmten Schreibens Bélas IV. blieb erhalten und wird im Vatikan-Archiv unter dem Signum Arm. II c. VII. no. 18 geführt. Der Brief ist mit einer Goldbulle versehen, die mit einer rotgelben Seidenschnur befestigt ist.

Der Text wurde wiederholt ediert, so bei Fejér CD IV/2, S. 218; A. Theiner: 1, 230; N. Densuşianu: Documente privitore la istoria Românilor 1199–1345. Bucuresti 1887, S. 259; J. Gyárfás: A jászkunok története (Geschichte der Jasso-Kumanen) II. Kecskemét 1873, S. 407; Marczali: Enchiridion, S. 161 ff. Da keine dieser Ausgaben wissenschaftlichen Ansprüchen genügt, wurde für die Übersetzung des Textes auch ein Faksimile der Originalurkunde benutzt. Zur Überlieferung des Schreibens und der früheren Briefe König Bélas vgl. K. Rudolf: Die Tataren 1241/1242. Nachrichten und Wiedergabe: Korrespondenz und Historiographie. In: Römische Historische Mitteilungen XIX (1977), S. 79–107.

Die Datierung des Briefes blieb lange umstritten (Zur Forschungsgeschichte vgl. Szentpétery: Regesta I, 2, Nr. 933a, S. 287–289). Nach sorgfältiger Analyse kam J. Szentpétery 1927 zu dem Ergebnis, daß der Brief in den Jahren 1250–1254 aufgesetzt worden sein muß. Als Terminus post quem gilt für ihn 1250, weil in diesem Jahr die Hochzeit von Bélas Tochter Konstanze mit dem Thronfolger des Fürstentums Galič, Leo gefeiert wurde (Hodinka: Orosz évkönyvek, S. 433), deren Eheschließung Béla in seinem Schreiben ausdrücklich vermerkt. Allerdings ist der vorliegende Brief auch nicht nach dem 11. November 1254 entstanden, denn der Adressat, Innozenz IV., verstarb am 7. Dezember 1254. Da der König in einem

„Beglaubigungsschreiben", das er der Gesandtschaft mitgab, den Bischof Bartholomäus von Fünfkirchen nennt, der freilich auf sein Amt schon 1251 verzichtete (vgl. Fejér CD IV/2, 95) – am 3. Juli 1251 wird bereits sein gewählter Nachfolger erwähnt –, erscheint eine Datierung auf den 11. November 1250 gerechtfertigt.

Drei Jahre zuvor, am 4. Februar 1247, hatte Papst Innozenz IV. in einem Schreiben an König Béla diesen gebeten, ihm einen neuen Einfall unverzüglich zu melden, und angekündigt, er werde bei erneuter Bedrohung des Landes ein Kreuzfahrerheer entsenden. In der Zwischenzeit hatte die Kurie eine rege diplomatische Tätigkeit entfaltet und war durch mehrere Gesandtschaftsreisen in den Besitz umfangreicher und authentischer Nachrichten über die Mongolen und deren Absichten gelangt. So hatten Johannes von Plano Carpini und Benedikt von Polen 1246 als erste europäische Gesandte den Hof des Großkhans in Karakorum aufsuchen können. Gleichzeitig waren Andreas von Longjumeau und Ascelin zu tatarischen Generälen im Vorderen Orient gereist, um dort Verhandlungen in päpstlichem Auftrag zu führen. (Einen kurzen Bericht über die Gesandtschaftsreise des Andreas von Longjumeau gibt Matthaeus Parisiensis: CM VI, S. 113–115; über die Verhandlungen, die Ascelin mit dem Tatarengeneral Baiju führte, berichtet dessen Reisegefährte Simon von Saint-Quentin im Speculum historiale" des Vinzenz von Beauvais. Vgl. Simon von Saint-Quentin: Histoire des Tartares, ed. J. Richard DRHC. VIII [1965], S. 103–118.)

Langfristig verfolgte Innozenz gegenüber den Mongolen zwei Ziele:

1. das Bündnis mit russischen, polnischen, serbischen, griechischen und georgischen Fürsten, die er für einen möglichen Kreuzzug gegen die Tataren zu gewinnen trachtete;

2. die Missionierung der Tataren, um auf diese

Weise die Gefahr eines erneuten mongolischen Angriffs endgültig zu bannen und die Mongolenfürsten sodann als Bundesgenossen gegen die zu dieser Zeit immer stärker vordringenden muslimischen Anrainer der Kreuzfahrerstaaten im Heiligen Lande zu gewinnen.

Béla IV. hat das erste Ziel der päpstlichen Politik mit Nachdruck unterstützt. Hatte der König schon vor dem Tatareneinfall die Kundschafter- und Missionsreisen der ungarischen Dominikaner- und Franziskanermönche in Übereinstimmung mit dem päpstlichen Legaten tatkräftig gefördert, so leistete er in der Folgezeit den päpstlichen Bündnisplänen durch Heiratsverbindungen mit polnischen und russischen Fürsten wertvolle Dienste.

Das andere Ziel der päpstlichen Politik freilich, die Tataren zum christlichen Glauben zu bekehren und sie so zu Verbündeten zu gewinnen, fand bei Béla IV. keine Gegenliebe. Für Béla, der sich durch die gastliche Aufnahme der Kumanen und durch die strikte Weigerung, sie an ihre früheren mongolischen Herren auszuliefern, diese zu unversöhnlichen Feinden gemacht hatte, mußten die Tataren weit bedrohlicher erscheinen als sarazenische Fürsten oder Häretiker. Bélas Kritik wandte sich daher folgerichtig gegen das Papsttum und den französischen König. Beide Mächte hatten nicht nur über ihren Kreuzzugsplänen nach Ansicht Bélas versäumt, Ungarn die dringend notwendige Hilfe gegen die Mongolen zu leisten. Sie hatten kurz zuvor sogar mehr oder weniger erfolgreich Verhandlungen mit Mongolenfürsten geführt. König Ludwig IX., der Heilige, hatte während eines Kreuzzuges in Zypern im Dezember 1248 Gesandte des mongolischen Generals Älǧigidäi empfangen und im folgenden Jahr seinerseits den Dominikaner Andreas de Longjumeau und zwei seiner Ordensbrüder entsandt, um mit der Regentin Oǧul Gaimys zu verhandeln. (Von dieser Reise kehrten Andreas und seine Gefährten erst im Früh-

jahr 1251 zurück. Zum Verlauf der Reise vgl. P.
Pelliøt: Les Mongols et la Papauté. In: Revue de
l'Orient chrétien XXVIII [1931/32], S. 3–68. Siehe
auch R. Grousset: Saint Louis et les alliances orien-
tales. In: Études historiques, N. S. III, Paris 1948,
S. 10 f.) Nur einige Jahre zuvor (1245–1248) waren
nicht weniger als vier päpstliche Gesandtschaften,
unter ihnen auch die des Johann von Plano Carpini,
zu den Mongolen gereist, in der erklärten Absicht, sie
zum Christentum zu bekehren, Frieden mit ihnen zu
schließen und „hinter die wirklichen Absichten und
Pläne der Tataren zu kommen" (SF I, S. 28). Zu den
päpstlichen Gesandtschaften vgl. P. Pelliot: Les Mongols et la Papauté. In: Revue de l'Orient chrétien
XXIII [1922/23], S. 3–30; XXIV [1924], S. 225–335 ;
XXVIII [1931/32], S. 6–12, Soranzo: Il papato,
S. 77–125; Bezzola: Mongolen, S. 118–124).
Die Verhandlungen zwischen französischen und
päpstlichen Gesandten auf der einen und dem mongolischen Großkhan bzw. dessen Beauftragten auf
der anderen Seite konnten indessen nicht erfolgreich
abgeschlossen werden. Sie scheiterten, weil beide
Seiten Erwartungen hegten, die die jeweiligen Ver-
tragspartner nicht erfüllen konnten. Hatte man sich
an den westlichen Höfen der irrigen Hoffnung ver-
schrieben, die Mongolen würden zum Christentum
bekehrt, von ihren Angriffen gegen die Christenheit
ablassen und als Verbündete Beistand zur Rücker-
oberung des Heiligen Landes leisten, so konnten und
wollten die mongolischen Herrscher, wie etwa der
Brief des Großkhans Güjük an Papst Innozenz IV.
zeigt (der Text des Briefes bei E. Voegelin: The
Mongol Orders of Submission to European Powers,
1245–1255. In: Byzantion XV [1940/41], S. 386–388.
Das persische Original bei P. Pelliot: op. cit. XXIII
[1922/23], S. 14 f.), nicht hinnehmen, daß fremde
Fürsten ihnen als gleichrangige Verhandlungspartner
entgegentreten. Eine Verständigung mit den abendländischen Herrschern war aus mongolischer Sicht

erst möglich, wenn jene zuvor den Weltherrschaftsanspruch der mongolischen Großkhane anerkennen und sich ihnen unterwerfen würden (Bezzola: Mongolen, S. 99, 146.) Die Mongolen übernahmen diese Einstellung zusammen mit dem Anspruch auf Weltherrschaft von den chinesischen Kaisern. Die Herrscher Chinas weigerten sich noch im 19. Jahrhundert, Gesandte europäischer Mächte anders denn als Vertreter tributpflichtiger Fürstentümer zu behandeln (W. Franke: China und das Abendland. Göttingen 1962, S. 23–25, 58 f.; J. C. Y. Hsü: China's Entrance into the Family of Nations, The Diplomatic Phase 1858–1880. Cambridge, Mass. 1960. Freilich war das Idealbild der chinesischen „Weltordnung" mit den tatsächlichen Machtverhältnissen häufig nicht in Übereinstimmung zu bringen. Vgl. dazu E. Rosner: Die „Familie der Völker" in der Diplomatiegeschichte Chinas. In: Saeculum 32 [1981], S. 103–116).

Béla IV. muß über einige, wenn nicht alle diese Gesandtschaftsreisen unterrichtet gewesen sein. Offenbar hat Johann von Plano Carpini auf seiner Rückreise im Herbst des Jahres 1247 auch am ungarischen Königshof Bericht erstattet (vgl. D. Sinor: John of Plano Carpini's Return, S. 204 f.) Béla hat die Verhandlungen mit den Mongolen vermutlich ebenso argwöhnisch beobachtet, wie er sich ablehnend gegenüber den Kreuzzugsunternehmungen des französischen Königs verhielt.

Den Versäumnissen der anderen Fürsten stellt Béla seine eigenen Bemühungen und Verdienste um die Verteidigung Ungarns entgegen. In bitteren Worten entlädt sich auch hier die Enttäuschung, die der König gegenüber den übrigen europäischen Fürsten empfunden haben muß. Er verleiht seiner Bedrängnis beredten Ausdruck, wenn er unterstreicht, daß er sein Reich mit Heiden habe verteidigen müssen. Solche Vorhaltungen konnten auf die Kurie nicht ohne Wirkung bleiben. Hatte doch die Kirche selbst seit

Jahrhunderten die Bündnisse christlicher Fürsten mit Heiden auf das schärfste verurteilt (vgl. M. Bünding-Naujoks: Das Imperium Christianum und die deutschen Ostkriege vom zehnten bis zum zwölften Jahrhundert. In: H. Beumann [Hrsg.]: Heidenmission und Kreuzzugsgedanke in der deutschen Ostpolitik des Mittelalters. Darmstadt 1963, S. 65–120; Zum Wandel des Heidenbildes während der Kreuzzüge vgl. F. W. Wentzlaff-Eggebert: Kreuzzugsdichtung des Mittelalters. Studien zu ihrer geschichtlichen und dichterischen Wirklichkeit. Berlin 1960, S. 26–30, 79–82, 247–254, 270–272. Weitere Angaben bei Bezzola: Mongolen, S. 189 f.).

Béla gibt seiner Empörung eine letzte dramatische Steigerung, wenn er droht, er selbst könne sich, auch von der Kirche im Stich gelassen, in äußerster Verzweiflung genötigt sehen, „ein Übereinkommen mit den Tataren zu treffen". Man hat wiederholt zu deuten versucht, wie ernst das Papsttum diese Drohung habe nehmen müssen. Hier ist jenen beizupflichten, die, wie noch jüngst Gian Andrei Bezzola, betonten (Mongolen, S. 187), der König habe seine Drohung nur als Druckmittel gegenüber der Kurie verstanden und keineswegs wahr machen wollen. „Sonst hätte er verhandelt und nicht seine Pläne offen dargelegt. Seine Bindung zur Einheit des christlichen Abendlandes war noch zu ausgeprägt." (Ebda.) Tatsächlich hat Béla später zweimal, 1259 und 1264, die Bündnisangebote, die ihm der Khan Berke in ultimativer Form unterbreitete, ausgeschlagen (Theiner I, S. 240, Nr. 454; Wenzel AUO. CD. III, S. 84; vgl. dazu E. Lederer: A tatárjárás Magyarországon és nemzetközi összefüggései [Der Tatareneinfall in Ungarn und seine internationalen Zusammenhänge]. In: Századok 86 [1952], S. 352–363, und D. Sinor: Les relations entre les Mongols et l'Europe jusqu'à la mort d'Arghoun et de Béla IV. In: Journal of World History III [1956], S. 58–59). Dennoch wurde Bélas Drohung von der Kurie durchaus ernst genommen. Dort hatte man das Beispiel russischer Fürsten vor Augen, die, wie Alexander Nevskij und Daniil von Galič, längst die Anerkennung der mongolischen Oberhoheit vollzogen hatten. Wir kennen nicht die Antwort, die Innozenz IV. dem König gab. Béla hat aber seine Warnung 1259 in einem Schreiben an Papst Alexander IV. (1254–1260) wiederholt (vgl. Theiner I, S. 239–241, Nr. 454).

In einer ausführlichen Erwiderung wies der Papst die Vorwürfe Bélas zurück und mißbilligte dessen Drohung, sich mit den Tataren zu verständigen (Theiner I, S. 239–241, Nr. 454). Die Kirche habe 1241, so der Papst, alles unternommen, was ihr angesichts ihrer verzweifelten Lage, in die sie Kaiser Friedrich II. gebracht habe, möglich gewesen sei, um Ungarn zu helfen. Gott selbst habe ja Béla gerettet, als die Menschen dies nicht mehr vermochten. Wenn nun der König sein Gottvertrauen verloren habe und ein Bündnis mit den Tataren schließen wolle, dann öffne er ihnen nicht nur den Weg, um andere christliche Fürsten und Völker zu bekämpfen. Béla selbst laufe Gefahr, von seinen neuen Verbündeten hintergangen und versklavt zu werden. Ein Bündnis mit den Mongolen sei darüber hinaus grundsätzlich abzulehnen, weil diese Heiden seien. (Schon einer der Vorgänger Alexanders, Papst Eugen III., hatte in einer Bulle vom 11. April 1147 das Bündnis von Christen und Heiden bei Androhung der Exkommunikation verboten [Mecklenburgisches Urkundenbuch, ed. Verein für Mecklenburgische Geschichte und Altertumskunde 1863] I, Nr. 44, S. 36). Schließlich bat der Papst Béla, zu bedenken, daß die Kirche zwar die Christenheit vielerorts zu verteidigen habe, aber alles nur Mögliche unternehmen werde, um Ungarn zu helfen.

Dem heiligsten Vater in Christus und Herrn Innozenz[1], von Gottes Gnaden höchstem Pontifex der
heiligen Römischen Kirche, entbietet Béla, aus derselben Gnade König von Ungarn, die schuldige und
fromme Verehrung. Das Königreich Ungarn wurde
durch die Pest[2] der Tartaren zum großen Teil in eine
Einöde verwandelt und wird – wie eine Schafshürde
von dem Zaun – von verschiedenen ungläubigen
Völkern eingeschlossen, so von den Russen, Kumanen und Brodniki[3] im Osten. Im Süden wohnen die
Bulgaren und häretischen Bosniaken,[4] gegen die wir
auch zur Zeit zu Felde ziehen. Im Westen und Norden
sitzen die Alamannen[5] [Deutschen], deren Unterstützung unser Königreich schon wegen des gemeinsamen religiösen Bekenntnisses empfangen müßte.
Doch kommt es nicht in den Genuß dieser Hilfe,
sondern hat die Drangsale des Krieges durch Feinde
zu erleiden, die in plötzlichen Überfällen die Güter
des Königreichs plündern, besonders aber durch die
Tartaren, die es – ähnlich wie andere Völker, durch
deren Gebiet sie streiften – im Krieg zu fürchten
gelernt hat. Wir beschlossen daher auf den Rat der
Prälaten und Fürsten unseres Reiches, uns an den
Statthalter Christi als einzigen würdigen Schutzherrn
und seine Brüder in den letzten Nöten der Christenheit zu wenden, damit nicht uns oder vielmehr durch
uns Euch und anderen Christen zustößt, was man
allgemein zu befürchten hat. Denn täglich gelangen
Gerüchte von den Tartaren zu uns.[6] Sie planen gegen
uns Krieg zu führen. Denn sie hassen uns deshalb
besonders, weil wir selbst nach einer so verheerenden
Niederlage nicht daran denken, uns zu unterwerfen,
während alle anderen Völker, gegen die sie ihre

Kräfte erprobt hätten, und besonders die Länder, die im Osten an unser Reich grenzen, wie Rußland, Kumanien, das Land der Brodniki und Bulgarien, die vorher meist uns untertan gewesen waren, sich ihnen unterworfen hatten.[7] Aber sie wollen nicht nur gegen uns kämpfen, sondern beabsichtigen, wie wir von vielen zuverlässigen Gewährsleuten als verbürgt erfuhren, in Kürze ihr zahlloses Heer gegen die gesamte Christenheit und das ganze Europa ins Feld zu entsenden. Wir fürchten auch, daß bei einem Angriff dieses Volkes die Unsrigen den wütenden tartarischen Angriff nicht ertragen können und wollen. Unsere Leute könnten sich, auch gegen unseren Willen, furchtsam unter deren Joch beugen, wie es schon die anderen bereits erwähnten Nachbarn getan haben, wenn nicht durch die umsichtige Vorsorge des Apostolischen Stuhles unser Königreich sorgfältiger und besser geschützt wird und die Völker, die in Ungarn wohnen, ermutigt werden.

Wir schreiben dies vor allem deshalb, weil wir nicht mangelnder Tatkraft und Sorgfalt beschuldigt werden möchten.[8] Was unsere Tatkraft angeht, so betonen wir, daß wir alle Maßnahmen getroffen haben, die aufgrund unserer Erfahrung zu treffen waren, und daß wir uns mit unserer Habe den noch unbekannten Kräften und Listen der Tartaren stellen werden. Der Sorglosigkeit können wir in keiner Weise bezichtigt werden. Sind wir doch, als die Tartaren schon in unserem Reich gegen uns kämpften, bei drei in der ganzen Christenheit höchst angesehenen Fürstenhöfen vorstellig geworden: an Eurer Kurie,[9] die von allen Christen für die Mutter und Lehrmeisterin aller Höfe gehalten wird, am kaiserlichen Hof, dem wir die Unterwerfung angeboten hatten,[10] wenn er uns nur in der Not die erbetene Hilfe leiste. Auch an den französischen Hof haben wir uns bittflehend gewandt.[11] Außer leeren Worten aber empfingen wir von diesen Höfen weder Trost noch Hilfe. Wir haben uns daher mit dem begnügt, was in unserer Macht stand, haben um des Wohles der Christenheit willen unsere königliche Würde gedemütigt und zwei unserer Töchter mit zwei russischen Fürsten,[12] die dritte mit einem polnischen Herzog[13] vermählt, um durch diese und andere Verbündete im Osten die Pläne und heimtückischen Absichten der Tartaren zu erfahren und ihnen entgegenwirken zu können. Auch haben wir die Kumanen in unser Reich aufgenommen und, welch schmerzlicher Anblick, mit Heiden verteidigen wir heute unser Reich, mit ihrer Hilfe werfen wir die von der Kirche Abtrünnigen nieder.[14] Mehr noch, um der Verteidigung des christlichen Glaubens willen haben wir unseren erstgeborenen Sohn mit einer Kumanin verheiratet,[15] um damit Schlimmeres zu verhüten und um Gelegenheit zu erhalten, sie zur Taufe zu bewegen, wie wir es mit vielen anderen bereits erreicht haben.

Auf Grund all dieser und anderer Tatsachen wünschen wir, es möge der Heiligkeit des höchsten Pontifex offenbar werden, daß wir in solchen Nöten von keinem christlichen Fürsten oder Volk Europas den Vorteil irgendeiner Hilfe erlangt haben. Einzig die Brüder des Johanniterordens haben erst neulich auf unsere Bitte hin den Kampf gegen Heiden und Schismatiker zur Verteidigung unseres Reiches und des christlichen Glaubens aufgenommen.[16] Wir haben die Ritter bereits an einer besonders gefährdeten Stelle postiert, im Gebiet der Kumanen und Bulgaren jenseits der Donau, von wo das Tartarenheer schon bei seinem letzten Einfall nach Ungarn vordrang.[17] Daher beabsichtigen und hoffen wir auch, daß, wenn Gott unser Werk und das der genannten Brüder begünstigt, sie die Saat des katholischen Glaubens bis zum Konstantinopolitanischen [= Schwarzen] Meer verbreiten und so dem Lateinischen Kaiserreich[18] wie auch dem Heiligen Lande nützliche Hilfe leisten können. Zum Teil haben wir dieselben (Johanniter) auch in der Mitte unseres Reiches eingesetzt und ihnen die Verteidigung der an der Donau errichteten Burgen übertragen,[19] da unser Volk im Bau von Burgen unerfahren ist. Wir sind nach wiederholter Beratung mit den Unsrigen zu dieser Entscheidung gelangt, weil es uns besser für uns und Europa zu sein schien, die Donau durch Festungen zu sichern. Denn sie ist ja der Fluß des Verhängnisses. Hier traf Heraklius bei der Verteidigung des Römischen Reiches mit Chosrau zusammen,[20] und hier kämpften auch wir, wenn auch unvorbereitet und zu dem Zeitpunkt schwer angeschlagen, zehn Monate lang mit den Tartaren,[21] während unser Reich fast völlig des Schutzes durch Burgen und Verteidiger entbehren mußte. Wenn es, was fern sei, von den Tartaren in Besitz genommen werden sollte, so stände ihnen das Tor zu den anderen Ländern des katholischen Glaubens offen: einmal, weil es dort kein Meer gibt, das den Zugang zu den Christen behindert, und zum anderen, weil sie ebendort ihre riesigen Heerscharen günstiger aufstellen können als anderswo. So hat zum Beispiel Totila [= Attila], der aus dem Osten kam, um sich den Westen zu unterwerfen, ursprünglich inmitten des Königreichs Ungarn sein Lager aufgeschlagen, und die Caesaren, die vom Westen her kamen, um den Osten zu bezwingen, haben sehr oft ihr Heer innerhalb der Grenzen unseres Reiches aufgestellt.[22]

So möge Eure Heiligkeit diese Maßnahmen umsichtig erwägen und für ein geeignetes Heilmittel Sorge tragen, bevor die Wunde aufbricht [d. h. die Katastrophe völlig hereinbricht]. Denn viele kluge Leute sind erstaunt, daß Ihr, Heiliger Vater, es zugelassen habt, daß unter den gegenwärtigen Umständen ein so vornehmes Glied der Kirche wie der König von Frankreich Europa verlassen kann.[23] Auch wundern sie sich beständig, daß Eure Apostolischen Gnaden zwar große Sorgen um das Reich von Konstantinopel und um die überseeischen Gebiete haben,[24] obwohl ihr Verlust – was fern sei – den Einwohnern Europas nicht entfernt soviel schaden würde, als wenn es den Tartaren gelänge, sich unseres Königreiches zu bemächtigen. Daher bezeugen wir vor Gott und den Menschen, wir würden Euch in Anbetracht der Notwendigkeit und Bedeutung der Angelegenheit nicht nur die Gesandten schicken, die wir jetzt entsenden. Vielmehr hätten wir uns persönlich, wenn uns nicht die Gefahren der Reise abhielten, Euch zu Füßen geworfen, um an Euch im Angesicht der gesamten Kirche zu appellieren. Solltet Ihr aber, Heiliger Vater, uns keine Hilfe gewähren können, so möchten wir uns [bereits jetzt] dafür entschuldigen, daß wir uns dann genötigt sähen, mit den Tartaren ein Übereinkommen zu treffen.[25] Wir bitten daher flehentlich, die Heilige Mutter Kirche möge, wenn schon nicht unsere Verdienste, so doch die unserer Vorgänger in Erwägung ziehen, die voll Frömmigkeit und Ehrerbietung sich und ihr Volk, das sie durch die Verkündigung des Wortes Gottes dem rechten Glauben unterworfen hatten, unter den Fürsten der Welt im Glauben und Gehorsam rein bewahrten. Daher hat auch der Apostolische Stuhl ihnen und ihren Nachfolgern ungebeten jede Gnade und Gunst in Aussicht gestellt, wenn sie je in eine Notlage geraten sollten. Nun scheint uns mit Gewißheit eine große Not zu bedrohen. Öffnet daher Euer väterliches Herz und reicht denen die Hand, die Euch in solch ernster Zeit um Hilfe bei der Verteidigung des Glaubens und des allgemeinen Wohls bitten. Sollten wir aber, was wir nicht glauben können, mit einer so beherzigenswerten und für alle Christen gleichermaßen wichtigen Bitte abgewiesen werden, so müßten wir nicht wie Söhne, sondern wie Stiefkinder aus der Herde des Vaters verbannt [andernorts] um Almosen betteln. Gegeben in [Sáros-]Patak, am Tage des heiligen Bischofs und Bekenners Martin, am 11. November.

ANMERKUNGEN

1 Papst Innozenz IV., gewählt am 25. Juni 1243, gest. am 7. Dezember 1254.
2 Auch Thomas von Spalato spricht von der „Pest der Tataren" (pestis Tartarorum). Vgl. oben S. 236.
3 Das nomadisierende Volk der Brodniki tritt seit der zweiten Hälfte des 12. Jahrhunderts in den pontischen Steppen in Erscheinung. Eine ungarische Urkunde aus dem Jahre 1222 erwähnt sie in der Nachbarschaft der Kumanen im Grenzgebiet der späteren Fürstentümer Moldau und Walachei, während Béla IV. sie im vorliegenden Brief zwischen Kumanen und Bulgaren lokalisiert. Der Name des Volkes ist abzuleiten vom altrussischen Verb *broditi* „waten" und dient offenbar zur Bezeichnung einer Gemeinschaft von Fischern (G. Vernadsky: Kievan Russia. New Haven 1951, S. 158; M. Vasmer: Russisches etymologisches Wörterbuch. I, Heidelberg 1953, S. 124). Die ethnische Zugehörigkeit der Brodniki blieb in der Forschung umstritten. Die Mehrheit der Gelehrten vertritt die Auffassung, es handle sich um ostslavische Volkselemente (vgl. die Literaturangaben bei E. Lukinich – L. Gáldi – A. Fekete Nagy – L. Makkai: Documenta Historiam Valachorum in Hungaria illustrantia. Budapest 1941, S. 2, Anm. 4). György Györffy sieht in den Brodniki sogar Nachkommen der im 9. Jahrhundert an der unteren Donau siedelnden östlichen Abodriten (Györffy: Das Güterverzeichnis des griechischen Klosters zu Szávaszentdemeter [Sremska Mitrovica] aus dem 12. Jahrhundert. In: Studia Slavica V [1959], S. 14–15, Anm. 16).
4 Die Bogomilen.
5 Der Name Alamannen dient hier wie in den ungarischen Chroniken als „pars pro toto"-Bezeichnung für die Deutschen.
6 Zu den Informanten des Königs gehörte auch Johannes von Plano Carpini, der im Sommer 1246 am Hofe des Großkhans in Karakorum weilte und, wie Denis Sinor nachweisen konnte, bei seiner Rückkehr u. a. auch den ungarischen König über die Ergebnisse seiner Mission unterrichtete (Sinor: John of Plano Carpini's Return, S. 203–206). Über die Pläne der Mongolen wußte Plano Carpini zu berichten: „In der erwähnten Reichsversammlung (1246) wurden die Soldaten und Heerführer bestimmt... Ein Heer soll durch Ungarn eindringen, ein zweites durch Polen, wie uns gesagt wurde... Auch die Zeit zum Vormarsch ist ihnen schon festgesetzt. Denn im vergangenen März (1247) erfuhren wir, daß der Krieg gegen Rußland bei allen Tataren, durch deren Land wir reisten, verkündet worden

war" (SF I, S. 94–95. Vgl. auch PSRL VII, S. 153). Freilich wurden die Mongolen vorerst durch innere Zwistigkeiten davon abgehalten, ihre Angriffspläne in die Tat umzusetzen (vgl. Spuler: Goldene Horde, S. 24 f.).

7 Das Herrschaftsgebiet der „Goldenen Horde" erstreckte sich im Westen und Südwesten bis zu den Karpaten und bis zum Balkangebirge (vgl. Spuler: Goldene Horde, S. 274–280).

8 Offenbar war Béla bestrebt, Vorwürfe zu entkräften, die u. a. auch von Kaiser Friedrich II. in einem Brief an Heinrich III. von England erhoben worden waren. Friedrich hatte darin den ungarischen König der Sorglosigkeit und mangelnder Voraussicht bezichtigt (Matth. Paris.: CM IV, S. 112–119). Auch in Ungarn scheinen ähnliche Anschuldigungen gegen den König erhoben worden zu sein (vgl. oben S. 155).

9 König Béla hatte schon vorher mehrfach Hilferufe an die Kurie gerichtet, so am 18. Mai 1241 (Fejér CD. IV/1, S. 214), am 19. Januar 1242 (Huillard-Bréholles: Historia diplomatica Frederici secundi. VI/2, Paris 1861, S. 902) und am 11. November 1250. Szentpétery: Regesta I, Nr. 933 b, S. 289.

10 Ryccardus de Sancto Germano: Chronica. RIS. ns – VII/2, 1936–38, S. 209 ff.; Annales Sancti Pantaleonis Coloniensis, MGH SS. XXII, S. 535.

11 Der an König Ludwig IX. von Frankreich gerichtete Brief ist nicht erhalten. Zur Haltung des französischen Königs vgl. Matth. Paris.: CM IV, S. 111.

12 Béla hatte um 1250 seine älteste Tochter Anna mit dem Fürsten Ratislav von Černigov, dem späteren Zaren von Bulgarien, verheiratet. Die sechste Tochter, Konstanzia, gab er dem Thronerben von Galič, Leo, zur Frau (Hóman: Geschichte, II, S. 185).

13 Die vierte Tochter, Kinga (Kunigunde), hatte den polnischen Herzog Boleslaw (den Schamhaften) von Krakau geehelicht (B. Hóman: Geschichte, II, S. 185). Unerwähnt bleibt hier die zweitjüngste der insgesamt acht Töchter Bélas, Jolanthe (Ilona), die später, 1257, ebenfalls mit einem polnischen Fürsten, Herzog Boleslaw dem Frommen von Kalisz, verheiratet werden sollte (M. Wertner: Negyedik Béla király története [Geschichte König Bélas IV.]. Temesvár 1893, S. 141–142; vgl. auch O. Balzer: Genealogia Piastów. Kraków 1895, S. 233–235, 281–283).

14 Kumanen nahmen als Hilfstruppen an den Feldzügen gegen die bosnischen Bogomilen und orthodoxen Bulgaren teil.

15 Wie schon Marczali (Enchiridion, S. 164, Anm. 7) angedeutet hat, legt der Brief den Schluß nahe, daß der 1239 geborene und 1245 zum „rex iunior" gekrönte Thronfolger Stephan nicht – wie allgemein angenommen – erst 1254, sondern wesentlich früher mit der Kumanenprinzessin Elisabeth vermählt wurde.

16 Die Johanniter hatten sich bereits 1147 in Ungarn niedergelassen und ihre ersten Ordenshäuser in Gran und Stuhlweißen-

burg gegründet. Am 2. Juni 1247 übertrug Béla IV. den Rittern das Banat von Szörény/Turnu Severin (die spätere Kleine Walachei) bis zum Olt-Fluß und östlich davon die Landschaft „Kumanien", die im wesentlichen der Ausdehnung der späteren großen Walachei entsprach, zur Verteidigung (F. Zimmermann – C. C. Werner – G. Müller: Urkundenbuch zur Geschichte der Deutschen in Siebenbürgen. Band I. Hermannstadt 1892, S. 73–76). K. Rudolf (Tartaren, S. 91) bezieht die Bezeichnung „domus hospitalis iherosolymitani" fälschlich auf die Templerritter.

17 Über den Roten Turm-Paß.

18 H. Marczali benutzte hier die Wendung *Romano imperio*. Folgte man seiner Lesart, so hätte sich Béla auf das westliche Kaisertum bezogen. Im Original liest man aber deutlich *Romanie imperio*. Als *Romania* bezeichnete man zur Zeit Bélas das Lateinische Kaiserreich von Konstantinopel. Vgl. oben Riccardus, Anm. 7.

19 Béla wollte demnach anscheinend den Festungsgürtel entlang der Donau zu einer zweiten, inneren Verteidigungslinie ausbauen.

20 Der König verwechselt hier offensichtlich die Perser und Awarenkriege zur Zeit des byzantinischen Kaisers Herakleios (610–641). Die Awaren hatten allerdings schon vor dem Regierungsantritt des Kaisers die Donau überschritten und damit die Überflutung der Balkanhalbinsel durch die Masse der slavischen Einwanderer eingeleitet.

21 Vom April 1241 bis zum Januar 1242.

22 Dazu schreibt Ernst Kornemann: „Nachdem Gallien zum letzten Mal sich erhoben hatte und die Westgermanen abgedämmt waren, wurde daher . . . der Donauraum der eigentliche Tummelplatz der römischen Nordpolitik. Diese setzte in der zweiten Hälfte der domitianischen Regierung ein, um dann unter Traian auf den Höhepunkt zu kommen. Sie muß später im Zusammenhang betrachtet werden, weil auch hier wie in Germanien schließlich eine Grenzverlegung über den augusteischen Grenzstrom, wenigstens in Dakien, das eigentliche Ende war" (E. Kornemann: Römische Geschichte. II. Die Kaiserzeit. Stuttgart 1959⁴, S. 223). Offensichtlich dachte Béla aber auch an die Markomannenkriege des Kaisers Mark Aurel.

23 Ludwig IX., der Heilige, hatte sich zum Kreuzzug gegen die ägyptischen Aiyubiden-Sultane am 25. August 1248 in Aigues-Mortes eingeschifft, um erst sechs Jahre später, am 26. Juni 1254, zurückzukehren.

24 Noch Innozenz' Vorgänger, Papst Gregor IX. (1227–1241), hatte sein Interesse am Fortbestehen des Lateinischen Kaiserreiches dadurch zum Ausdruck gebracht, daß er erlaubte, Gelübde für die Bekämpfung der Sarazenen im Heiligen Land durch solche für den Kreuzzug im Rhomäerreich zu ersetzen. Unter Innozenz IV. (1243–1254) bahnte sich freilich ein Wandel

im Verhältnis zu den Byzantinern an, da der Papst Unionsverhandlungen mit dem Kaiserreich von Nikaia führte. Ja, der Papst schien „bereit, um den Preis der Griechenunion das lateinische Kaiserreich fahren zu lassen" (G. Ostrogorsky: Geschichte des byzantinischen Staates. München 1963³, S. 365).

25 Tatsächlich hatte der König zu diesem Zeitpunkt über Daniil von Galič, mit dem er seit 1246 verbündet war, diplomatische Kontakte zur Goldenen Horde aufgenommen, wie er an anderer Stelle des Briefes selbst andeutet. Betont er doch dort, er habe sich mit den Fürsten aus der Rus' verbündet, um durch sie „die Pläne und heimtückischen Absichten der Tataren zu erfahren" (vgl. auch E. Lederer: A tatárjárás, S. 354–355).

ORTSNAMENKONKORDANZ
ZU
DEN KARTEN

Das alphabetische Verzeichnis enthält sämtliche Ortsnamen beider Karten. Bei Orten in Ungarn und Polen, die
auch einen althergebrachten deutschen Namen haben,
erscheint nur dieser auf den Karten. Eine Ausnahme bildet
Buda-Ofen, denn der deutsche Name, eine wortgetreue
Übersetzung des slawischen Wortes „pest", bezeichnete
zur Zeit des Mongolensturmes die gleichnamige Siedlung
östlich der Donau. Im Verzeichnis werden auch andere
historisch wichtige lateinische und volkssprachliche Namen
angeführt. *Kursiv* gesetzt sind die amtlichen Benennungen
in der gegenwärtigen Hoheitssprache mit Angabe des
Staates (abgekürzt in Klammern).
Abkürzungen: altung. = altungarisch; dt. = deutsch;
lat. = lateinisch; rum. = rumänisch; slow. = slowakisch;
ung. = ungarisch; volksspr. = volkssprachlich; B = Bulgarien; ČSR = Tschechoslowakei; J = Jugoslawien;
Ö = Österreich; P = Polen; R = Rumänien; SU = Soviet-
union; T = Türkei; U = Ungarn.

Arad – *Arad* (R)
Belgrad – Alba Bulgarica – ung. Nándorfehérvár –
  Beograd (J)
Bistritz – dt. auch Nösen – ung. Beszterce – *Bistriţa* (R)
Bolgar – *Bolgary* (SU)
Breslau – ung. Boroszló – *Wroclaw* (P)
Buda – dt. Etzelburg, später Ofen – Stadtteil von
  Budapest (U)
Cattaro – *Kotor* (J)
Černigov (SU)
Csanád – lat. Urbs Morisena, Chanadinum – altung.
  Marosvár Sunad – *Cenadul Mare* (R)
Egres – *Igriş* (R)
Galič (SU) – dt. Halitsch – ung. Gácsország, Halics
Gran – lat. Strigonium – *Esztergom* (U)

Großwardein – lat. Varadinum – ung. Várad, später
  Nagyvárad – *Oradea* (R)
Kiev (SU)
Konstantinopel – lat. Constantinopolis – *Istanbul* (T)
Krakau – ung. Krakkó – *Kraków* (P)
Kronstadt – lat. Corona – ung. Brassó – *Braşov* (R)
Liegnitz – *Legnica* (P)
Martinsberg – lat. Mons Pannoniae – *Pannonhalma* (U)
Matrica – *Taman* (SU)
Mohi – *Muhi* (U)
Neutra – lat. Nitria – ung. Nyitra – *Nitra* (ČSR)
Niš (J)
Novgorod (SU)
Olmütz – *Olomouc* (ČSR)
Pereg – entweder *Kaszaper* (U), oder ung. Németpereg
  = *Peregu Mare* (R)
Pest – lat. Pestinum – Stadtteil von *Budapest* (U)
Preßburg – lat. Posonium – slow. volksspr. Prešporok –
  ung. Pozsony – *Bratislava* (ČSR) (seit 1919)
Radna – *Rodna* (R)
Ragusa – *Dubrovnik* (J)
Rjazan – *R'aza'n* (SU)
Segesd (U)
Sofia – *Sofija* (B)
Spalato – *Split* (J)
Stuhlweißenburg – lat. Alba Regia – *Székesfehérvár* (U)
Szeged (U)
Thomasbrücke – lat. Pons Thomae – ung. Tamáshida,
  Tamásda – *Tamaşda* (R)
Trau – *Trogir* (J)
Vladimir im Königreich Galič – *Vladimir Volhynskij*
  (SU)
Vladimir (SU) im Fürstentum Vladimir-Susdal
Voronež (SU)
Waitzen – lat. Vacia – *Vác* (U)
Weißenburg – lat. Alba Transsilvana, Alba Julae, Alba
  Julia – ung. Gyulafehérvár – rum. volksspr. Bălgrad –
  Alba Julia (R)
Wien (Ö) – lat. Vienna – ung. Bécs
Zagreb (J) – lat. Zagrabia – dt. Agram – ung. Zágráb

DER WEG DES FRATER JULIAN NACH „GROSS UNGARN"
UND DIE MONGOLENEINFÄLLE IM ÖSTLICHEN EUROPA IN DER ZEIT VON 1236 BIS 1240

Die erste Reise Julians 1235/36 ----→

Mongolische Feldzüge ──────▷

0 100 200 300 400 500 600 700 800 km

DER MONGOLENEINFALL IN UNGARN 1241/1242

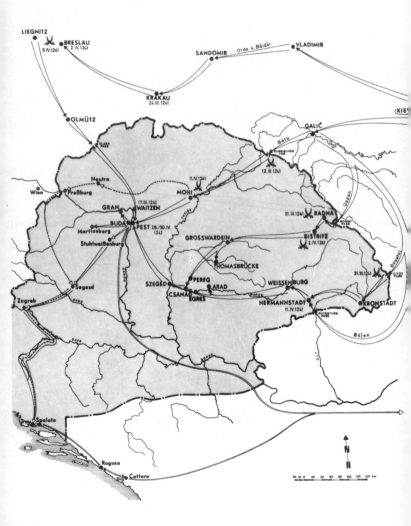

NAMEN- UND SACHREGISTER

319

322

327

329

330

335